Esther Freud

Huis in zee

Vertaling Maaike Post

2004

DE BEZIGE BIJ

AMSTERDAM

De vertaler ontving voor deze vertaling een werkbeurs van de
Stichting Fonds voor de Letteren.

Copyright © 2003 Esther Freud

Copyright Nederlandse vertaling © 2003 Maaike Post

Eerste druk, oktober 2003

Tweede druk, januari 2004

Oorspronkelijke titel *The Sea House*

Oorspronkelijke uitgever Hamish Hamilton, Londen

Omslagontwerp Marry van Baar

Omslagillustratie The Image Bank

Vormgeving binnenwerk Marry van Baar

Druk Groenevelt, Landgraaf

ISBN 90 234 1193 5

NUR 302

Voor mijn vader Lucien

1

Gertrudes huis was roze, van dat grofkorrelige oudroze dat toch stoer is, en aan de voorkant zag het er benauwd en donker uit. Max wachtte even voor hij op de deur klopte en vroeg zich juist af wie het lelijke portaal met het platte dak had aangebouwd, toen er achter het ribbelige glas een schaduw opdook. 'Kom binnen, KOM BINNEN,' zei Gertrude veel te hard, omdat ze maar niet kon aanvaarden dat Max doof was, en hij stond roerloos in de deuropening en keek naar de overdreven bewegingen van haar mond.

Max Meyer was in Steerborough om te zien of hij een schilderij zou willen maken van Marsh End. Het ging om een verzoek uit medelijden, waarschijnlijk een laatste wens van zijn zus Käthe, maar desondanks was hij Gertrude dankbaar dat ze aan hem had gedacht en hem te logeren had gevraagd. *Lieve Max*, had ze geschreven. *Ik weet hoe moeilijk dit verlies voor je zal zijn, en hoe erg wij, wij allemaal, Käthe missen, maar zou je niet willen overwegen een schilderij van mijn huis te maken? Ik ben hier de hele zomer. Als je het denkt aan te kunnen, laat me dat dan alsjeblieft weten, dan leg ik je uit welke treinen je moet nemen.* De brief was van 29 mei, en tot zijn eigen verbazing had hij binnen een week zijn verf en kwasten, een rol schilderslinnen en wat kleren gepakt en was naar Liverpool Street Station getogen om daar op de eerste van drie aansluitende treinen te stappen.

Gertrude Jilks was kinderpsychoanalytica, zelf kinderloos, al stond er naast haar op de drempel een klein jongetje met witblond haar. Gertrude stelde hem niet voor en hij stond daar maar te staren naar zijn voeten die hij in zijn schoenen heen en weer schoof. 'KOM BINNEN,' zei Gertrude weer, en Max herinnerde zich met een schok dat zij hem nooit had gemogen.

'Zeker, dankje, natuurlijk.' Hij boog zijn hoofd en samen liepen ze door naar het grootste vertrek van het huis, een zitkamer met openslaande tuindeuren naar het gazon en donkere meubels die in de schaduw wegvielen na al het overdadige zonlicht. Max liep over de houten vloer de kamer door en de tuin in. Het brede gazon lag er prachtig bij en vertakte zich in paden naar een hoge boom, een spar met zand rondom de voet, en terwijl Max daarheen liep, zijn tas nog in de hand, stelde hij zich voor dat achter de opstaande rand van de tuinhaag de grond tot aan zee bedekt was met kiezels. 'Ja,' zei hij, 'ik zal een schilderij van het huis maken, in elk geval van de achterkant van het huis.' Er stond een bank tegen een muur genesteld en de ramen van de bovenverdieping stonden wagenwijd open.

'Dit is het dan.' Gertrude was achter hem aan gekomen. 'Alf,' zei ze terwijl ze zich omdraaide. 'Ga maar.' Alf was zeven. Hij was het enige kind van haar schoonmaakster en leerde op kosten van Gertrude pianospelen. Hij wilde geen pianoles, maar je kon hem toch moeilijk gewoon geld geven, en daarom ging hij elke zaterdag om halfdrie naar pianoles bij mevrouw Cheese en kwam daarna verslag uitbrengen. Nee, hij stak er niets van op, legde ze Max uit, maar er zat weinig anders op dan stug vol te houden.

'Juist, ja,' zei Max en hij knikte, al betwijfelde hij ernstig of hij er iets van begreep, en Gertrude pakte zijn tas op en bracht hem naar zijn kamer.

Zijn leven lang had Max van huizen gedroomd. Hij had geen psychoanalyticus nodig, zelfs geen voor kinderen, om uit te leggen waarom. Maar ook al vóór de verhuizing uit Duitsland, die hem moest hebben aangegrepen, droomde hij van zijn geboortehuis. Toen hij tien jaar oud was had hij een kaart getekend van het huis, Heiderose – van de tuin, het park, de bossen en bosschages, het land, de rivier en de weg. Die kaart was een van de weinige dingen die hij bij zijn vertrek had meegenomen. De kaart plus een logge houten tafel die hij eigenhandig uit een van de bomen van het landgoed had gekapt. Waarom hij de tafel had meegenomen wist hij nog steeds niet, hij zou immers terugkomen, maar hij had al zijn brieven in de enige diepe la weggeborgen en de tafel naar Engeland verscheept. Max had hem nog altijd, met de brieven in de la, maar niet de kaart, en hij bedacht dat hij hem zelfs met zijn ogen dicht hier en nu, in 1953, uit zijn hoofd kon natekenen.

Huizen, muren, dorpen en wegen. Vanaf het moment dat Käthe ziek was geworden, waren zijn dromen buiten hun oevers getreden. Hij maakte dan een tochtje, steevast aan het stuur van een of andere fantastische auto, nam een bocht en zag ineens een verscholen stuk land liggen. Soms stonden er ergens hoog wat huizen, met paadjes die naar zee afdaalden. Of hij kwam de bocht om, in het volle licht, en zag opeens een witte omheining, een plein in een dorp dat er vroeger niet was geweest. Maar nooit zag hij het huis waar hij overdag van droomde. Het lag altijd net om de hoek, buiten zijn blikveld, en soms was zijn zoektocht als een tunnel die maar naar één ovaal stukje hemel leidde. Nu droomde hij van Gertrudes huis, het prachtige volle gazon en de spar, zo kaarsrecht en luchtig, een uitkijkpost over zee. Daar zou hij mee beginnen, dacht hij, de boom was zo dun dat hij op het schilderij helemaal op de voorgrond kon komen te staan zonder het uitzicht te belemmeren.

2

Er stond iemand vanaf de weg foto's te nemen van Lily's huisje. De weg was zo smal op die hoek van de meent dat de man achteruit het gras op was gelopen en nu op zijn hurken zat om het helemaal in beeld te krijgen. Lily had het huisje gehuurd via een makelaar en de vrouw had haar samen met de sleutel een zelfgetekend kaartje meegegeven. Het was een eenvoudige kaart: een lange smalle weg die langs de rivier naar zee liep en dan een hoek omsloeg naar een driehoekig grasveld, de meent.

'Is dit Fern Cottage?' vroeg ze voor alle zekerheid en de fotograaf keek op zijn kaart van het dorp, die hij moest omdraaien om de naam te kunnen lezen. Lily nam aan dat hij foto's nam voor de makelaar zodat men voortaan kon zien hoe het huisje er vanbuiten uitzag.

'Ja,' riep hij naar haar, 'dat klopt,' en met de sleutel al half in het slot hoorde ze toen de sluiter klikken en ze draaide zich geschrokken naar hem om terwijl hij drie foto's van haar nam, staand voor het huisje.

'Ik weet dat die van mij wel een likje verf kan gebruiken...' Een oudere vrouw in een ochtendjas stond naar hem te roepen vanaf de andere kant van het laantje. 'Maar ik wil niet worden overgeslagen.'

De fotograaf glimlachte. 'Wees maar gerust, Ethel, jij bent hierna aan de beurt.'

Ethel bleef naar hem staan kijken. Ze had een rond gezicht met kuiltjes in haar wangen en kin, en haar haar, wit en kroezig, leek een stralenkrans om haar hoofd. Ze liet haar handen op de latten van het tuinhek rusten en keek oplettend toen de camera over haar huis zwenkte met zijn afbladderende muren en kozijnen die vlekkerig waren van het splinterende hout.

'Komt er nog een glimlach?' vroeg de fotograaf, en ze hield haar hoofd schuin en keek stralend de lens in.

Het huisje van Lily was uitgevoerd in alle mogelijke tinten bruin. Bruine vloerbedekking, lichtbruine muren, een bank en twee stoelen met kruidnagel- en amberkleurige strepen. Zelfs de gordijnen hadden toefjes hazelnootbruine en beige bloemen. Er was een tuin, deels van het huisje ernaast, met daarin een grote boom die zich als een koepel boven het grasveld uitspreidde. Iemands was wapperde aan de lijn. Een handdoek en twee kindermaillots, een gele en een roze. Boven was een grote slaapkamer met een raam dat uitkeek op de meent, en daar aan de horizon, vreemd hoog als op een kindertekening, lag een diepblauwe strook zee. Lily leunde op de vensterbank en liet haar blik rusten op die dunne strook die de hemel scheidde van de zee. Alle spanning van de autorit vloeide uit haar weg en ze sloot haar ogen voor het werk dat haar wachtte. Er stonden twee eenpersoonsbedden, het voeteneind naar haar uitgestrekt, met een stapel dekens waar een sprei overheen was geworpen en Lily ging heel even liggen en voelde de ruwe wol toen ze onder de quilt schoof, en de veren in het kussen kriebelden in haar oor.

Ze werd wakker van een felle kreet en een bons van iets wat tegen de muur werd geslagen. Ze schrok overeind en wist even niet waar ze was.

'Niet doen!' Het was een mannenstem, laag en dreigend. 'Laat dat!' En toen rammelde de klerenkast in de nis en hoorde ze dreunende voetstappen de trap af stommelen. Lily haastte zich naar het raam en verwachtte de ruziemakers uit de voordeur te zien rollen, maar behalve twee eenzame meisjes die tegenover elkaar aan de stangen van de glijbaan zwierden, was er niemand te zien.

Lily stalde in de woonkamer haar werk uit op een vierkant tafeltje met een geplastificeerd kleedje. Het voelde plakkerig aan onder haar handen, die ze even liet liggen op het koude, geruite plastic en ze vroeg zich af wat Nick in deze kamer zou doen. Zou hij zich hier met al dat bruin om hem heen ook zo thuis voelen en kunnen nadenken over architectuur? En toen herinnerde ze zich dat ze hem had zullen bellen om te laten weten dat ze veilig in Steerborough was aangekomen. Eerst sleepte ze haar computer uit de auto, rangschikte haar papieren en boeken eromheen, en met een greep in een stoffige boodschappentas trok ze een handjevol brieven van Lehmann te voorschijn en legde het beduimelde stapeltje op tafel. Brieven van de architect Klaus Lehmann, meer dan twintig jaar geleden geschreven en bewaard door zijn vrouw. Waar zijn háár brieven? vroeg Lily zich af toen ze naar buiten liep en op zoek ging naar een telefoon.

In de telefooncel, die nog als vanouds rood was en vermoedelijk een beschermde status genoot, lag een steen met daaronder een briefje. *Bel 999. Wacht bij de muur...* Het stond er in een haastig geschreven, schuin handschrift, maar na de eerste regel helde het schrift verder en verder voorover en werd een stortvloed van golfjes. Ze wreef met haar vingers over het stukje papier terwijl ze wachtte tot Nick zou opnemen. 'U weet het verder wel,' klonk opeens zijn antwoordapparaat, maar in plaats van iets in te spreken drukte ze haar vinger op de haak en met een bevredigend klikje sneed ze hem af.

Lily bleef nog een hele tijd in de telefooncel staan met haar neus tegen de ruit. Ze wist dat ze iets had moeten inspreken en nu had ze geen kleingeld meer. Ze duwde de zware deur open en stapte de meent op. De zee deinde vlak achter de horizon en trok haar met onweerstaanbaar gebulder. 'Het is mijn eerste dag,' zei ze tegen zichzelf, 'ik moet de boel hier toch een beetje verkennen,' en ze sloeg een hobbelig pad in. Achter de braamstruiken langs de kant stroomde een vlakke, trage rivier met een houten brug erover, en toen liep het pad verder omhoog door witte duinen. Lily liep tussen scherp gras door, haar voeten zakten diep in het zand. Hoe dichter ze bij zee kwam, des te sterker hij haar trok, tot ze met een bonkend hart over de laatste helling holde en klauterde. En daar lag hij. Uitgestrekt en blauw en adembenemend, tot aan de randen van de wereld. De wind striemde haar oren en blies frisse lucht in haar ogen en neus. Het zand stoof op in warrelende wolken, scheerde in vlagen langs, en Lily trok haar jack om zich heen en rende omlaag naar het strand. Hier was het rustiger en ze hurkte neer om even uit de wind te zijn. Met haar vingers tastte ze het natte zand af naar stenen en piepkleine doorzichtige schelpjes, die precies op haar vingertoppen pasten. Lily liep langs het strand tot ze bij een zwarte brede riviermonding kwam. Waar precies wordt het zoete water zout? vroeg ze zich af terwijl ze een robuust motorbootje pruttelend zag binnenvaren, en ze liep het pad op dat boven langs de rivier voerde, verder en verder, tot ze het dorp achter zich had gelaten.

Toen ze thuiskwam was het te laat om nog iets te doen. Binnen was het koud en schemerig en de bruine lampenkappen gaven een mistroostig licht. Ze liep het tuintje in op zoek naar het kolenhok van Fern Cottage. Er vielen wat eerste voorzichtige spatjes en ze keek even naar de verlichte ramen van het andere huisje en vroeg zich af of ze wisten dat hun was nog buiten hing. Toen Lily de tinnen klep van het kolenhok oplichtte, stroomden de kolen naar buiten en om haar schoenen heen. Gehurkt tastte ze in het donker om zich heen en veegde de zwarte brokken in de kolenbak. Het huisje mocht dan klein zijn, het was bijzonder goed voorzien. In de kast onder de trap lagen, naast een lijstje waar alles op stond, kranten om het vuur mee aan te maken, wat hout en zelfs een doosje lucifers voor huurders uit de stad die daar misschien niet aan hadden gedacht. Lily hield een stuk papier boven het haardvuur en wachtte tot het vlam vatte. Het was nu al warmer, dacht ze balancerend op haar hielen en moe van al die frisse lucht ineens, toen het papier loeiend vlam vatte, wegsprong en de kamer in danste. Ze sloeg ernaar met een pook en frommelde het terug in de haard, maar zelfs toen het al was uitgesmeuld, zweefden er nog zwarte roetflintertjes in de lucht.

Lily nestelde zich op de bank en keek naar het stapeltje brieven dat ze in al haar optimisme had klaargelegd. Uiteindelijk kreeg haar geweten de overhand en liep ze erheen, pakte de bovenste brief van de stapel en peuterde hem uit de envelop terwijl ze terugliep naar haar plekje bij het vuur. De envelop was dun en stoffig, maar aan de binnenzijde gevoerd met paars vloeipapier, dun als zijde. Door dit spatje kleur werd ze weer een beetje wakker en ze ging rechtop zitten en begon te lezen.

Meine Liebe... De brieven waren in het Duits. Dat had ze ook wel geweten, maar het gaf haar toch een schok. *Liefste van me, lieve schat?* Ze keek even naar het eind van de brief: *Voor altijd de jouwe, L.*

Ze had de brieven gekregen van een familielid van Klaus Lehmann die in Noord-Londen woonde, in een flat bij Belsize Park. Ze had het lumineuze idee gehad in het telefoonboek te kijken en al bij het tweede telefoontje had ze deze man getroffen. 'Zal ik echt geen kopieën maken?' had Lily gevraagd toen hij haar de brieven overhandigde die in stapels in een oeroude plastic boodschappentas waren gepropt. Maar de man had alleen de tas even opengehouden en erin gekeken. 'Nee,' zei hij, 'kijk er maar naar. Ik denk niet dat iemand er iets aan heeft. En zo wel...'

'Wat dan...?' moedigde Lily hem aan.

'Dan geeft u ze aan de Architectural Association. Zo dan.' Hij stond op het punt de deur dicht te doen.

'Dankuwel.' Ze wilde hem aan de praat houden. 'En hebt u hem nog gekend? Ik bedoel...' Ze rekende op haar vingers na: was hij oud genoeg, het viel niet te zeggen, om de zoon van Klaus Lehmann te zijn?

Maar hij vroeg: 'Ik neem aan dat u Duits kunt lezen?'

'Ja. Zeker.'

'Mooi.' En met een knikje sloot hij de deur.

Opgevouwen in deze eerste brief, uit 1931, was een plattegrond van een rechthoekige kamer. *Ik ben nu in Frankfurt in afwachting van de goedkeuring voor mijn plannen, en als altijd laat dat op zich wachten.* Lehmann had een fijn, vloeiend handschrift, met nog maar een heel dun lijntje zwarte inkt als hij in volle vaart over de lussen van de k en l vloog. *Besef je wel, mijn allerliefste, hoe vaak ik misschien weg ben als wij eenmaal zijn getrouwd? Hoewel, als mijn reputatie een ongekende vlucht neemt, kan ik natuurlijk eisen dat ze ook mijn vrouw onderbrengen. Maar er is één voordeel. Ik heb een paar verrukkelijke schoentjes gezien, en zoveel goedkoper dan je ze ooit bij ons zult vinden. Zal ik ze kopen? Ik hoop maar dat je ja zegt, want ik heb al twee paar in jouw maat apart laten zetten. Schrijf me meteen en zeg dat ik het moet doen.*

Lily merkte dat ze glimlachte. Lehmann, de man van de strakke lijn en het zuivere bouwen, die alleen maar aan schoenen kon denken. *Er is niets bijzonders aan deze kamer,* vervolgde hij. *Behalve dat er een leeg tafelblad is waar jouw foto kan staan. Goed, wat valt er te zien vanaf jouw plek? Een houten bed, niet echt comfortabel, een buitengewoon lelijke stoel en een breed raam met kleine ruitjes.* Lily kroop van de bank op de vloer en ging zo liggen dat ze aan één kant geschroeid werd door het vuur. *Was je maar echt hier, mijn engel, al zou je je dan vervelen en zou ik me nog beroerder voelen dan ik nu al doe. Jij gaat steeds mooier schrijven, wist je dat?*

Lily schrok overeind. Ze was vergeten Nick te bellen. Ze voelde in al haar zakken naar kleingeld, maar vond alleen het papiertje uit de telefooncel. *Bel 999, wacht bij de muur.* Lily bleef er ingespannen naar turen of het niet nog iets anders kon betekenen, maar ook nu was het niet meer dan een afbrokkelende lijn van golfjes. Ze trok het gordijn open en hield haar handen naast haar ogen tegen het raam. Het was buiten donker en er was niet één straatlantaarn, alleen de gloed van de rode pilaar van de telefooncel, stralend als de poolster. Ik wacht wel tot morgenochtend, besloot ze en ze ging naar boven om het bed op te maken.

3

'Begin je binnenkort?' vroeg Gertrude een week later aan het ontbijt toen Max nog altijd niet meer had gedaan dan de afstand tussen de tuindeuren en de boom lopen opmeten.

'Ja,' zei hij, 'ja.' En opkijkend vroeg hij toen: 'Is er haast bij?'

Hij wilde ook echt beginnen, maar iedere ochtend werd hij rusteloos wakker en het enige wat daartegen hielp, was alle andere huizen in Steerborough bekijken. Omdat dat niet openlijk kon, moest hij dan net doen of hij er toevallig langsliep. Het was uit hebzucht, een van de hoofdzonden, concludeerde hij, dat hij hier als een spion rondsloop. En zo ging hij iedere ochtend zogenaamd ergens iets doen en na op en neer te zijn gelopen over de enige, lange weg, koerste hij dan abrupt op een schoorsteen af die net zichtbaar was achter de bomen. Eigenlijk was hij bang om te beginnen. Het was al zo lang geleden dat hij iets had geschilderd. En zijn reputatie als getalenteerd autodidact was gebaseerd op een intense periode die al bijna vijftien jaar achter hem lag. Hij had een goed portret van Käthe gemaakt dat bij hen in Londen in de gang hing, waar iedereen het kon zien, al dacht hij dat het eerder uit verbazing dan bewondering was dat mensen bij binnenkomst een stapje achteruit deden en er iets van zeiden. Er waren nog wel andere schilderijen, meest van Helga uit de jaren dat ze verloofd waren, maar hoe vaker hij haar had trachten te schilderen, des te meer

17

de contouren van haar gezicht hem waren ontglipt, zodat er op zijn laatste poging nog slechts een bank te zien was, de tak van een sering en niet meer dan een vage aanduiding van haar haar.

Max spreidde een vel papier uit over Gertrudes ovale tafel en begon alle huizen te schetsen die hij had gezien. Hij begon met wat hij het mooist vond, een langgerekt arbeidershuisje met een rood dak op de kop van de meent, en sprong kriskras door het dorp toen hij de huizen tekende in de volgorde dat ze hem te binnen vielen – de kerk, het dorpshuis, en toen herinnerde hij zich een vreemd, asymmetrisch huis, een experiment in glas en hout op de hoek van Mill Lane. Wat is dat voor huis? had hij Gertrude willen vragen, maar hij was zo gewend aan stilte dat de woorden in zijn hoofd waren weggestorven. Nu tekende hij een miniatuurversie van het huis. Een boogdeur, ramen van twee verdiepingen hoog en een dak met een toren en terras aan één kant. Er stond een wit hekje rond het dakterras en Max stelde zich voor dat de eigenaars daar 's avonds heen klommen om naar de zee te luisteren.

Met zijn pen nog in de hand slenterde hij naar buiten.

'Dacht je aan een aquarel?' Gertrude lag in een dekstoel een folder te lezen over de fobieën van de allerkleinsten. Max bedacht dat ze hem vast dolgraag wilde analyseren om erachter te komen waarom hij maar niet kon beginnen.

'Nee,' zei hij. 'Olieverf.'

Het landschap was van nature al een aquarel en hoefde niet ook nog zo door hem te worden geschilderd. Hij vroeg zich af of dit oostelijke puntje van de Engelse kust zich in olieverf liet schilderen en zo ja, of dan de enorme helderheid van de lucht behouden kon worden. Zelfs op een bewolkte dag was het uitspansel zo weids dat er altijd wel ergens een zonnestraal aan de wolken wist te ontsnappen en een strook licht op de grond wierp. Het gras werd er onaards groen van, de regenplassen vaalblauw, en het deed Max denken aan zijn eigen schetsen van

Italiaanse kerkplafonds, de mollige cherubijnen, de vingers van God die te voorschijn fonkelden.

Max liep bij Gertrude vandaan en overzag het tafereel – het huis, de dekstoel, het kleed over haar knie. En opeens brak het angstzweet hem uit en moest hij steun zoeken tegen de boom.

'Gertrude,' – de woorden galmden nog holler dan gewoonlijk door zijn hoofd – 'was het een idee van Käthe om mij hier uit te nodigen?'

Gertrude keek hem even aan. Uiteraard. Uiteraard had Käthe haar dat gevraagd, haar dat laten beloven, vlak voor het einde.

'Nee,' zei ze in de hoop hem daarmee te helpen. Ze glimlachte. 'Het was helemaal mijn idee.'

Drie dagen later besloot Max naar huis te gaan. Hij had wat spullen nodig, zei hij, spullen die hij niet bij zich had. Het was bijna een opluchting op het treintje te stappen dat uit Steerborough zou vertrekken en niet meer te hoeven rondkijken en zoeken, eindelijk te mogen ontspannen. De trein tufte een veldje door en ratelde over de brug de rivier over. Af en toe werd het landschap aan het zicht onttrokken door gaspeldoornstruiken en af en toe kon je over drasland uitkijken tot aan de zee. Het rook overal zoetig, een weeë honinggeur die hij niet kon thuisbrengen. Hij draaide het raampje naar beneden en leunde naar buiten. Uit het raampje naast hem stak een felblond hoofd gevaarlijk ver naar buiten.

'Dag, Alf,' schreeuwde Max. Hij zag dat de plukjes haar van de jongen tegen zijn hoofd geplakt zaten en zelfs de windtunnel rond de trein kreeg ze niet van hun plaats. 'Waar ga jij heen?' riep hij, maar precies op dat moment begonnen ze vaart te minderen. Hoewel er geen station te zien was, kwam de trein tot stilstand. Alf hing zo ver mogelijk naar buiten en Max, die zijn blik volgde langs het korte treintje, zag de machinist uit zijn cabine klauteren. Hij liep naar een groep boompjes en na even te zijn verdwenen dook hij weer op met een grijsbruin konijn dat hij aan de oren heen en weer zwaaide. Halfslachtig spartelde het dier nog wat, alsof het wist dat er geen hoop meer was. Al snel reed de trein weer door en terwijl ze gelijkmatig voortboemelden, dacht Max aan het stervende beest en diens van angst vertroebelde ogen.

Alf zat nu tegenover hem en tikte met zijn teen op de vloer. Hij hield een muziektas in zijn ene hand en zijn knieën zagen er grondig geboend uit. Alf verroerde zich niet toen de trein in Great Waxham stopte, zelfs niet toen de deur van hun coupé werd opengerukt en een lange, magere vrouw haar hand naar binnen stak om Alf naar buiten te trekken.

'Kom mee,' zei ze, 'anders komen we te laat voor ons recital.' En met één sterke hand tilde ze hem uit de trein.

Max reed door tot Ipswich en stapte daar over op de trein naar Londen. Hij haalde een keer diep adem toen ze landinwaarts weg bogen van de zee en de rijen zeilboten achter zich lieten, dicht opeen in de bocht van de riviermonding, met zeilen als witte zakdoeken, als een mini-armada klaar voor een invasie, en hij dacht aan Liverpool Street Station en die eerste verstikkende geur van Londen waar je binnen anderhalve minuut aan gewend was.

Max stond in de smalle gang van zijn huis en keek omhoog naar het schilderij van zijn zus, uitgerekt, superieur, dat te hoog in de bocht van de trap was gehangen. Hij was vergeten hoe het zou zijn om thuis te komen in een huis zonder haar, waar niets was aangeraakt in de dagen dat hij weg was geweest. Niemand die zei dat hij zijn haar moest kammen, zijn wenkbrauwen moest gladstrijken, nieuwe veters voor zijn schoenen moest kopen. Hij zonk neer op de onderste tree en vroeg zich af met welk recht hij hier zat, of er iets in dit huis was waar zij niet de hand in had gehad, en toen herinnerde hij zich zijn tafel en hij liep de trap op naar de logeerkamer. De tafel was van eikenhout met een grove nerf en gelakt, en toen hij de la opentrok, zag hij zijn brieven liggen met een breed rood lint eromheen.

Hij bezat zevenendertig waardevolle en door hem gekoesterde brieven van de kunstenaar Cuthbert Henry. Hij had hem er weliswaar voor moeten betalen, maar in de jaren dat ze elkaar hadden geschreven, was er tussen hen een vriendschap ontstaan die verder ging dan de vergoeding. Het idee kwam van zijn vader, die in 1927 een tentoonstelling van Henry had bezocht en bedacht had dat Max in plaats van een reguliere kunstopleiding te volgen, zijn schilderijen naar Londen kon sturen en Henry hem tegen betaling zijn waardevolle adviezen over mogelijke verbeteringen kon geven. Max stuurde braaf drie tekeningen op, schetsen met pen en inkt, de meeste van het uitzicht uit de ramen van zijn huis, plus een lijst met vragen. Een eindeloze lijst, begreep hij nu. Hij had al zijn twijfels, schrikbeelden en absurd optimistische angsten uitgestort en met ongekende spanning op antwoord gewacht.

Henry was een strenge leermeester. *Nee*, luidde zijn commentaar vaak, of, minder vaak: *Heel behoorlijk*. En eenmaal, woedend: *Hoe word ik geacht iets te beoordelen wat niet te zien is?* Hij sloot wat vellen papier bij van een goede kwaliteit en gaf Max een standje dat hij ondermaats materiaal gebruikte voor iets wat in de toekomst heel wel waardevol zou kunnen zijn.

Een vorm van doofheid? schreef hij terug toen Max hem in vertrouwen had genomen. *Hoe kom je erbij dat je je oren nodig hebt om te schilderen?*

De brieven lagen op volgorde van datum en hij begon het oude lint los te peuteren en pakte de bovenste brief.

Beste Meyer,

De enige manier om iets te leren begrijpen is door het te tekenen. Als je ophoudt met iets te tekenen omdat je het niet begrijpt, dan zul je het nooit begrijpen. En als je blijft wachten tot je volmaakt kunt tekenen, dan zul je moeten wachten tot je dood bent.

Max glimlachte om de vertrouwde strenge toon. Hij wilde

dat hij zijn schetsen nog had om te zien over welke fout dit ging, maar ze waren achtergebleven op Heiderose, waar ze konden wegrotten in de kast van zijn oude kinderkamer.

Er valt altijd nog iets nieuws te leren. Je kent ongetwijfeld de uitspraak van een groot schilder op zijn tachtigste. 'Alles wat ik voor mijn dertigste heb gemaakt was waardeloos, op mijn zestigste kreeg ik enig inzicht in de vormen van planten en dieren en nu, op mijn tachtigste, begin ik pas echt te tekenen en op mijn negentigste zal ik goed zijn. Als ik de honderd haal, zal elke lijn en elke stip iets betekenen.'

Max liet zich stijfjes op zijn hurken zakken. Hij voelde zich nu al oud en hij was amper veertig. Hij bladerde de andere brieven door, tastte de raadgevingen op papier af als betrof het braille, streek met zijn vingers langs brief na brief en legde ze toen opzij. Tussen zijn handen rezen beelden op van zijn vader, die zo blij was geweest dat hij zijn arme dove zoon op deze manier thuis kon houden. Elke brief, elk lovend woord van Henry was een reden te meer om nooit van huis te hoeven. Hij kon de rest van zijn leven een schilder van goeden huize zijn op Heiderose. Max trok de la verder open en voelde met zijn hand tot achterin. Hij had opeens de hoop dat zijn kinderlijke kaart daar zou liggen. Zijn kaart en de Renoir die zijn vader voor hem had verstopt boven de rand. Maar zijn vingers klopten alleen tegen hout, de vier perfecte hoeken, aan elkaar geploegd dankzij veel nauwkeurig rekenwerk, geduld en de lessen in handvaardigheid van zijn vader.

4

Lily sliep de volgende morgen lang uit en toen ze wakker werd stroomde het zonlicht de kamer binnen. Ze had zich nog niet uitgerekt of moest al aan Nick denken en dat hij zich zorgen zou maken omdat ze niet had gebeld. Ze schoot in haar kleren en holde meteen naar de telefooncel. Het eerste wat haar opviel, nog voor ze het nummer had gedraaid, was dat het briefje er weer lag. Het was precies zo'n stukje wit gelinieerd papier met dezelfde rafelige randen waar het rond de woorden was afgescheurd. Lily bekeek het aandachtig en probeerde er wijs uit te worden, maar toen nam Nick de telefoon op.

'Het spijt me vreselijk,' ratelde ze, toch wat beducht dat ze op haar donder zou krijgen, maar hij zat al druk te werken aan zijn bureau.

'Regent het daar?' vroeg hij, en ze stelde zich voor hoe hij zijn stoel achterover kantelde. 'Hier plenst het.'

'Het is geweldig' – Lily voelde haar enthousiasme opborrelen – 'alleen al om hier in dit dorp van hem te zijn. Van Lehmann, snap je wel, in het dorp waar hij...'

Maar op dat moment begon de andere telefoonlijn van Nick te rinkelen en ging al zijn aandacht daar naar uit, zonder dat hij de lijn met haar verbrak. 'Ja, maar u begrijpt het niet, die tegels blijven buiten niet goed. Ja, ik weet dat ze mooi zijn, maar één strenge winter en ze gaan barsten...'

Lily zag haar geld wegsijpelen. 'Sorry,' zei hij toen hij zich ten slotte weer tot haar richtte.

'Het is hier prachtig, zo veel lucht. Zou het niet fijn zijn...'

Nu zei zijn assistent iets tegen hem en Nick begon te lachen terwijl hij verdorie kwaad had moeten worden, vond Lily. 'Zeg maar tegen ze...'

'Ik kan beter ophangen,' kwam ze koeltjes tussenbeide.

Nick probeerde haar nog tegen te houden, maar het was al te laat. 'Goeie rit gehad?'

'Wat? O, ja... Zeg, ik bel wel een andere keer.' En al wist ze dat ze kinderachtig deed, toch hing ze op.

Het moest de hele nacht hebben geregend. Alles rook naar aarde, en net toen Lily weer naar binnen had zullen gaan, was ze voor ze er erg in had al een pad ingeslagen. Het was een vaag pad dat naar de rivier leidde langs heggen waarop de regendruppels als diamanten aan de takjes glinsterden en spinnenwebben, sterk als nylon, kleine spatjes vocht vingen.

Als ik nu door blijf lopen, dacht Lily met een blik op de regenplassen waar het zonlicht vanaf kaatste, kom ik misschien wel bij zijn huis. Ze had geen idee, geen enkele aanwijzing, maar stelde zich voor dat het een modern meesterwerk zou zijn met immens hoge glaswanden die de lucht in priemden.

Het pad was nu bijna alleen nog maar modder, met twee voren waarin de waterplassen zich aan beide kanten van een opgehoogde strook gras als kralen aaneenregen. Lily liep langzaam verder omlaag tot ze de brede riviermonding zag waarin zich weids de hemel weerspiegelde. Er lagen wat boten gemeerd aan een rij houten steigers en overal stonden bordjes met de waarschuwing dat men deze alleen op eigen risico betrad. Lily keek uit over de rivier, aarzelend of ze wel of niet de moddervlakte op zou springen, en terwijl ze zich half omdraaide zag ze opeens een huis staan, verscholen in de bocht van het pad. Het was een bakstenen huis, hoog en smal, met langgerekte ramen aan weerszijden van de voordeur. Ervoor lag als een soort tuinhek een rij zandzakken, alsof er biggetjes een meter hoog op elkaar waren gestapeld. Lily liep langs het huis en wierp in het voorbijgaan een blik door de hoge, heldere ramen en toen ze ontdekte dat het pad doodliep, draaide ze zich om en liep terug. Voor de ramen hingen geen gordijnen en ze zag zichzelf erin weerkaatst. Maar voordat ze fatsoenshalve een andere kant op keek, viel haar op dat er een krijtstreep was getrokken tussen het raam en de deur. De streep stond hoog, vlak boven de deurknop, en er stond een jaartal bij gekrabbeld: 1953.

Op dat moment hoorde ze het lage gebeier van de kerkklok. Ze bleef staan om te luisteren en telde de meeuwen die op een rij houten paaltjes zaten en op de laatste slag, alsof het zo was afgesproken, vlogen ze allemaal op en zweefden, om elkaar heen wervelend, in een wijde boog weg. De klokslagen herinnerden haar eraan dat ze weer naar binnen moest. Ze moest het huis in en aan tafel gaan zitten. Een begin maken. Als ze niet snel begon, kreeg ze de opdracht nooit af voor het einde van het semester. Ze moest aantekeningen maken over licht en ruimte in het werk van Lehmann. Zijn brieven nalezen op aanknopingspunten en aanwijzingen omtrent de ontwikkeling van zijn oeuvre.

Dat ze Lehmann had gekozen, was aanvankelijk omdat ze naar een bouwwerk van hem in Noord-Londen – een vervallen kubus van graniet en glas – was meegetroond door Nick, op de avond dat ze elkaar hadden leren kennen. Ze had hem na een feestje naar huis gereden en was op zijn aanwijzingen een eindje omgereden, verrast door zijn zelfverzekerde houding en de manier waarop hij zijn hand op haar schouder had gelegd, alsof hij haar naar rechts wilde sturen. Hij had haar de auto stil laten zetten om de balkons goed te kunnen zien, de ronding van de ramen, de schittering van metaal tegen een houten lambrizering. Ze waren allebei uitgestapt en in de motregen blijven staan, en alsof Nick het zo had bevolen, waren achter alle ramen de lichten aangesprongen. Ja, zag ze toen, het was mooi, dit gebouw dat ze tot dan toe had afgedaan als een enorme grijze paddestoel die opzwol boven een betonvlakte, maar voor Nick scheen het genoeg te zijn dat ze het had gezien.

'Het zou je verbazen,' zei hij, 'het aantal mensen dat nooit echt ergens naar kijkt.' En als om haar te bedanken voor haar oplettendheid, omdat ze oog had voor de dingen waar hij van hield, had hij haar naar zich toe getrokken en haar heel zachtjes op de mond gekust.

Lieve Elsa... Lily streelde over het papier dat, zo stelde ze zich voor, sinds 1931 niet meer was aangeraakt. *Mijn eerste werkplek hier in Palestina ligt aan het strand, tussen de ruïnes van een oude stad. Aangezien je ernaar vroeg, wil ik wel uitleggen hoe we hier zouden kunnen wonen. Aan zee, in de bergen of in de Jordaanvallei, honderden meters onder zeeniveau in een tropisch klimaat. Al denk ik dat we op een gegeven moment tussen de boeren of in een religieuze gemeenschap kunnen wonen. Ons personeel kan joods of christelijk zijn of Arabisch – dat laatste is het waarschijnlijkst. Even over de vriendinnen die je mee wilt nemen, betekent dit dat ik ook met hen moet trouwen? En is dat de reden voor je vraag over polygamie? En om wie gaat het, en met hoeveel zijn ze? Je weet dat ik een voorstander ben van heel veel kinderen en meerdere vrouwen, maar het is niet erg gebruikelijk meer tegenwoordig, niet sinds de tijden van de aartsvaders. Maar serieus, ik hoop dat we zo simpel en gastvrij kunnen leven dat er altijd plek zal zijn voor anderen.*

Lily hield even op met lezen om te zien hoe Ethel door haar tuinhek stapte en het laantje opkuierde. Ze hield haar ochtendjas stevig om zich heen gewikkeld en met een hartelijk knikje naar iedereen die ze tegenkwam, begon ze aan de oversteek van de meent.

Maar liefste van me, zou je mijn brieven niet nog een keer willen lezen en me dan vragen of ik de stukken die je ontgaan uit wil leggen? Het zou zo pijnlijk zijn als we altijd in twee talen blijven spreken en elkaar niet verstaan. Ik geloof niet dat onze talen werkelijk veel verschillen. Stel dat we getrouwd zijn, en dat duurt niet lang meer, denk je dan echt, want daar maak je je zorgen over, dat jij dan minder zou zijn en ik iemand anders zou worden? Er is maar één gevaar en dat is dat ik te veel van je zou houden.

Lily vouwde de brief weer in vieren. Was de telefoon maar nooit uitgevonden. Ze had Nick meteen bij aankomst kunnen schrijven en het beeld van hoe ze hem het liefst zag intact kunnen houden, zonder dat ruw te laten verstoren door zijn toon. Misschien had hij haar per kerende post teruggeschreven, uitgebreid over zijn dag verteld, haar gesmeekt niet te lang weg te blijven, en zou ze nooit hebben geweten dat hij zich continu liet storen door vragen over tegels.

5

'Ben je alweer terug?' Het was niet dat Gertrude niet blij was om hem te zien, ze was alleen een beetje verbaasd. 'Je zult wel moe zijn van al dat gereis op een dag.' Ze glimlachte naar Max om duidelijk te maken dat ze niet boos was en liep door naar de keuken om te zien of ze iets voor hem kon opwarmen. 'Heb je nu alles wat je hebben wilde?' riep ze terwijl ze bleke kringen roerde in een selderiesoepje, maar toen herinnerde ze zich dat hij haar alleen verstond als hij haar lippen kon zien en dus liep ze naar de deuropening en bleef daar staan. Max had een dun leren koffertje in de hand waar best wel eens verf in kon zitten en ze zag hoe hij heimelijk het koffertje opende en er even in keek. 'Zal ik er brood bij doen?' vroeg Gertrude abrupt en Max schrok op, als gebeten door de trillingen van haar stem.

'Komende zaterdag' – Gertrude zat tegenover hem terwijl hij zat te eten – 'en ik hoop dat je er dan nog bent, heb ik wat mensen te eten gevraagd.'

'O?' Max voelde hoe een spoel van angst zich in zijn buik ontrolde.

'Misschien ken je ze?' Gertrude glimlachte.

Dwars door de soep heen proefde Max de krachtige smaak van zilverpoets op zijn lepel. 'Lijkt me onwaarschijnlijk, ik ken nauwelijks...'

'Klaus Lehmann, de architect?' onderbrak Gertrude hem. 'Ik

dacht dat je hem misschien nog uit Hamburg kende... nog voor... kwam misschien in dezelfde kringen.'

'Ik heb van hem gehoord natuurlijk...'

'Nou, ze hebben hier een huis. Zijn vrouw is nogal een schoonheid, althans, zo stond ze bekend, maar nu moet ze tegen de veertig lopen.' Gertrude zwaaide met een vinger. 'Maar er wordt geen Duits gesproken, is dat beloofd, anders voel ik me zo vreselijk buitengesloten.'

'Natuurlijk.' Max schraapte een laatste volle lepel op en trok een scheve mond toen hij de opgewreven glans probeerde te vermijden. 'Dankjewel.' Was het haar niet opgevallen? Na 1941 was er geen woord Duits meer over zijn lippen gekomen. Hij bracht zijn kom naar de keuken en waste die zorgvuldig af.

'Zo, heb je nu alles wat je nodig hebt?' Gertrude vond het niet vervelend om Max in huis te hebben, maar het verraste haar wel, de nabijheid van een ander terwijl ze gewend was zoveel alleen te zijn.

'Ja.' Max hoopte dat hij naar waarheid sprak. 'Ik heb voor het moment niets meer nodig uit Londen.'

Zodra Max op zijn kamer was, liet hij zijn hand in het leren koffertje glijden en trok de brieven te voorschijn – de plat gestreken beschreven vellen, zonder envelop.

Je tekening vertoont het oude mankement. Hij lijkt te veel op een kaart en niet op een tastbare stoel in een tastbare kamer met een tastbare kolenbak. Er bestaan maar twee soorten tekenaars. Slechte tekenaars die niets te zeggen hebben en goede tekenaars die wel iets te zeggen hebben. Zeg iets en breng de dingen tot leven.

Max viel in slaap en droomde onmiddellijk van huizen. Een heel dorp waarin alle woonkamers buiten stonden. De tafels, de stoelen, de kolenbakken, de mensen die aardappels zaten te schillen, de afwas deden. Mannen en vrouwen die, zonder de beschermende omhulling van hun muren, een kaartje legden, kookten en werkten, in het voorbijgaan een praatje maakten. Maar wat hem het treurigst stemde aan dit dorp, was dat het aan de overkant van de straat was. In Londen, tegenover het huis van hem en Käthe, en als hij dat nou maar had geweten, als hij nou maar van het bestaan ervan had geweten, dan had hij de afgelopen zes maanden niet alleen hoeven zijn.

Gertrude wilde haar gasten verrassen met Europese gerechten. Ze fietste naar Eastonknoll en zette haar fiets neer voor de bibliotheek. Ze was even bang dat na de oorlog alle boeken waarin melding werd gemaakt van de vijand uit de bibliotheek waren verwijderd, maar blijkbaar was daarbij één donkerrood, langwerpig boek over het hoofd gezien. *Das Beste aus aller Welt* heette het. Dat betekende vermoedelijk dat deze recepten, deze Duitse recepten, de beste ter wereld waren, maar toen drong het tot haar door dat ze nog altijd krachtige vooroordelen had en dat het boek ook heel goed een verzameling van de beste recepten uit de hele wereld kon zijn. Ze bladerde het boek even door. Van elke bladzij die ze omsloeg, steeg een klamme en muffe geur op. In de oorlog, toen ze met Käthe had gewerkt, had ze een paar woorden Duits geleerd, maar niet genoeg, bleek nu, om eten te kunnen koken. Aardappels, herkende ze steeds weer, en kip, maar niets van de subtiliteiten die ze daartussen hoopte aan te treffen.

Uiteindelijk gaf ze het op en zette het boek terug, en terwijl ze dat deed, viel er een groen boekje in haar handen. Dit boek was in het Engels, maar bevatte recepten uit Tsjechoslowakije, Duitsland en Polen. Het boek viel open bij de bladzijde voor goulash met aan weerszijden één recept, en niet voor het eerst bedacht Gertrude dat in een klein stadje als Eastonknoll toch echt alles te krijgen viel. Goulash. Het woord alleen al zou de avond ongetwijfeld een exotisch tintje geven. Toen ze bij de Lehmanns had gegeten, hadden ze paling gehad die Lehmann in zijn eigen schuurtje had gerookt, gevolgd door een soort rijst die verrukkelijk was en alleen heel in de verte iets van smaak bezat. Risotto, had Elsa verklaard, al had ze uit het ondoorgrondelijke masker van Elsa Lehmanns fraaie trekken niet kunnen opmaken of dit heerlijke rijstpuddinkje speciaal voor haar werd opgediend.

Gertrude begon vroeg met koken. Het eerste van de twee recepten was Pools, met een hele lijst ingrediënten waaronder zuurkool en wodka, en het tweede was Hongaars – het meest ongebruikelijke daarin was de paprikapoeder voor over het vlees. Maar goed, ze had toch bijna een hele dag naar paprikapoeder moeten zoeken, en toen ze die had gevonden in de keuken van een oorlogsweduwe, begreep ze dat ze het beste maar gewoon kon beginnen. Terwijl ze het vlees stond aan te braden, las ze de noot bij het sterretje onder aan de bladzij. 'Het woord *goulash* betekent herder, en deze wijze van koken is de ideale manier om eten te bereiden als er ook op rundvee of schapen moet worden gelet.'

'Hmm.' Gertrude glimlachte. 'In plaats van rundvee zal ik een nagerecht nemen' – en omdat ze niet bevoogdend wilde overkomen door haar gasten alleen buitenlandse gerechten voor te zetten, bakte ze een omgekeerde appeltaart, die even goed met melk als met slagroom kon worden gegeten.

Max spreidde een vel papier over de tafel en deed zijn ogen dicht om te zien of hij zich alle huizen aan de enige straat in Steerborough voor de geest kon halen. Je had het oude, scheefgezakte huis met de overhellende balken, en het weggemoffelde huisje met een mosgroen rieten dak dicht tegen een rij huizen aan van vuursteen en baksteen, met poortjes naar de tuin erachter. Max maakte een schets van de Tea Room met het lage, rode dak dat als bessenkleurig taartdeeg over een rij dakkapellen gedrapeerd lag, en het raampje van de meidenkamer dat onder de hanenbalken uit piepte. Hij schrok ergens van, iets wat tegen zijn been sloeg, en Alf kwam onder de tafel vandaan gekropen en liet zich met dat jongenslijfje van hem op een stoel glijden.

'Waar woon jij, Alf?'

De jongen tuurde over de tafel naar zijn kaart. Hij gleed met zijn vinger over de hoofdstraat, langs de rand van de meent, om de riviermonding heen en terug door het drasland. Max herinnerde zich een groepje witgeschilderde houten huisjes op palen. Alfs duim laveerde terug naar de rivier en hield stil bij de oever waar de veerboot lag. Hij had van Gertrude gehoord dat er voor de oorlog een varend ponton was geweest waarmee van alles kon worden overgezet. Er stond nog altijd een bord met de prijzen, die nog net leesbaar waren als je goed keek. *Per schaap, lam, geit, varken – 2d.* Maar de inwoners van Steerborough en van Eastonknoll waren ervan overtuigd dat de pont de Duitsers van pas kon komen, en daarom was het ponton in de eerste weken van de oorlog opgedoekt en gesloopt, en nu werd je net als in al die jaren van de vorige eeuw, en de jaren daarvoor, opgewacht door een veerman in een klein houten bootje die je naar de overkant roeide. Hij duwde de boot snel de stroom op tot een punt precies tussen beide oevers, en met een peddel bijsturend liet hij de boot dan door de rivier zelf naar de kant brengen. Alf likte aan zijn vinger en liet hem nogmaals over het papier glijden om te laten zien, dacht Max, hoe zijn familie was verhuisd.

'Eerst woonden jullie aan de rivier?' giste hij, en Alf knikte. 'En toen?'

In een kom in het laatste stukje groen voor de zee zette Alf een heel klein stipje.

Max kneep zijn ogen samen om het te kunnen zien. 'Ben je daarheen verhuisd?' Het nieuwe huis van het gezin lag heel handig net onder de kroeg. Als je wilde, kon je daar de deur uit zwalken en zo je huis in rollen.

De deur zwaaide open en Alfs moeder kwam binnenlopen met een stapeltje linnengoed.

Max draaide zich betrapt naar haar om. 'Alf liet me net zien waar u woont.'

Mevrouw Wynwell keek verrast. 'Ja,' zei ze. 'Mijn man Harry zei dat we beter konden verhuizen als we niet door de zee wilden worden meegesleurd en dus hebben we het hele huis verplaatst, de stenen, balken, alles, maar toen, nou ja, toen is hij alsnog omgekomen.' Haar mondhoeken trokken naar beneden en ze duwde haar kin omhoog alsof ze haar tranen terug wilde kiepen. 'Zijn boot werd omgeslagen door een golf.' Er viel een stilte waarin ze alledrie door de muren heen staarden. 'En nu,' – mevrouw Wynwell schudde haar hoofd – 'nu leert Alf pianospelen.'

'Ja.' Max legde een hand op het hoofd van de jongen en zo bleven ze staan tot mevrouw Wynwell in een uitbarsting van energie met een bezem de gordijnen begon uit te kloppen.

Gertrude schoof de taart in de oven. De goulash stond al ruim een uur te pruttelen en het vocht werd dik en stroperig bruin. De ui was opgegaan in de stoofschotel en zelfs de paprikapoeder, die toch al oud was, geurde onmiskenbaar. Mevrouw Wynwell liep de keuken in en sperde haar neusgaten open. 'En wat bent u aan het kokkerellen voor ze, mevrouw J?' vroeg ze en toen Gertrude vertelde over de blokjes rundvlees en de ui, de eetlepel paprikapoeder door de saus, verbreedde mevrouw Wynwells gezicht zich van schrik en haar ogen leken naar haar slapen te drijven. 'Maar het zijn allemaal joden, die gaan heus geen vlees eten!'

'Hoezo niet?' Gertrude voelde een stijgende verontwaardiging. Ze liep naar de tuindeuren en keek naar buiten. Max had van twee stoelen en een stuk triplex improvisorisch een werkbank gemaakt en spande nu schilderslinnen over een blankhouten spieraam. Hij had de hele middag staan zagen, timmeren en meten. Eindelijk dan, dacht ze, zou hij kunnen beginnen.

'Nou,' zei mevrouw Wynwell met overtuiging, 'ze mogen geen mensen of dieren doden, nog niet eens een vlieg. Daarom hebben ze zich ook helemaal niet verzet... u weet wel, in de oorlog.'

'NEE.' Gertrude draaide zich woest om. 'Zo zit dat helemaal niet. Hindoes, daar verwar je ze mee, of jaina's.' Ze hoorde dat ze schreeuwde. 'En wat hadden ze kunnen doen? Je bent toch naar de bioscoop geweest. Je hebt het filmjournaal gezien. Rij na rij, vel over been.'

'O, mevrouw J, sorry hoor. Ik wilde alleen maar helpen.' En met een beledigd knikje liep ze weg om het raam in de voordeur te gaan lappen.

Gertrude stond te trillen, het beeld van die gestreepte gestalten stond in haar geheugen gegrift en ze vroeg zich af of Hitler een psycholoog had geraadpleegd of dat hij zelf wist dat je mensen door ze een pyjama aan te trekken, in kinderen veranderde en dan dubbel in je macht had.

6

Lieve Nick, schreef Lily. *Ik vrees dat de enige telefooncel in het dorp het niet meer doet.* Ze beet schuldbewust op haar lip en draaide de ansicht om voor een blik op het kitscherige landschap. Zonsondergang aan de kust van Suffolk. De foto moest vanaf een boot zijn genomen. De zee, de kust, de lucht, alles was van gesmolten goud geworden. Ze hoopte dat hij erom moest glimlachen, of beter nog, de neiging kreeg om in de auto te stappen. *Werk hard, schiet aardig op,* schreef ze. *Erg stil en vredig. Gemiddelde leeftijd hier: 82. Gemiddelde kleur: beige.* Ze wist niet waarom ze hem dit vertelde als ze wilde dat hij zou komen. Nick was allergisch voor alles wat saai was. Dan kreeg hij het gevoel dat zijn leven ten einde liep. Ze stelde zich hem voor in de Tea Room in Steerborough waar altijd driemaal zoveel oude vrouwen als mannen zaten. *We kunnen fietsen huren* – ineens was ze weer hoopvol – *en een tocht maken langs de architectuur van Lehmann. Schrijf je me? Alsjeblieft? Liefs, Lily, XX*

Lily keek naar het raam, twijfelend of ze het erop zou wagen om zonder jas naar Eastonknoll te gaan, toen ze onder de vensterbank twee hoofden zag hobbelen. Op haar tenen sloop ze dichterbij en gluurde naar buiten. Haar twee buurmeisjes zaten op hun hurken in haar voortuin.

'Hallo.' Ze tikte tegen de ruit. Ze keken niet op. Ze waren druk doende met een rijtje stenen, die ze als schildwachten op het lage muurtje neerzetten. Terwijl ze keek pakte het oudere meisje een grote steen en probeerde die dwars door de barricade te keilen. Lily keek neer op hun gebogen hoofden, de zanderige scheiding in hun haar, de stoffige vlechten met een elastiekje erom. 'Hallo,' zei ze toen ze het raam opendeed, en twee paar bleekblauwe ogen keken naar haar op. 'Willen jullie misschien een koekje?' Lily had gedacht ze de koekjes door het open raam aan te geven, maar toen ze in de broodtrommel zocht ging achter haar de deur open en kwamen beide meisjes binnenstappen. Ze bleven rustig achter haar staan wachten en toen ze het half opgegeten pakje chocoladekoekjes had gevonden, namen ze er ernstig allebei eentje en zonder een woord te zeggen liepen ze naar de woonkamer en gingen zitten.

Lily keek op haar horloge. Het was inmiddels bijna twaalf uur en als ze nog naar Eastonknoll wilde, zou de laatste veerboot voor het middageten nu ongeveer worden afgeduwd. Ze nam zelf ook een koekje en bleef in de deuropening staan kijken hoe ze aten.

'Vinden jullie het fijn om hier te wonen?' vroeg ze, en de beide meisjes knikten al kauwend.

'Ja,' mompelden ze met volle mond en in de daaropvolgende stilte zagen ze alledrie een fijne mist van kruimels op de grond dwarrelen.

Lily deed nog een poging. 'Hoe oud zijn jullie?'

De oudste slikte het laatste stukje koek door. 'Ik ben zeven. Ik ben Em' – ze wees op zichzelf – 'en Arrie is vijf.' Arrie keek Lily recht aan en glimlachte volkomen onverwachts. Ze had een hartvormig gezicht en een zacht laagje molligheid waardoor je haar het liefst zo in je armen wilde tillen. Maar zelfs nu zat ze zo roerloos op haar plaats als een ezel en bungelden haar benen gedecideerd langs haar stoel.

'Ik wilde net naar de veerboot,' zei Lily toen ze allemaal nog een tijdje naar elkaar hadden gekeken. Ze pakte haar jas en de enige, grote sleutel van het huisje en toen ze zagen dat ze bleef staan wachten, wandelden ze de kamer uit. Lily deed de deur goed op slot en na een glimlach liep ze weg in de richting van de riviermonding. Maar de meisjes volgden. Lily draaide zich om en glimlachte, deze keer definitiever en met een afscheids- knikje, maar toen ze doorliep, hoorde ze achter haar nog altijd hun voetstappen zodat ze maar weer wat langzamer ging lopen en gedrieën liepen ze naast elkaar verder. Het was tien over twaalf en vanaf de steiger zagen ze nog net aan de overkant het meisje van de veerboot haar boot vastmaken. Lily zwaaide naar haar voor het geval ze misschien voor dertig pence toch nog een keer de overtocht wilde maken, maar ze zwaaide enkel te- rug, stapte op haar fiets en reed weg om te gaan lunchen. Lily keek uit over het water naar Eastonknoll met de vuurtoren wit en uitgelicht als op een plaatje, en de huisjes zo her en der tegen de heuvel op. Natuurlijk kon je er ook via de weg komen, en Lily had dat op haar tweede dag ook gedaan om boodschappen te doen, maar de riviermonding dwong je minstens zes kilome- ter landinwaarts te rijden eer het land stevig genoeg was en je een weg eroverheen kon nemen. Het leek haar niks om in de auto te stappen en voor dat tochtje veertig minuten in de her- rie te zitten, als het daar toch op nog geen pas afstand aan de overkant lag.

'Er is een brug.' Em trok aan haar jack en wees naar de rivier verderop.

Lily schermde haar ogen af van de zon. Voor haar lag niets dan het gladde, strakke water dat aan de horizon omboog, rechts van haar. 'Nou, ik zie jullie vast nog wel een keertje,' en met een boogje rond de afgerotte steigerpalen sloeg ze het pad in langs de rivier. Toen ze omkeek, zag ze dat ze haar niet meer volgden. Ze hingen boven de havenmond en hezen met lange stokken zeewier op.

Overal langs de rivier lagen boten aangemeerd, sommige vervallen, andere glanzend en nieuw, en allemaal hadden ze hun vlaggentouw in de bries gehesen. Het was alsof je door een wereld van windvanen liep, de één telkens net iets blikkeriger dan de ander. Het licht schampte over de rivier, die daardoor felblauw werd, en liet de plassen in het drasland aan de overkant oplichten zodat de koeien die daar graasden verblind werden. Lily liep met haar ogen half dicht op de tast over de ongelijke grond, tot de rivier een bocht maakte en de beloofde brug in zicht kwam. Deze stak zwart af tegen de hemel en toen Lily de trap op klom probeerde ze zich de tijd voor te stellen toen er nog regelmatig stoomtreinen over de rails denderden. De hele brug rammelde toen ze eroverheen liep en bij elke stap kringelde een wolk meeuwen de lucht in. Op de weilanden vlak boven haar rees de sinistere, topzware vorm van de watertoren op. Hij had lange, granieten poten als van een prehistorisch beest, en een hoge, ronde buik waarin het water werd bewaard. Er zat een deurtje in de voet van één van de poten en Lily vroeg zich toen ze erlangs liep af of het water naar buiten zou storten als je de deur opentrok.

Op zaterdag was er markt in Eastonknoll. Er waren kramen opgezet rond het oorlogsmonument, met hun ruggen naar elkaar toe en hun poten op de keien. Er waren theedoeken te koop, rubberhandschoenen en wagentjes vol merkwaardig lelijke planten. Vlijtige liesjes met vette rubberachtige bladeren, dwergafrikaantjes en fuchsia's met openbarstende paarse knoppen. Lily liep een paar keer langs alle kramen en kocht uiteindelijk afwasmiddel voor de helft van de adviesprijs. Met de bruine papieren zak tegen zich aan geklemd tuurde ze naar binnen bij de tearooms, waar de lunch werd gebruikt, en de mensen binnen waren allemaal oud en allemaal stil. Ze schrok terug voor het idee de zoveelste zwijgzame figuur te zijn die in haar eentje eten bestelde en daarom slenterde ze het strand op. Daar stond een kiosk waar ze thee en broodjes serveerden met alle opschik van een chic hotel. Thee in een porseleinen pot met een kannetje melk en een tweede kannetje met heet water. Driehoekige sandwiches besprenkeld met waterkers. Er stond zelfs een vaasje op haar witte plastic tafeltje, waar een toefje wilde bloemen uit stak. Lily zat diep weggedoken in haar jack terwijl de golven op het strand beukten en zag de zon zich achter een wolk uit worstelen. Ze was de enige die iets zat te eten aan het strand, hoewel de meer geharde oude van dagen nog altijd op en neer kuierden.

Lieve Nick... Ze haalde haar ansichtkaart te voorschijn en las de tekst nog eens. Ze had gedacht misschien nog een envelop te kopen om de inhoud te verhullen, maar er stond niets persoonlijks op. *Gemiddelde leeftijd hier: 82. Gemiddelde kleur: beige.* Ze schreef het adres, drukte er een zoen op en plakte de postzegel erop.

Lily zorgde ervoor de veerboot te halen voordat die er om vier uur mee ophield. Ze klom in de boot en wachtte terwijl een Scandinavisch stel met twee fietsen en een kind zich naast haar installeerden. Het meisje van de veerboot begon te roeien. Haar handen en armen waren sterk en pezig, maar haar gezicht onder een hoed was glad en jong. Ze roeide tegen de stroom op, tot midden op het water, waarna ze met een getraind oog voor de juiste hoek haar roeispanen introk en de boot zelf verder liet sturen. Hij botste zachtjes tegen de steiger van Steerborough waardoor het boek op haar schoot dichtklapte, en het stel dat krampachtig hun fietsen vasthield liet een nerveus hoeraatje horen.

Thuis, dacht Lily toen ze de deur van het huisje opendeed, en neerploffend op de bruine bank lachte ze toen ze bedacht hoe snel ze zich hier op haar gemak was gaan voelen.

7

Max' spieraam was klaar. Hij vroeg zich af, zoals wel vaker, of het in elkaar zetten van het raam niet zijn favoriete onderdeel van het werk was. Het enige waarvan hij werkelijk wist dat hij er goed in was. Maar juist het feit dat het raam in elkaar was gezet en het schildersdoek routineus met kopspijkertjes achterop bevestigd, dwong hem te beginnen aan de volgende etappe van de reis: de schets, de eerste verfstreek. Hij had bij het zagen van het hout de maten van Gertrudes schoorsteenmantel in het achterhoofd gehouden. Hij wist dat dit totaal de verkeerde volgorde was, dat een schilderij niet zomaar iets leuks voor aan de muur was, dat Henry uit z'n vel zou springen, maar Gertrude gaf hem wel kost en inwoning en ze had hem helpen ontsnappen aan de laatste, uitdovende herinneringen aan Käthe, en hij wilde als het even kon duidelijk maken dat hij haar dankbaar was. Hij droeg het spieraam voorzichtig naar binnen en zette het omgekeerd tegen de muur.

Gertrude stond voor hem toen hij weer overeind kwam. 'Max,' zei ze, en pas toen viel hem op dat het hele huis doortrokken was van de geur van eten, dat de schetsen van tafel waren verdwenen en er een geborduurd kleed overheen was gelegd. Er lagen uitwaaierende servetten in houten ringen, en op elke ring zat een wit etiket. Elsa, Max, Gertrude, Klaus.

'Je weet dat de Lehmanns om zeven uur komen?' vroeg Gertrude.

Max week langzaam achteruit.

'Ik zoek nog wat bloemen voor je,' riep hij en hij liep snel de tuin in en glipte weg door het zijhekje.

Max liep gehaast over de weg langs de kerk, als de dood voor de mogelijkheid dat het verleden tot een leuk gespreksonderwerp zou worden gereduceerd. Hij voelde zijn voeten neerdreunen, schoppen tegen de vragen die de Lehmanns konden stellen, en hij probeerde zich te herinneren wat hij van ze wist, hoe ze waren vertrokken, wanneer, en wie van de familie nog had weten weg te komen. En waarom uitgerekend hierheen? Maar toen was hij bij zijn uitzicht gekomen. Het was een ruimte tussen twee huizen, louter in groene en blauwe tinten. Het was hem eerst niet opgevallen, hij had zich zo gefixeerd op de gebouwen, maar op een keer had hij toevallig opzij gekeken en daar lag het: een lange, smalle steeg van licht. Soms nam hij alleen maar even een kijkje, proefde ervan om onderweg nog wat na te kauwen op de kleuren. Maar vandaag bleef hij vlak voor het weggetje staan. De grond was modderig, de velden glinsterden van de regen. Max keek naar het zachte leer van zijn schoenen en wist dat het waanzin was, maar stapte toch het pad op. Het was een smal paadje, omsloten door privégrond, een weelderige tuin en een tennisbaan – gevlochten afrastering, aangeveegde baan. De hagen wierpen donkere schaduwen, maar steeds lagen in het volle licht vóór hem de overlappende stroken blauw en groen.

Het was al laat toen hij terugkwam. 'Het spijt me vreselijk.' Max stond in de deuropening, zijn broek doorweekt, zijn schoenen achtergelaten in de gang. Hij keek naar de tafel, zijn lege plek, de andere gasten die al waren aangeschoven. 'Het werd wat laat.'

'Dat geeft niet, hoor.' Gertrude had een theedoek in de hand en probeerde een ovenschaal op een tegel te schuiven. 'Dit is Klaus Lehmann, zijn vrouw, Elsa. Dit is Max. Max Meyer.'

Klaus Lehmann knikte naar hem, een kleine, keurige, knappe man, maar Elsa stond voor hem op.

'Hallo.' Ze pakte zijn hand, en toen met een blik op zijn broek, donker tot aan de knie: 'Genoten van de wandeling?'

Haar hand was licht als papier en een haarlok lag over haar wang gekruld. Max bloosde. Ze was zo duizelingwekkend mooi dat hij heel stil bleef staan. Hij staarde haar aan, hij kon niet anders, en even dacht hij dat hij niet meer wist hoe je moest praten. Hij voelde hoe de anderen naar hem keken, zag Elsa's lippen uiteenwijken in een glimlach, en toen kantelde er ergens in zijn hersenen een radertje.

'Ik moest me maar even omkleden,' zei hij opgelucht. Hij formuleerde de woorden zo duidelijk mogelijk en als een waadvogel stapte hij naar de trap. Zou Gertrude ze vertellen dat hij een handicap had, vroeg Max zich af toen hij zijn natte kleren afstroopte, of zou ze hen daar zelf achter laten komen?

Max nam zijn plaats in aan het hoofd van de tafel. Hij zat tegenover Elsa, maar in de lengte van de tafel, zodat zij hem weliswaar aankeek, maar toch het verst van hem vandaan zat. Zelfs als hij zijn vingers naar haar zou uitstrekken, en zij de hare naar hem, zouden ze elkaar niet raken. Dit waren zulke ongewone gedachten dat het even duurde voor hij besefte dat hij ze van zich af moest slaan.

Gertrude schepte de goulash op en terwijl Max het eten naar binnen lepelde, probeerde hij naar Elsa te blijven kijken en te zien of haar lippen zich bewogen voor het geval ze iets tegen hem zou zeggen. Maar alleen al de aanblik van haar, het licht in haar langwerpige ogen, blauw, als van bloeiende irissen, maakte dat hij geen woord kon uitbrengen.

'Zeg Max, Max...' Gertrude praatte tegen hem en probeerde zijn blik te vangen. 'Ik vertelde net aan Klaus over het schilderij, al het denkwerk dat je erin hebt gestoken, en dat je...' – ze deed haar best hem uit zijn tent te lokken – 'dat je nu zover bent dat je kunt beginnen.'

Lehmann glimlachte vol begrip. Kunstenaars onder elkaar, hoewel hij natuurlijk wist dat Max niet zoals hij een professioneel kunstenaar was.

'Ja,' knikte Max uiteindelijk met extra veel nadruk op dat ene woord. 'Dat hoop ik tenminste.'

Maar veel meer hoefde hij niet te zeggen omdat Klaus begon uit te weiden over een nieuwe bibliotheek waarvan hij de tekeningen net klaar had. Als hij dit contract kon binnenslepen, zou hij zichzelf opnieuw kunnen bewijzen en de reputatie heroveren die hij had moeten achterlaten.

'Toen ik mijn man leerde kennen,' vertelde Elsa ze, 'was hij al beroemd. Een man van groot aanzien, zeker in mijn ogen.' Ze glimlachte naar Klaus. 'Ik was natuurlijk nog maar zeventien.'

'En nu, nu niet meer?' Klaus vertrok geen spier.

'Nog steeds.' Ze kneep in zijn hand. 'Na tweeëntwintig jaar.'

Max keek hoe Klaus praatte, zag de woorden op zijn lippen vorm krijgen, al kauwend scheeftrekken, vermangeld worden door zijn accent, en Max miste er een paar als hij vooroverboog om zelf een hap te nemen. Aan het eind van de maaltijd had hij een onwaarschijnlijk beeld bijeengesprokkeld van een zwembad dat aan kroonluchters was opgehangen terwijl er rijen wankelende boekenkasten los in de ruimte wentelden. Hij glimlachte alleen al bij het idee, en Gertrude, die zijn anders zo zwarte ogen zag oplichten, zei bij zichzelf dat ze weleens eerder gasten had mogen uitnodigen.

Na het eten zaten ze bij het open raam, het vuur in de open haard brandde, en ze keken naar de muggen die uit het donker kwamen binnenzwermen. 'Zo, dus jullie wegen hebben elkaar nooit gekruist?' Gertrude wilde het gewoon eens proberen, al had Max haar verzekerd dat ze elkaar nooit hadden ontmoet.

'Jawel.' Elsa boog zich naar hem toe. 'Volgens mij had jouw familie een zomerhuis niet ver van het onze. Je zult je mij niet herinneren.' Ze keek hem aan, haar stralende ogen zwart omrand. 'Maar ik kan me jou nog wel herinneren.'

'Hiddensee?' Het was bijna een fluistering. Hiddensee, daar had hij aan lopen denken tijdens de wandeling.

'Vanaf mijn derde kwam ik er elke zomer en ik herinner me jou nog heel goed...' Het werd heel stil, alsof dit een gesprek tussen hun beiden was en de anderen er tegen hun wil bij werden betrokken. 'Omdat je altijd alleen was.'

'Elsa...' probeerde Klaus tussenbeide te komen.

'En toen kwam die zomer dat je een meisje bij je had, een meisje in een groene jurk, en toen zag ik jou...' Elsa lachte. 'Ik zag je haar zoenen in zo'n klein strandhokje.'

'Elsa...' Klaus was opgestaan en rekte zich uit. 'Ik geloof dat het tijd wordt om op te stappen.'

'Het was de eerste keer' – ze keek naar haar man – 'dat ik kennismaakte met de liefde.'

'Ik sta paf.' Klaus vouwde zijn armen over elkaar. 'Ik had gehoopt dat de eerste keer aan mij was voorbehouden.'

Iedereen lachte, maar Max voelde een kilte achter de vluchtige blik van de man.

'Ja.' Het viel Max op hoe formeel ze klonken, alsof ze deze buitenlandse taal als een soort code gebruikten. 'Dat was de zomer van mijn verloving.'

'En nu...' Elsa stond naar hem toegebogen. 'Uw vrouw? Is ze...'

'We zijn nooit getrouwd.' Hij wilde er iets aardigers aan toevoegen om te voorkomen dat ze het sneu zou vinden, maar er viel verder niets te zeggen.

'Excuus.' Elsa keek hem aan. 'Ik heb u toch niet beledigd?' Ze boog zich naar zijn stoel en raakte zijn vingers aan met de zachte toppen van de hare.

'Nee.'

Helga, zei hij bij zichzelf. 'Nee. Ik voel me helemaal niet be-ledigd.'

Natuurlijk heeft een schaduw van zichzelf geen tastbare vorm. Dan heb ik het niet over de schaduw die op een plat oppervlak valt, maar over de schaduw die aangeeft waar een voorwerp van het licht staat afgekeerd. Max las koortsachtig door. O, als hij Henry nú kon schrijven, dacht hij. *Bedenk goed, had hij gezegd, dat het hele voorwerp een vorm heeft die moet worden getekend, niet de schaduw op zich.*

Die nacht zwierf Max door de kamers van Heiderose. Hij zweefde de muren door op de klanken van de piano, de blauwe kamer in met de ovale tafel, de openslaande hoge ramen met daarachter het terras waar zijn moeder altijd zo graag zat. Naar boven, hij ging de trap op, langs de badkamer met de grote schuddende boiler die zwoegde en jammerde en hem 's nachts uit zijn slaap hield, langs de keurig nette kamer van Käthe met het gladgestreken hoge bed, het witte laken strak ingestopt. Het licht dat door het raam naar binnen sijpelde viel in spatjes op haar bureau, en hij trok zijn tekenblok te voorschijn en hield het open om haar te laten zien wat hij had gedaan. Käthe, riep hij, en nog altijd in zijn droom herinnerde hij zich dat het door Käthe kwam dat hij ermee was opgehouden. 'Het is te zwaar voor je,' had ze gezegd, en toen hij in Engeland was aan-gekomen, had ze meteen een baantje als boekhouder voor hem geregeld. Hij was altijd goed in rekenen geweest, hij had het in zijn vingers, en net als met schilderen, had ze hem voorgehou-den, had je geen oren nodig om te kunnen vermenigvuldigen en aftrekken.

8

Lily werd wakker van een knal en glasgerinkel. Ze lag heel stil met open ogen en een bonkend hart en probeerde zich te herinneren of ze de deur op slot had gedaan. Er was nu niets meer te horen. Alleen haar eigen ademhaling, en ze wachtte verstijfd tot iemand uit de hoek van de kamer op haar afsprong. Ze durfde niet rechtop te gaan zitten of haar hoofd te draaien, en net toen ze het niet meer uithield, klonk er een tumult van luide stemmen en daarna een harde gil. Lily sprong het bed uit. Ze tolde rond, niet wetend wat ze doen moest, en toen sloeg er met een dreun een zwaar gewicht tegen de muur.

'Ik wil het niet horen!' Het was de schrille stem van de vrouw, en daaronder die van de man, een woedend gegrom. 'Ik zei het toch! Ik heb je gewaarschuwd...'

In een reflex hief Lily haar handen voor haar gezicht en tegelijkertijd klonk weer die gil, nog een dreun en toen het gruwelijke gestommel van iemand die de trap af rolde. Lily holde haar eigen, steile trap af en bleef staan in de donkere keuken waar een gedaante in een witte flits langs het raam snelde, het hoofd voorovergebogen in de nacht. Het hek vloog kletterend open en weer dicht, en ze hoorde een auto starten.

Lily bleef staan terwijl haar voeten langzaam verkilden, niet bij machte te bedenken wat ze moest doen. Die meisjes waren daar nog altijd binnen, en ze stelde zich voor hoe ze daar met opengesperde ogen lagen, zonder een kik te durven geven.

Heel langzaam opende Lily haar deur. Het was een stralende nacht vol sterren die in dichte drommen schitterend uit de hemel druppelden. Er streek een vlaagje wind langs en toen viel haar op dat ze was omgeven door geluid. Van achter het huis, over de meent en op en over de duinen heen kwam het gebeuk van de zee. Lily vergat waarom ze naar buiten was gelopen. Ze opende het zijhekje en stapte het laantje op. Er was hier nog meer lawaai. De ene na de andere golf van geluid. Was dit lawaai er altijd en had ze het overdag gewoon te druk om erop te letten? Als je niet beter wist, zou je denken dat het een snelweg was, voorbijrazende vrachtwagens, maar al luisterend kon ze zich voorstellen hoe het water zich terugtrok en weer neerbeukte op het strand. Lily keek even achterom naar haar huisje en zag een verlichte gedaante in het raam van het huis ernaast. Het was de man, die tegen de ruit geleund stond, en toen ineens ging het licht uit en was hij verdwenen. Huiverend draaide ze zich om en haastte zich naar binnen. Ze trok de deur met een onverwachte klap dicht en bleef even luisteren. Nee. Niets. Stilte. Niemand die riep of jammerde, en toen vroeg ze zich af of de kinderen misschien dwars door de vechtpartij heen hadden geslapen.

De volgende morgen zag ze hem. Hij stond in de tuin een stuk hout te zagen tussen twee stoelen. Tot nu toe had Lily alleen de kinderen gezien, en een keer of wat de schouder van de vrouw als ze de was ophing. Maar hier stond dan de vader, opzij van haar, in een oude trui en met een wollen muts op. Ze leunde naar voren om meer te kunnen zien en net toen ze haar gezicht tegen de ruit drukte, knapte het hout in tweeën en draaide hij zich om om het korte eind op te vangen. Lily deed een stap achteruit. Ze pakte haar kopje thee en liep naar de tafel waar ze haar werk had uitgestald. Ze pakte een brief op en begon driftig te lezen, de woorden zoals zij ze begreep omzettend van het

Duits in het Engels, en zo kwam ze in het ritme van een vreemde taal.

In die koude, donkere trein, schreef Klaus in 1932 aan Elsa, *groeide de angst dat ik je niet genoeg heb laten merken hoeveel ik van je hou. Maar wat kan ik anders aangezien me van jouw kant zo'n groot gevoel tegemoetkwam dat ik mijn armen maar in dankbaarheid voor je hoefde te openen? Om halftwee vannacht lag ik nog altijd in mijn coupé aan jou te denken en probeerde te slapen. Was onze tijd in Hiddensee niet even mooi als in onze herinnering? En hoeveel tijd zullen we er nog doorbrengen voor we oud en grijs zijn?*

Lily kon nog altijd de man horen zagen. Als ze achterom door het keukenraam keek, zou ze net zijn zwoegende schouder kunnen zien.

Liefste, ik ben zo blij je gelukkig te hebben gemaakt met het veertje dat ik je stuurde. Het is het soort veertje waar ik al jaren dol op ben en ik beschouwde het als een goed teken dat het zomaar op mijn blad papier neerdwarrelde. Vind je me belachelijk als ik je nog een keer wil verleiden met een paar schoentjes? Zwart. Ronde neus, heel lief en goed gemaakt. Er is nog maar één paar in maat 37. Dezelfde hoge laarsjes! hoor ik je lachen. Is het zo grappig dat ik steeds schoenen voor je wil kopen? Maar ik denk echt dat we zoiets moois in geen jaren meer kunnen krijgen. Liefste van me, laat de plek naast je leeg tot ik terugkom.

Op dat moment zag Lily de postbode langs haar raam lopen. Haar hart maakte een sprongetje en ze vloog overeind en holde naar de zijdeur. Als Nick haar niet snel schreef, moest ze hem toch maar bellen, zeggen dat de telefooncel het weer deed, maar ze wilde het nog één dagje aanzien. De postbode aarzelde even en bleef toen staan. Lily zag hem een envelop uit zijn tas halen, maar in plaats van zich naar haar kant te draaien duwde hij het hekje van het huis aan de overkant open. Meteen ging de deur daar open en kwam Ethel naar buiten. Ze nam de envelop aan en met een brede grijns ritste ze hem met haar duim open. Lily bleef staan kijken hoe haar gezicht onder het lezen betrok en opfleurde.

'Goeiemorgen.' Ethel had haar gezien en blozend knikte Lily even 'goedemorgen' en glipte naar binnen.

De volgende brief van Lehmann kwam uit Dahlem.

Ik had nooit durven hopen dat ik nog eens op zondag een brief van je zou krijgen. Maar daarmee staat nu voorgoed vast wie hier degene is die liefde te over heeft. En wie wil ons beiden een kind schenken? Terwijl ik hier werk hoor ik iedere ochtend om halfacht de klokken luiden, en in mijn halfslaap klinkt het als Elle, Elle. Ellie, Ellie. En bij het wakkerworden denk ik dan aan jou en verlang naar jou, mijn lieve El.

L, xx

Lily legde haar pen neer en liep naar buiten. Ze was de meent gaan beschouwen als haar voortuin en stond er vaak midden op naar de lucht te kijken. Ze keek even geërgerd naar de telefooncel, alsof die echt stuk was, maar toen ze de warme zon op haar gezicht voelde, strekte ze zich uit in het gras. Er waren vijf witte wolken, fijn als gekaarde wol, die rafelig uiteendreven en weer door de wind werden samengetrokken. Lily drukte zichzelf in de aarde, haar hoofd, haar benen, de hakken van haar voeten, en toen sloot ze haar ogen en luisterde naar de zee. Geen bulderend lawaai deze keer. Ze kon hem zachtjes horen mompelen, glad en kabbelend, als het monotone gezoem van een bij.

'Alles goed daar?' Er stond iemand over haar heen gebogen en er viel een koele schaduw over een deel van haar gezicht. Lily deed haar ogen open en schrok. Het was de buurman, hij keek op haar neer en er staken zanderige piekjes haar onder zijn muts uit. 'Mooi.' Hij knikte toen Lily overeind krabbelde. 'Ik dacht, ik kijk toch maar even.' En hij liep weg over de meent met in zijn kielzog een zwart-witte kat. 'Psst.' Hij draaide zich om naar de kat die, staart omhoog, met nuffige pasjes alsof hij over teer liep, achter hem aan kwam hollen.

Lily draaide zich gegeneerd om en hoopte maar dat hij niet de angst in haar ogen had gezien, en in de verte zag ze een gedaante in een wit gewaad de brug opstappen, op weg naar zee.

Lily was blij een doel te hebben en ging haar achterna. Het laantje af, langs de rivier, over de houten brug en tegen de duinen op, ploeterend en klauterend, naar de strandvlakte voor de zee. En daar aan het water stond Ethel op de kronkelende scheidslijn tussen nat en droog zand. Ze was bezig haar slippers uit te doen, zette die netjes buiten de gevarenzone, en liet haar witte badstoffen ochtendjas afglijden en daar onder vandaan kwam een robuust badpak met van heup tot heup uiteenspattende oranje bloembladen. Lily liep wat dichterbij en ging in het zand zitten. Er woei een frisse bries over het strand, en al waren de golven klein, toch zaten er witte schuimkoppen op. Ethel stond een minuutje tot haar enkels in de branding en waadde toen tot aan haar bovenbenen het water in. Dit was het moeilijkste moment, als je lichaam het ergst rilde en smeekte om verlost te worden van de pijn, maar Ethel liet zich in het water zakken en zwom met krachtige slagen als een dame weg. Ze bleef naar de horizon zwemmen tot ze niet méér was dan een wit warrelig stipje, en eenmaal op het punt dat ze als doel had gekozen, draaide ze om. Ze draaide zich om naar het zonlicht en zwaaide. Lily sprong overeind en zwaaide terug. En ze bleef staan kijken hoe Ethel terug kwam drijven. Haar slag was minder energiek nu, alsof het zwaarste werk erop zat. Ze liet zich meedeinen op de golven, die opspatten en de randen van haar kapsel doorweekten. Het duurde niet lang voor ze uit het water oprees. 'Goedemorgen,' riep ze terwijl zand, schelpen en glinsterende druppels van haar armen dropen.

'Zwemt u elke dag?' vroeg Lily terwijl Ethel zich in haar ochtendjas wurmde.

'Als het even kan. Sinds we hier zijn komen wonen heb ik bijna elke dag gezwommen. Het houdt me jong. Gaat u er nog in?'

'Ik heb geen badpak bij me.' Ze keken allebei naar het verlaten strand en grijnsden.

'Nou, ik moest maar eens terug.' Ethel draaide zich om en

met de ochtendjas stevig om zich heen getrokken schuifelde ze de zandrug achter het strand op en aan de andere kant weer af.

Ze ging erin, wat dacht je. Het zou zelfs wel in haar blootje kunnen. Maar toen ze haar hemdje uittrok, dacht ze aan de rij vissers die ze een keer had gezien. Groene regenjassen, groene regenlaarzen, een legertje ronde tenten. Stel dat ze op de heuvelrand verschenen zodra ze zich had omgedraaid, en net als ze naakt uit het water wilde oprijzen, zouden ze daar als een vuurpeloton in groene tenten klaarstaan om haar bij terugkeer te begroeten. Ze wurmde zich uit haar spijkerbroek, blij dat haar onderbroek en bh redelijk bij elkaar pasten, en toen stak ze het puntje van haar teen in zee om het water te voelen. Dat was zo koud dat het pijn deed. Ze probeerde de andere voet. 'Jezusmina!' Haar voet werd door het water vastgegrepen en bevroor, messteken vlijmden door het bot. Ze stapte snel achteruit. Kon ze er maar ineens in duiken, dan had ze het in één keer gehad, maar daar was het te ondiep voor. Ze moest minstens vijfhonderd meter lopen voor het water zelfs maar tot haar middel reikte. Ze probeerde het nog eens, om te zien of de zee niet hier of daar warmer was, en toen, er zat niets anders op, waadde ze de zee in. 'God, God, God, God, God,' mompelde ze om niet te gaan gillen en ze hield zichzelf voor dat als dit ijskoude water een vrouw van in de tachtig niet de das had omgedaan, de kans groot was dat ook zij het zou overleven. Het water kwam nu tot haar knieën. Ze haalde diep adem en keek om zich heen. Er was geen mens te zien. 'Mooi.' En ze draaide zich om en rende er weer uit. Haar benen waren vanaf haar knieën en lager springlevend, knalrood en tintelend. Ik had er gewoon in moeten duiken, zei ze tegen zichzelf toen ze haar kleren weer aantrok. Morgen, beloofde ze, of anders overmorgen, en ze nam een omweg naar huis, langs de zeewering en het eenzame huis op palen in een verlaten, overwoekerde kiezelvlakte, tegen de heuvelrand op en weer omlaag langs de kroeg. Ethel zou in een oogopslag zien hoe laf ze was geweest, en ze stelde

en langzaam schoof hij steeds verder opzij om de hoek te kunnen voelen, zicht op de zijkant te krijgen.

Gertrudes hoofd veerde op boven haar boek. Waar ging hij heen? Ze zag hem opzij schuifelen, weg van zijn doek. Ze zuchtte eens diep en liet haar schouders zakken. Ze hadden de rest van de zomer nog. Wat maakte het uit? Als hij over zijn verdriet heen dacht te komen door rond te zwerven, wie was zij dan om daar geen begrip voor te hebben.

Max bekeek aandachtig het bobbelige glas van het portaal. Nu begreep hij het. Dit was het werk van Lehmann. Die had met zijn visie en zijn lijnen de oude lijn van het huis verwoest. Nou, Max zou dat eens schetsen, hem op een tekening laten zien hoe dwaas het eruitzag. Hij liep naar binnen om papier te zoeken. Hij had de losse vellen die hij had meegebracht opgebruikt, allemaal opgegaan aan kaarten van Steerborough. Hij keek de woonkamer rond. Gertrude moest toch ergens papier hebben liggen, en omdat hij haar niet wilde storen, opende hij het walnoten bureau en keek in de kasten en laden, maar vond alleen een naaimandje en een voorraadje suiker en zout. In de vakken van haar cilinderbureau lag alleen briefpapier, te dun en te klein om van enig nut te zijn, en zelfs in de provisiekast die hij in zijn wanhoop opentrok stonden alleen wat potten chutney en ingemaakt fruit. Hij kon niet meer ophouden met zoeken en rukte aan een deurtje onder de trap en daar kwam, alsof het erop had gewacht, een rol papier naar buiten tuimelen die zich voor zijn voeten uitrolde. Het was behang, weliswaar stoffig aan de randen en aan de buitenkant vlekkerig geel van het lange liggen, maar sterk en blanco en ideaal. Hij pakte een stuk karton om eronder te leggen en haastte zich weer naar buiten. Bij gebrek aan een mes of schaar om het papier af te snijden, nam hij simpelweg het eerste schone stuk en liet de rest over de rand van het karton hangen en langs zijn benen en over de grond uitrollen. Snel schetste hij de vroegere voorkant van het huis. Hij deed het vlot, als een jongetje dat spijbelt, en

genoot van elke streek. Zeg iets. Hij dacht aan Henry en glimlachte omdat hij nu eens iets te zeggen had.

Max was zo ingenomen met zijn tekening dat hij om het
huis naar de achtertuin sloop en welbewust niet naar Gertrude
keek, die nog altijd verdiept was in haar boek. Voorzichtig tilde
hij zijn doos met verf op. Hij pakte wat kwasten, zijn palet en
een veldfles, liet alleen het doek op de ezel en zijn tas met olieverf staan, en liep op zijn tenen terug naar de voorkant. Elke
baksteen, of de impressie van elke baksteen, elke roodgetinte
dakpan, elk klimopblad dat zich aan de muur had gehecht, hij
zou ze allemaal een plek geven. Hij werkte door tot het middageten, de hele namiddag, tot alleen het iele portaal met zijn
platte dak nog ontbrak. Hij zette het eraan vast, al even uit de
toon vallend als in het echt, en ineens beseffend hoe vaal het
licht was geworden, droeg hij zijn tekening met de rol er nog
aan het huis binnen, de trap op en legde hem neer op de vloer
naast zijn bed.

Dit lijkt te veel op het werk van een vermoeide en lusteloze man. Hij
kende Henry's brieven uit zijn hoofd. *In vier uur tijd, zei je? Het was
beter geweest als je vier kleine tekeningen had gemaakt en jezelf niet zo had
afgemat.* Maar de voorgevel van Gertrudes huis maakte een al-
lesbehalve lusteloze indruk. Hij ging op bed liggen en kon
vandaar de tekening mooi zien liggen, uitgespreid op de vloer,
nog altijd flonkerend, en verbaasd over zijn eigen uithou-
dingsvermogen viel hij in een droomloze slaap.

Gertrude was bezig met het avondeten toen boven zee de wolken openscheurden. Ze wilde juist de ramen dichtdoen, toen
ze zag dat Max' ezel nog altijd buiten stond met het doek erop,
zo hoopvol naar het huis gekeerd. 'Max!' riep ze, al wist ze dat
hij het niet zou horen en dus holde ze de stromende regen in
om het schilderij binnen te halen.

Max kwam gapend de trap af, juist toen een lichtflits de
lucht doorkliefde en de tuin verlichtte, de hoge tak van de

boom en Gertrude, opboksend tegen de regen. 'Laat mij dat doen, alsjeblieft.' Max holde door de tuindeuren naar buiten en samen draaiden ze het doek los. Er klonk een donderslag en opnieuw flitsten er bliksemstralen naar beneden. Gertrudes adem stokte en even keken ze in het griezelige wit van elkaars ogen.

'Naar binnen!' schreeuwde Gertrude en Max klemde het doek tegen zich aan en struikelde ermee het huis in. Gertrude worstelde met de deuren, rukte ze uit de storm los en vergrendelde ze. Max keek even naar zijn schets en geneerde zich voor de vegen en vage lijnen waarvoor ze hun leven hadden gewaagd. Vlug zette hij het doek omgekeerd tegen de muur.

'Het is een fikse storm, en pal boven ons.' Gertrude liep naar het raam toen er weer een golf van gedonder kwam aanrollen. Hij voelde wel hoe teleurgesteld ze in hem was en daarom liep hij met haar mee en samen bleven ze staan kijken naar de zwaaiende takken en schrokken bij elke bliksemflits. Maar de storm trok nu over, er kwamen steeds meer tellen tussen de lichtflitsen, en ze zagen hoe de zwarte wolken naar zee werden gedreven. Gertrude wendde zich met een zucht van het raam af en toen ze voorstelde wat te eten, knikte Max, hij rammelde, pakte de theedoek van haar af en wilde per se helpen zodat ze tegen elkaar aanstootten in het krappe keukentje.

Er stonden bloemen op tafel in een prullig vaasje. Max strekte zijn hand ernaar uit en wiegde de keramische buik van het potje.

'Mevrouw Lehmann' – Gertrude knikte naar de bloemen – 'heeft ze vanmiddag gebracht.'

Max trok zijn hand terug. Hoe kon hij haar hebben gemist? Hij had de hele dag voor de deur gezeten. Om zijn verwarring te verbergen, bekeek hij de bloemen aandachtig. Een felrode papaver met trillende bloembladen op een pezig, iel steeltje. Tussen een hele bos korenaren. Max bedacht hoe hij vroeger onrijpe aren afplukte, de bleekgroene schilletjes wegpelde en de kern leeg zoog, het sap dat naar beukennootjes smaakte, zoet als melk.

'Ja, ik zat te lezen over broekpoepen als machtsmiddel, dat sommige kinderen daar handig gebruik van maken,' vertelde Gertrude, 'en toen ik opkeek, kwam daar Elsa Lehmann door de heg geglipt. Ze had lopen wandelen door de kwelders, zei ze, en kwam even langs.'

'Nooit geweten dat je papavers kon plukken zonder ze te beschadigen.' Max stak een vinger uit naar het zachte dons op de steel en precies op dat moment, alsof hij op zijn wenken werd bediend, dwarrelde een vochtig, flinterdun bloemblad in zijn hand.

Ze aten in stilte. Af en toe keek Max naar Gertrude en vroeg zich af of zij net als hij bezorgd was dat Elsa misschien was overvallen door de storm van daarnet. Misschien stond ze nog steeds rillend ergens te schuilen en kon ze door de striemende regen niet naar huis.

Maar Gertrude zat aan Alf te denken. Zou het niet beter voor hem zijn, vroeg ze zich af, om in plaats van pianolessen zelf een wat therapeutischer vorm van hulp aan te bieden?

Het eerste wat Max zag toen hij de volgende ochtend wakker werd was zijn tekening die op de vloer lag uitgespreid. In zijn herinnering was hij beter, de glinstering was eruit verdwenen, en zonder enige waarschuwing zag hij toen ineens zijn vader voor zich. Dat drukte zijn stemming zo hevig dat hij op de vloer moest gaan zitten. Hij moest in beweging blijven of hij zou eraan ten onder gaan, hij wist niet of hij ooit nog overeind zou komen. Langzaam, heel langzaam kroop hij door de kamer. Henry's brieven, in het koffertje, stonden tegen de muur geleund. Hij strekte zijn hand uit en trok het leer dicht tegen zich aan, snoof de geur, wreef ermee langs zijn gezicht en beet met zijn tanden op de zachte hoeken.

Ja, las hij toen hij zich in zoverre had hersteld dat hij een brief uit het koffertje had weten te trekken. *Veel en veel beter. Ga zo door, dan zal niets of niemand je nog kunnen stoppen.* Waar was die tekening nu, vroeg hij zich af. *Meyer...* Henry klonk weer streng. *Laat je niets wijsmaken door mensen die zeggen hoe het moet. Hoe neemt de grond zijn vorm aan? En welke kant groeit het gras op? Ik wil zien hoe jíj dat oplost.*

Stil zo blijven liggen, dacht Max, nooit meer opstaan, maar hij dwong zichzelf naar het raam te gaan, en zich vastklampend aan het kozijn duwde hij het venster open en leunde naar buiten. Het was een zachte dag. Een lichtgele ochtend met een blauwe bies. De storm had iets weggenomen en heel even voelde hij zich lichter, reiner, meer geneigd te vergeten. Snel, voor zijn stemming weer zou inzakken, trok Max zijn kleren aan. Hij rolde zijn schilderij op en zonder te wachten op een kopje sterke thee van Gertrude, pakte hij zijn aquarelverf en ging op pad.

Hij liep doelgericht de kant van de kerk op, langs het scheefgezakte huis, de oude boerderij en de brievenbus met het rode koninklijke zegel. Hij liep tot voorbij het laatste huis van het dorp. Het had een portaal van witgeschilderd latwerk en drie dakkapellen. Het vierkante tuintje was omheind en daarachter zag je niets dan heide. Max ging zitten op de stomp van de oude hekstijl, waar het metaal in de oorlog om vaderlandslievende redenen af was gesloopt. Hij rolde zijn papier uit tot Gertrudes huis te zien was, en daarnaast lag wit en uitnodigend een leeg vlak te wachten. Heath View. Het huis deed hem aan appels denken – het zachtgroen geschilderde hout, de ramen net pitjes, de bakstenen roze dooraderd. Net toen Max naar voren leunde om de kleur van het hout echt goed te kunnen zien, stapte er een vrouw naar buiten. Ze bleef wat aarzelend op het tuinpad naar hem staan kijken, achterdochtig, liep toen weer naar binnen en draaide de voordeur op slot.

10

Lily nam een triomfantelijke hap van haar geroosterde boterham en terwijl ze de brief van Nick opvouwde en in haar zak
stopte, holde ze de meent over. Het was haar gelukt. Ze had
hem zover gekregen: hij had haar geschreven, en niet zomaar
een brief maar een echte liefdesbrief.

Allejezus, Lily, begon het. *Er staat toch nóg wel ergens een telefooncel?*
Geef me anders het nummer, doe dat maar, dan bel ik om een klacht in te die-
nen. Sorry dat ik zo doordraaf... – zijn handschrift werd met de regel
kleiner en onleesbaarder – *maar waarom ben jij ook de enige in de hele*
wereld die geen mobieltje heeft? Ik mis je, zo simpel is het... Het is een gekken-
huis op kantoor, maar ik zeg verder helemaal niets meer tot jij op je fiets stapt,
of je muilezel of waar je ook op rondrijdt daarginds, en naar een telefooncel
rijdt. Ik wil je stem horen.

Terwijl ze het nummer draaide viste Lily de muntjes uit
haar portemonnee. Een paar van tien en twintig pence, twee
van vijftig en één pond. Ze bouwde er kleine stapeltjes van
naast de steen en het eeuwige briefje. *Bel 999. Wacht bij de muur...*
Lily staarde naar het verbleekte papiertje dat nu al door vocht
en licht was aangevreten en boog zich net naar voren, haar neus
op het groffe oppervlak, toen opeens Nicks antwoordapparaat
klonk. 'U weet het verder wel.'

Het kwam zo onverwacht dat ze er telkens weer van schrok,
alsof een telefoontje wel het laatste was waar hij op zat te wachten.

'Met mij.' Ze werd onzeker toen ze haar eigen stem hoorde en bedacht dat ze al een paar dagen geen woord had gezegd. 'Zeg, dankjewel voor je brief. O, jezus, ik probeer het wel op kantoor.'

Maar Nick was niet op zijn werk.

'Die is er niet... ben jij dat, Lily?'

'Ja.'

'O, hij is... Wacht even.' Ze hoorde Tim, zijn assistent, de ketel vullen, hoorde het water in de metalen klankkast kletteren. 'Ja, hij is naar Parijs om te kijken of...' Er rinkelde nog een telefoon en Tim had kennelijk water over zijn arm gegoten. 'Wel verdomme!'

'Maakt niet uit,' riep Lily over de herrie heen, 'ik heb al ingesproken op zijn mobiel,' en verslagen hing ze op.

Lily stopte het kleingeld weer in haar portemonnee. Ze pakte de steen op. Hij was rond en glad, ivoor- en goudkleurig gestreept, de kleurringen aan de randen afgesleten en vervaagd alsof hij miljoen jaar oud was. Lily liet hem in de palm van haar hand rollen en zonder precies te weten waarom, liet ze hem toen in haar jaszak glijden en legde er een muntje van twee pence voor in de plaats.

Lily nam de langste route naar de winkel. Ze liep met grote passen en zoog de lucht op, de zachte geuren van het gras, de vlaag honing van een border met witte bloemen, en werd op de hoek van een weggetje opeens in haar vaart gestuit door een vleug scherpe aalbessenlucht. Het deed haar aan Londen denken, een volkomen misplaatste geur uit de natuur midden op straat in de stad. Stof en vocht en kattenpies en het scherpe sap van stengels. Lily brak een donkergroen blad af en wreef het tussen wijsvinger en duim. De nerven waren rood als rabarber, het sap bitter van een wrange fruitsmaak. Er had precies zo'n plant gestaan op de hoek van de straat waar ze als kind had gewoond. Ze was er vaak bij blijven stilstaan om haar snoepjes op te eten, de bijtende geur inademend die in vlagen voorbijtrok terwijl ze stond te wachten tot haar moeder van haar werk kwam. Lily vouwde het blad weer open, wikkelde het voorzichtig om de steen en duwde dat in de zak van haar spijkerbroek.

Stoffer's, de dorpswinkel, had alles wat je ooit nodig kon hebben. Naast fruit, groente en kaas, brood, blikjes en pakken gedroogde etenswaren, hadden ze ook strandballen, visnetten, emmers en schepjes. Er was een hele plank met koekjes en tegenover de kassa, op peuter-ooghoogte, een hele verzameling snoep van een penny. Er stonden twee kinderen overheen gebogen met plastic tangen in de hand en toen de deur klingelend achter haar dichtviel, herkende ze Em en Arrie die stevig papieren zakjes vastgeklemd hielden. Mevrouw Stoffer stond over de toonbank heen naar ze te kijken en toen Lily haar blik opving, keek ze heel argwanend.

Lily bestudeerde de ansichtkaarten. Het waren foto's van bezienswaardigheden uit ten minste vijf dorpen en stadjes in de omgeving. Havens, kastelen, zonsondergangen, ruïnes van een kerk. En dan nog een apart rek met 'plaatselijke kunstenaars'. Lily bekeek alle vage en fletse landschappen. Verlaten strand, strand bij eb met pootjebaders. Er stonden aquarellen bij van de veerboot, met en zonder rij wachtenden, en een plaatje van het houten huis op palen, aan drie kanten ingesloten door het water van de riviermonding dat langszij richting zee kolkte. De lucht nam steevast viervijfde van de kaart in. Het land leek er nietig door, alsof het de strijd eigenlijk al verloren had. Als zij dit landschap zou schilderen, zou ze alleen de lucht schilderen, en ze glimlachte toen ze zichzelf ineens voor zich zag, praktisch gekleed, broodjes mee en een schildersezel in het zand geplant. Ze koos uiteindelijk geen aquarel, maar een foto van de vuurtoren van Eastonknoll met een omgang die deed denken aan een hekje van wit suikerglazuur en een koepel als een dot slagroom.

'Twaalf pence...' De vrouw achter de kassa stond glurend en graaiend in het papieren zakje van Arrie de snoepjes te tellen. 'Plus vijftien maakt zevenentwintig pence.'

Em stak haar hand diep in haar broekzak. Haar gezicht kreeg een zorgelijke trek toen ze het kleingeld natelde. Mevrouw Stoffer hield de zakjes vast alsof ze misschien weer moesten worden ingeleverd en alsof deze hoogstvermoeiende situatie niet bepaald nieuw voor haar was.

'Twaalf, dertien, zestien...' Em telde ijverig de pennies terwijl Arrie verlangend en bedrukt naast haar stond. 'Tweeëntwintig?' vroeg ze hoopvol en Lily keek op en zag nog net mevrouw Stoffer haar hoofd schudden.

'Het is goed, hoor. Ik pas het wel bij.' Lily schoof haar ansichtkaart vooruit en sloeg een munt van twee pond op de toonbank alsof ze een miljonair was met een auto met chauffeur buiten voor de deur.

Ze liepen samen terug naar de meent. 'Geen school vandaag?' vroeg ze, en zij vertelden dat hun moeder de auto had meegenomen. 'Er gaat geen bus, snap je, en... nou ja, op sommige dagen is het te ver lopen.'

'Waar is de school?'

'Verderop in Thressingfield,' en ze draaiden zich om naar de grote weg en wezen vagelijk naar de horizon. 'Soms kunnen we meerijden met meneer Blane, maar die ging vandaag niet.'

'O,' zei Lily terwijl ze door het dorp terug slenterden. 'Ze komt vast snel weer terug.'

Em liet haar hoofd hangen en Arrie stopte met groezelige vingers een platte, groene inktvis in haar mond.

'Niet dat ik...' Lily beet op haar lip. 'Ik bedoel, ik weet zeker...'

'Nou ja,' zei Em snel. 'Papa koopt een nieuwe auto.'

'Niet nieuw nieuw,' verbeterde Arrie haar, 'maar nieuw voor ons.'

Em bood Lily een snoepje aan. Ze leken een beetje op winegums, maar je moest stevig kauwen. Vreemde, platte vormpjes, rubberachtig en dik. Het was een tijdje onmogelijk iets te zeggen.

Er was niemand op de meent en Lily ging op een van de twee schommels zitten en zag toe hoe Em haar benen steeds hoger de lucht in zwaaide. Arrie was de glijbaan aan het schoonpoetsen. Ze gebruikte haar achterwerk als stofdoek terwijl ze achterwaarts omhoogkroop en ieder stukje opwreef tot het roestvrij staal glom. Ten slotte zei ze dat de glijbaan nu klaar was, en na een buiginkje roetsjte ze in volle vaart naar beneden en schoot er aan het einde af. Ze landde in een stoffige kuil met houtsnippers, en Lily zag toen ze opklauterde dat het zitvlak van haar legging bijna doorgesleten was.

'Doet ze dat vaak?' vroeg ze aan Em, en Em zei dat het haar taak was. 'Ik raap de rommel op en Arrie maakt de glijbaan schoon. We hebben het zelf aan Alf gevraagd, en die zei dat het goed was.'

'Wie is Alf?'

'Alf??' Em keek Lily aan alsof het ondenkbaar was dat je dat niet wist. 'O, dat is... hij...' Ze hing bijna ondersteboven. 'Hij zit in de... hij is van... hij is zo'n beetje de baas.'

Arrie had genoeg van de glijbaan gekregen en hing wat rond voor Lily. 'Wil je iets zien?' Ze kwam een stapje dichterbij. 'Een geheim?'

'Graag,' zei Lily.

'Arrie!' Em hing met een ruk haar schommel recht en met een woedende blik tartte ze haar verder te gaan.

'Wat is er?'

Er viel een stilte waarin ze elkaar veelzeggend aanstaarden.

'Nou, vooruit, als je echt zo graag wilt,' en terwijl ze Arrie met samengeknepen ogen aankeek, pakte ze Lily bij de hand.

Ze liepen het laantje af naar zee, maar in plaats van de brug over te steken, namen ze een kleiner zijpaadje waar ze moesten bukken voor de overhangende struiken die hun de weg versperden. Het pad meanderde naar beneden met aan de ene kant de rivier en aan de andere kant drasland en pollen stevig gras. Uiteindelijk kwamen ze uit bij de kwelder. Tussen de zegge lagen glinsterende plassen water en kleine verharde paadjes, net breed genoeg voor één persoon. De manshoge zegge was uitgebleekt door de zon van het afgelopen jaar en stond zachtjes te wuiven in de wind. Af en toe kwamen ze op een gemaaid stuk, kortgeknipt als een jongenskoppie, waarvandaan het riet als dakbedekking was meegenomen. Daarna werd het een egale, stille vlakte tot aan zee, al leefden er vogels en woelmuizen in dit drasland, en beverratten, waterratten en roerdompen, maar Lily had nog geen enkel geluid gehoord. Om de paar meter moesten ze over het water, heen en weer over planken die in de oever waren gestoken.

'Waar gaan we heen?' vroeg ze, niet begrijpend hoe ze hier zo goed de weg konden weten, en op dat moment liep Em terug over nog weer een bruggetje.

'Daar is het,' zei Arrie en aan de horizon stond de ruïne van een molen. Het leek op een verlaten zandkasteel waarvan het dak ontbrak en een hoek was ingezakt. 'Sssst, het spookt er.'

Em draaide zich om en siste, waarna een tweetal grote zwarte vogels oprees uit het hoge gras. Ze vlogen snel, in een rechte lijn, met ingetrokken poten en ze landden op twee palen in de rivier. In alle rust spreidden ze hun vleermuisachtige vleugels en hielden ze zo, als om te drogen. Lily keek naar hen en voelde dat zij naar haar keken.

'Vooruit,' riepen Em en Arrie, en ze draaide zich om en holde ze achterna naar de molen.

'Jullie komen hier toch niet alleen, hè?' riep ze, maar ze keken niet om.

Vanaf de drempel van de molen liep een trapje omlaag het stilstaande water in en op het oppervlak daarvan dreven een paar takjes en een rood schoentje met hoge hak.

Ze keken allemaal naar binnen. 'Hallo, lo, lo, lo.' Em liet haar stem langs de muren galmen, en alledrie keken ze omhoog naar het taps toelopende schuine metselwerk, het ronde stukje vaalblauwe lucht.

'Wie zegt dat het hier spookt?' vroeg Lily, en op dat moment viel er een schaduw over hen heen en werd de lucht killer. Arrie greep haar arm vast.

'Rustig maar,' zei Em, 'dat is gewoon een wolk,' maar ze pakte wel Lily's andere arm.

Ze liepen naar de zijkant van de molen en gingen op een blok graniet zitten waar schelpen in vast staken. Daar bleven ze zwijgend zitten wachten tot de zon weer te voorschijn kwam. Beide meisjes hielden hun gezicht strak omhoog, alsof hun leven ervan afhing, terwijl Lily naar de kustlijn keek. In de eerste bocht stond een groepje huizen en waren een heleboel boten op het droge getrokken, en vlak daarachter lag zilverglanzend een gigantische koepel.

'Wat is dat daar?' vroeg ze aan Em, maar Em bleef naar de lucht staren.

'Dat is waar papa werkt,' vertelde Arrie.

'Vroeger.' Em trok haar blik met moeite los. 'Nu niet meer. Het is een kerncentrale. Daar maken ze energie.'

'Nee.' Arrie keek verstoord. 'Daar maken ze worstenbroodjes.'

'O, ja,' Em knikte ernstig. 'En worstenbroodjes.'

Het was na twaalven toen ze eindelijk bij de meent terugkeerden, en de eerste die ze daar naast de schommel zagen staan was de vader van Em en Arrie. De twee meisjes keken elkaar snel even aan, en Arrie sloeg een hand voor haar mond. 'Nou hebben we je nog het geheim niet laten zien!'

Maar Lily was al vooruitgevlogen. 'Sorry,' riep ze. 'Het is mijn schuld. Ze waren met mij.'

Zijn ogen stonden gespannen, moe van het zoeken. 'Geeft niet,' zei hij. 'Ik dacht al wel dat er niets ergs was gebeurd.'

Arrie kroop wurmend met haar kleine lijfje tegen hem aan voor een aai, en Em leunde met haar hoofd tegen zijn arm.

'Ik ben Lily, we hebben eigenlijk nooit officieel kennisgemaakt... Ik huur het huisje naast jullie...' Ze liet in het midden wat dat verder inhield. De dunne wanden, gebonk op de trap.

'Grae,' zei hij met een knikje, kneep zijn ogen een beetje dicht voor iets als een glimlach, en hij liet zijn hand zakken en woelde door Arries haar.

11

'Hoe ging de les?' vroeg Gertrude aan Alf. 'Hoe was het met mevrouw Cheese?' Alf stond voor haar. 'Nog steeds geen vooruitgang?' moedigde ze hem aan, waarop hij tot haar stomme verbazing zijn handen ophief en zijn vingers liet fladderen, trippelend over een reeks denkbeeldige toetsen. Hij scheerde over het ivoor, op en neer en weer terug in een klaterend crescendo. Ze kon de hoge noten bijna horen, een pingelend iel kraakje, gevolgd door dreunende donderslagen toen hij naar het andere uiteinde bonkte. Gertrude was zo overrompeld dat ze te ver naar voren leunde in haar ligstoel en deze liet kantelen, zodat haar boeken in het gras gleden.

'Nou, ik... dat is prachtig.' Ze begon te klappen. Het was het eerste teken van leven dat ze van hem had gezien sinds de storm. 'Kom eens zitten.' Ze klopte op de lege plek waar haar boeken hadden gelegen. 'Dus je begint er wel plezier in te krijgen?' Hij liet zich behoedzaam naast haar zakken. 'Dat doet me deugd.' Ze keek naar hem, naar zijn boterwitte haar, zo glanzend was het, en ze dacht aan het jongetje op de kinderafdeling voor wie ze in de oorlog had gezorgd, het jongetje dat van zijn moeder te horen had gekregen dat ze nooit meer langs zou komen als hij huilde.

'Niet huilen, niet huilen,' was hij blijven prevelen met een stukje deken tegen zich aan geklemd, 'niet huilen,' tot de instructie zich na weken en maanden langzaam maar zeker zo rotsvast in zijn binnenste had verankerd, dat alleen een nerveus glimlachje er nog aan herinnerde.

'Alf?' Ze raakte zijn arm aan, maar hij was rusteloos en zat te popelen om weg te mogen. 'Toe dan maar.'

Alf sprong overeind. Hij schoot naar de rand van de tuin, glipte door de heg en weg was hij.

Gertrude nam haar boek weer op. Ze zat te lezen over nachtmerries van kinderen, over hun angst voor het donker en over een jongetje tegen wie was gezegd dat de boeman hem zou pakken als hij aan zichzelf zou zitten in bed. Maar wat niemand leek te begrijpen van dat jongetje, en waarom hij nog steeds bang was, was dat de boeman er al was in zijn verbeelding en dat hij dus net zo goed kon doorgaan.

Het was warm. Veel te warm voor begin juni. Gertrude vermande zich, kwam overeind en liep het huis in, huiverend toen ze even niets meer zag zodra ze uit de zon naar binnen stapte. Ze liep half op de tast naar de keuken waar ze de kraan opendraaide voor wat verkoeling en keek opzij naar Max' schilderij dat daar nog altijd omgekeerd tegen de muur stond. Een week geleden was er voor het eerst aan gewerkt en evenlang had het werk ook weer stilgelegen. Nu sloop haar logé voor het ontbijt haar huis uit en kwam pas heel laat terug. Als ze hem wilde spreken, moest ze het dorp in, om hoeken gluren en paadjes afdrentelen tot ze hem zag zitten op zijn oude melkkrukje in een schilderskiel vol verfspatten. Hij was een oude, bruine vilten gleufhoed gaan dragen en zat onverstoorbaar te midden van zijn rol behang, verf en kwasten, paletten en potten. Hij had inmiddels vijf huizen geschilderd en was bezig aan het zesde. Ze waren tot in de details uitgewerkt: de bakstenen in alle tinten van rode klei, de gegolfde pannendaken, de rieten daken, de tuinen en de bomen. Hoeveel huizen had het dorp? vroeg ze zich af en toen ze begon te rekenen, drong het tot haar door dat hij hier nog tot volgend voorjaar bezig zou zijn.

'Als ik doodga,' had Käthe tegen haar gezegd, zwakjes glimlachend als betrof het een theoretische mogelijkheid, een moment in een voortkabbelend gesprek tussen vrienden, 'ben ik bang dat Max...' – ze probeerde adem te halen, maar er kwam slechts een raspend geluid – 'dat hij het niet redt.'

Gertrude kneep in haar hand. 'Ik weet zeker...' Maar Gertrude had geen idee wat er van Max zou worden. In al die jaren dat ze met Käthe bevriend was geweest, had Max afstand gehouden. Van haar. Van iedereen. Hij had zijn doofheid aangegrepen om zich verre van alles te houden, dat wist ze wel zeker.

'Max doet graag iets voor een ander,' vervolgde Käthe. 'Hij schilderde hele dagen en halve nachten omdat hij vader daar zo'n plezier mee deed, en toen hij naar Engeland kwam is hij ermee opgehouden, eigenlijk alleen voor mij. Als niemand hem vraagt om iets te doen, ben ik zo bang dat hij...' Käthes stem brak en ze draaide haar hoofd weg.

'Ik vraag hem te logeren bij mij buiten.' Gertrude glimlachte. 'En vraag of hij niet een schilderij van mijn huis wil maken.'

'Ja.' Käthe knikte en uitgeput trok ze haar hand terug. 'Heel goed. Dan kan hij iets voor jou doen.'

Maar Käthe had het mis wat haar broer betreft. Niemand had hem gevraagd heel Steerborough te schilderen. Geen mens die begreep wat hij hier eigenlijk deed, waarom hij het verkeer ophield in de enige straat die het dorp rijk was, door de ramen naar binnen gluurde, borders bekeek, besloot welk huis aan de beurt was. Hij had de kat van Molly Cross geschilderd, hem met etensrestjes naar zich toe gelokt, cakekruimels gestrooid om hem stil te laten zitten, en op het allerlaatste moment had hij hem toen niet zwart, maar rood geverfd zodat hij beter uitkwam tegen de heg. Hij had het braakliggende terrein achter de Woollards geschilderd, de enige smet op het dorp, met kippen en springveren en oude fietsen die lagen weg te roesten in prikbosjes van een meter hoog. En zelfs het affiche van mevrouw Stoffer dat op de winkel zat geprikt en een opvoering van *Driekoningenavond* onder haar leiding aankondigde. Met piepkleine lettertjes had hij er de aanvangstijd en datum op geschilderd, alsook het feit dat mevrouw Stoffer zelf onwaarschijnlijk genoeg de rol van Olivia zou spelen.

Gertrude spatte water in haar gezicht. Was haar logé veel te lang gebleven naar haar zin? Of was het punt juist dat hij er nooit was? Ze bleef roerloos staan, peilde haar reactie en luisterde naar haar ademhaling en hartslag. Ze bekeek zichzelf in de spiegel en haar gezicht kreeg een zachte uitdrukking toen ze glimlachte. Ja, ze had niet anders gedacht. Ze vond het niet erg dat hij zo lang bleef, het was alleen tergend iemand in de buurt te hebben die haar hulp nauwelijks nodig had.

Die nacht droomde Max dat hij afstanden opmat. Hij mat het grondgebied van Heiderose op, krabbelde de gegevens op een stukje papier dat telkens weer wegwoei en net toen hij klaar was en zijn aantekeningen had opgeborgen, werd hij omstuwd door een heel gezin dat zich door zijn voordeur naar binnen wrong. Een forse, verwilderde moeder en vier kinderen met vlaskleurig haar. Hun vader stond dozen uit een auto te laden. 'Ik heb alleen wat lopen meten,' vertelde Max ze, maar niemand had oog voor hem, niemand merkte dat hij er was.

Max bleef lang aan de ontbijttafel zitten. Hij voelde zich bek- en bekaf en kon niet voorkomen dat Henry's brief in zijn hand trilde.

'Heb je een vrije dag?' vroeg Gertrude en ze ging zitten en schonk zichzelf een kopje thee in.

'Ja,' zei Max alsof die gedachte net bij hem was opgekomen, 'ik denk van wel.' Hij legde de brief naast zijn bord neer.

'Belangrijk nieuws?' vroeg ze, en Max pakte plechtstatig het eerste blad en reikte haar dat aan.

Het loont nauwelijks de moeite, begon de brief, *aangezien de discussie al wel honderd keer is gevoerd, maar volgens mijn definitie is Kunst gewoon de manier waarop impressies uit de buitenwereld worden ontvangen en ver-*

werkt. Gertrude keek op naar Max, maar hij had zich afgewend. *Het is natuurlijk interessant om te zien of bepaalde kunstenaars de juiste kunstvorm hebben gekozen om zich in uit te drukken. Of door welke gave of loop van omstandigheden iemand tot die ene kunstvorm is gekomen. Maar volgens mij is het allerbelangrijkste dat je volhoudt. Ik vermoed dat als je maar lang genoeg niet meer zwemt, je zult merken dat je spieren stijf worden. En als je niet meer tekent, worden je hoofd, je hand en je ogen stram. Als je lang genoeg niets doet, kun je vermoedelijk niet eens meer beginnen. Overigens ken ik een man die tekende, niet echt goed maar wel interessant, die een jaar of zes, zeven naar Zuid-Amerika ging als boer, en toen hij terugkwam, is hij weer gaan tekenen. Ik denk dat hij niet anders kon.*

Cuthbert Henry, las ze. 'Ja, ik heb weleens een tentoonstelling van hem gezien. Leeft hij nog?'

Maar Max wees naar de datum. *15 mei 1938.*

'Ah...' 1938, dat was een andere tijd. Een tijd waarin je nog mocht aannemen dat mannen van wie je niets meer hoorde in elk geval nog leefden. 'En hoe is het met je spieren? Zijn ze erg stram?'

'Ja.' Hij streek de brief zo teder glad dat zijn gezicht ervan leek te gaan stralen. 'Ik ben jarenlang in Zuid-Amerika geweest.'

Rond de uitnodiging was een krans viooltjes getekend en de woorden waren zo sierlijk gekalligrafeerd dat ze wel van kant leken.

'Ik weet dat het kort dag is.' Klaus Lehmann stond bij de voordeur. 'Maar als jullie niets anders hebben?'

'Nee,' zei Gertrude. 'We komen graag.'

'Dus we kunnen morgen op jullie rekenen?' En hij knikte naar haar en liep over het laantje terug.

Gertrude bekeek de kaart. Een vrouw die te weinig om handen heeft, dacht ze, en ze gaf de kaart een ereplaatsje naast de klok.

Gertrude was benieuwd of het Max zou opvallen. Hij kwam om zeven uur binnenlopen, net toen het licht veranderde en lange schaduwen over het fluwelen gazon wierp. 'Fijne dag ge-had?' vroeg ze, en schijnbaar zonder haar te horen zette hij zijn rol, zijn leren koffertje en zijn tas met verf neer en liep naar de schoorsteenmantel alsof hij er aan een touw naar toe werd ge-trokken. *Mevrouw Elsa Lehmann heeft het genoegen Max en Gertrude uit te nodigen voor een lunch in de tuin.*

Max draaide zich om. Zijn bewegingloze gezicht had een vragende uitdrukking en het leek bijna of hij op het punt stond haar te vragen of hij erheen mocht.

'Ik heb al ja gezegd,' zei ze. 'Als je het niet erg vindt.'

'Ja.' Max schudde zijn hoofd. 'Ik bedoel, nee.' Hij lachte om de verwarring. Nee. Hij vond het niet erg.

De Lehmanns woonden in het asymmetrische huis op de hoek van Mill Lane. Het was het huis van glas en hout dat Max op zijn eerste dag had staan bewonderen, met een hellende kant van donker hout en matglas. Onder het schuine vlak lag, als een daktuin, het terras met het hekje erom, en op dat terras stond Elsa op de uitkijk met haar hand op haar hoed. Toen ze hen zag, nam ze haar hoed af en zwaaide, en verdween daarop weer bijna even plotseling.

Ze dook op om het zijhek open te doen en na Max' hand te hebben gepakt, leidde ze hem triomfantelijk de tuin in, waar onder een drietal bomen de tafel voor de lunch was gedekt. Om elke placemat lag een krans bloemen en op de borden die er midden in stonden waren bloemblaadjes gestrooid, en toen Max zich naar haar omkeerde zag hij aan de stand van haar mond dat ze op het punt stond iets in het Duits te zeggen.

'Hallo, welkom.' Klaus kwam het huis uit lopen en Elsa's ge-zicht trok weer strak en haar mond slikte de woorden in. 'Kom even kijken, wil je?' Klaus legde een hand op Max' arm, en Elsa knikte hem toe. 'Bitte,' zei ze nauwelijks hoorbaar terwijl Klaus hem al meetroonde.

Het huis rook niet helemaal als Heiderose, maar het rook er

wel vertrouwd. Dezelfde olie waar ze hun meubels mee poetsten, rook het daardoor net als in alle Duitse huizen? Hij bleef even staan totdat het tot hem doordrong dat Klaus wachtte tot hij iets zou zeggen. 'Ja, zeker, hoogst ongewoon,' zei hij ontwakend uit een soort droom, en hij volgde de gastheer naar de open trap waar het licht tussen alle treden door speelde. Boven wierp hij een blik in een slaapkamer met goudkleurige, hardhouten plavuizen waar een wit kleed overheen was gespreid, en toen liepen ze door naar het terras, en precies zoals hij zich had voorgesteld lag daar hoog een blauwe strook zee.

'Hiddensee.' Gertrude boog zich naar Max. 'Was dat een eiland? Die plek waar jij en Elsa elkaar... nooit hebben ontmoet?'

Max knikte, en om de plek dichterbij te brengen sloot hij zijn ogen. Zijn zeepaardvormige eiland met zijn smalle staart en gekartelde rotshoofd.

'Vitte.' Elsa articuleerde het woord nadrukkelijk en hij begreep dat hij zijn ogen te lang had dichtgehouden. 'Ik weet bijna zeker welk huis het was.' Ze draaiden zich allemaal naar Elsa, die op haar lip beet. Haar gezicht was net een spiegel, haar ogen een landkaart, en Max bleef gespannen wachten tot ze de langste straat helemaal af zou lopen en uitkwam bij zijn huis. 'Was het bij de bakker?' vroeg ze toen terwijl ze als een medium haar handen voor zich uitstrekte: 'Er was een perenboom, er stond een enorme perenboom buiten.'

Max deed zijn ogen weer dicht toen het huis in beeld zweefde en hij voelde haar over de tafel tussen hen in heen, alsof ze tot een geheim genootschap behoorden.

'Heeft ze gelijk? Stond er een perenboom?' Gertrude was ongeduldig. 'Voor Vitte?'

'Nee, nee.' Klaus mengde zich in het gesprek. 'Vitte was het dorp. De huizen hadden geen naam. Dat is toch zo, mijn lieve El?'

'Alleen een merkteken,' verklaarde Max. 'Alle vissers hadden hun eigen merkteken en dat krasten ze in de muur.' Met zijn vinger tekende Max een X op het tafelkleed. Hij zette er een streep boven en een klein krabbeltje onder aan een poot. Even nog bleef het gekerfd staan, toen was het weg. Klaus haalde een pen en een notitieboekje uit zijn zak en schoof dat naar Max.

'Ga door,' zei hij, 'jij bent de kunstenaar.'

De pen lag glad in de hand, de zwarte inkt was zacht als wijn. De merktekens rolden eruit. De X en Z met haaltjes en staarten en dakjes, de A en de R met krullen en slingers. Eén teken leek op een bliksemschicht, een ander op een paard. Hij had alle merktekens op de huizen in Vitte uitgebreid bestudeerd en tot zijn eigen verbazing kwamen ze allemaal terug.

'Als je dat zo ziet' – Gertrude keek er aandachtig naar – 'was gewoon leren lezen en schrijven gemakkelijker.'

Max tekende heel secuur een afgeplatte A met daaraan vast iets wat leek op een beulsarm. 'Dit was ons huis. Het was van een vissersfamilie die Gau heette.' Helga, dacht hij, maar hij zei haar naam niet hardop. 'En ja,' hij keek naar Elsa, 'we zaten naast de bakker.' Hij zag zijn gouvernante voor zich met een wankele, torenhoge gebaksdoos. 'We deelden het huis. De familie Gau had de ene helft en wij woonden in het zonnige gedeelte, achter een verbindingsdeur.'

'Vroeg je je nooit af,' vroeg Elsa, 'of zij niet in jullie kamers trokken als jullie weer waren vertrokken?'

'Elsa!' Klaus keek haar aan. En Gertrude lachte.

'Het gekke is' – Max schudde zijn hoofd – 'dat ik daar nooit aan heb gedacht.'

'Nou,' opperde Gertrude, 'misschien was het zo afgesproken. Ze verhuurden die kamers in de zomer.'

'In onze ogen was het van ons...' Maar Max had er nooit van gedroomd. En zijn ouders hadden het niet tegen iedere prijs aangehouden voor het geval hij terugkwam.

'En hoe zat dat met jullie, Elsa?' vroeg Gertrude op dat moment. 'Lag jullie huis vlakbij?'

'Er zaten nazi's in de heuvels rond Kloster,' antwoordde Klaus voor haar. 'En nudisten in het zuiden. Vitte was de enige plek voor zo'n fijn, kunstzinnig gezin als dat van Elsa.'

'Nudisten?' Gertrude was verbijsterd.

'Daar mochten we niet echt heen,' kwam Max tussenbeide. 'Maar toch...'

'Nou...' Gertrude schudde haar hoofd. 'Dan is Steerborough zeker wel wat duf.'

'Nee. Helemaal niet.'

Max vroeg zich af of Elsa de wagen vol dronken mannen met hun vlammende insignes had gezien die in hun kar door Vitte ratelden. Zijn moeder speelde boccia met twee vriendinnnen en hij zat te tekenen en gaf de neerploffende zware ballen een schaduw mee. Hij wreef met zijn potlood om de stofwolken aan te geven. En toen hield de kar stil en hingen de mannen naar buiten. 'Die jongen' – ze leken bijna uit de wagen te vallen toen ze naar hem op het stoepje wezen – 'die ziet er nogal joods uit.' Max draaide zich om naar zijn moeder en zag nog net haar gezicht vuurrood worden.

'Het was er idyllisch,' zat Klaus aan Gertrude te vertellen. 'Geen auto's. Alleen paarden, fietsen en boten.'

'Weet je nog dat ze altijd naar barnsteen liepen te zoeken op het strand?' Nu lachte Elsa. 'En toen zette de dichter Ringelnatz dat bord neer. "Barnsteen. Verloren op het strand. Gelieve terug te brengen naar Ringelnatz."'

'Ja,' zei Max glimlachend. 'Ja.'

'En twee keer per dag kwam de stoomboot.' Ze had het alleen nog tegen hem.

'Je had de *Swanti* en je had de *Caprivi*.' Elsa sprak hun namen vol liefde uit, alsof ze twee oude vrienden had teruggevonden.

'*Swanti* en *Caprivi*,' herhaalde Max en hij herinnerde zich hoe hij vaak aan de kade had gestaan om te zien welke het zou zijn.

'Toen we pas getrouwd waren, wilden we daar een huis bouwen,' zei Klaus. 'We hebben zelfs een plek gekozen en tekeningen gemaakt.' Er viel een stilte waarin ze allevier naar hun bord staarden. 'Maar wat zou je nog op Hiddensee, als je ook hier kunt zijn? Dat is nou een ding waar we dankbaar voor kunnen zijn. Dankjewel, Adolf, dat je ons verbannen hebt naar Steerborough, waar de zee oneindig veel frisser is en de zomer vol... zal ik zeggen: belofte?' Klaus hief zijn glas. 'Herr Hitler, nogmaals dank.'

Max staarde hem aan.

'Zin in koffie?' Gertrude stond op, hoewel het niet haar taak was iets te doen.

Maar Elsa stapelde de borden. 'Nee, nee, ik breng het wel.' En ze verdween in huis.

12

Lily kon nergens meer kijken of ze zag Grae. Ze ging ervan uit dat hij zonder de auto zijn werk mee naar huis nam. De achtertuin was veranderd in een werkplaats. Er stond nu permanent een werkbank en tegen het schuurtje leunden houten planken en half voltooide bouwsels. Weer of geen weer, hij droeg altijd hetzelfde geruite jack en dezelfde muts, en toen ze op een avond naar buiten liep om de kolenbak te vullen, gaf hij haar een doos aanmaakhout. Zachte, ongeverfde stukken hout die zo de haard in konden. Het regende en begon al donker te worden, maar hij bleef onverstoorbaar staan zagen en meten, zelfs toen een hongerige Em en Arrie hem uit de achterdeur riepen.

Vijf mei was een officiële vrije dag en Nick zou met de auto komen. 'Goed,' zei hij, 'ik heb een pen. Hoe kom ik Londen uit?' Lily stond in de telefooncel en woog het steentje in haar hand. Het was bruin en onooglijk, waarschijnlijk om te voorkomen dat iemand het zou vervangen, zoals zij had gedaan, door een muntje van twee pence. 'Jezus,' hoorde ze Nick verzuchten, 'waar zijn we mee bezig...'

'Nou,' zei Lily. 'Je rijdt naar de M25... en dan in oostelijke richting... weet je wel... niet naar Heathrow, maar de andere kant op?'

'Oostelijke richting... niet... naar... Heathrow,' mompelde Nick terwijl hij haar aanwijzingen noteerde.

'En Nick...' zei ze zo vriendelijk mogelijk, 'neem wat warme kleren mee... en eh... geen witte broek.'

'Geen witte broek.' Het bleef even stil terwijl hij dat opschreef en toen schoten ze allebei in de lach. Het jaar daarvoor waren ze een week naar Cornwall geweest, waar Nick vrijwel onmiddellijk door al zijn kleren heen was. Hij had twee T-shirts meegenomen, geen trui, en een lichtbeige spijkerbroek. 'Hoe moest ik dat weten?' had Nick gesputterd. 'Ik ben een stadsmens. Ik heb mijn hele leven in Shepherd's Bush gewoond. Ja, ja.' Hij keek haar aan. 'Jij komt ook uit West-Londen, maar jou zit het reizen in je bloed, jij hebt zwerversbloed, ik zweer het. Dat moet in je genen zitten.'

'Nou...' Lily kon nauwelijks geloven dat hij echt zou komen. 'Dan zie ik je vanavond. Een uur of negen?'

Nick was ongewoon attent geweest sinds hij uit Parijs terug was. Hij had haar zelfs een kaartje gestuurd. De Notre Dame, het Louvre, het Centre Pompidou en de Seine. *Kijk eens*, had hij geschreven, *we kunnen hier een architectuurtocht maken. Per taxi bijvoorbeeld. Stukken goedkoper dan een fiets huren!*

'Ja, ik bel nog wel uit de auto... O, klere... Ik vergeet steeds dat je geen telefoon hebt.'

'Sorry hoor, dat je niet kunt bellen om te zeggen dat je er bijna bent.'

'Tut tut...'

'Ik zie je straks. Rij voorzichtig.' Ze was bijna door haar geld heen.

'Lily...'

'Ja?' Maar het laatste muntje viel al met een holle galm in het bakje.

Lily stond in de winkel van Stoffer en piekerde zich suf wat ze Nick zou kunnen voorschotelen. Alles wat haar eerst heerlijk had geleken, leek haar nu niet te eten. Bolletjes, bacon, vacuümverpakte salami, en ham. Ze hadden theebeschuit en

taartjes met stroop in bakjes van zilverfolie, een overrijpe to-
maat, een stapeltje bloemkolen, een zak uien en drie preien.
Dus huurde ze een fiets uit het rek voor de winkel en reed via
een achterafpaadje over de rivier naar Eastonknoll. Het pad
voerde door weilanden met koeien, omsloten door greppels, en
af en toe langs gigantische, knalgeel bloeiende bremstruiken.
Lily ratelde over de Bailey-brug en reed over een hoek van het
golfterrein, waar ze opkeek naar de schaduw van de watertoren
en ondertussen goed oplette dat ze niet werd geraakt door een
rondvliegende bal. Ze kwam uit bij de weilanden en sjeesde
omlaag naar zee. Er stond een straffe bries op de boulevard,
waardoor de ouden van dagen in hun flapperende beige regenjassen en hun verwaaide honden zich gedwongen zagen elkaar
stevig vast te klampen tegen de reling. Lily liep met de fiets aan
de hand over het strand en bestelde thee bij de kiosk, waar de
stoelen driehoog opgestapeld stonden om te voorkomen dat ze
wegwoeien. Ze zat als op een kinderstoel, haar benen bungelden centimeters boven de grond, en ze bekeek hoe de vrouw
het gebouwtje met luiken afsloot. Boven haar, aan het eind van
een steile trap, zag ze een boegbeeld uit de muur van een groot
huis welven.

'Ik kan net zo goed sluiten.' De vrouw was nu vlak bij haar
in haar wapperende schort en haar mouwen flapten woest terwijl ze de tafels naar binnen rolde.

Lily tilde haar fiets de trap op naar het boegbeeld. Het was
geen zeemeermin of koningin zoals ze had gedacht, maar een
keurig meisje met een hoed op en een paraplu in haar hand.
Was ze de dochter van de kapitein of de jonge vrouw van de
scheepseigenaar? En toen zag Lily dat ze een arm miste en dat
er alleen nog een schone, witte stomp van pleisterwerk zat.
Naast het gebouw stond een mast in de grond geplant. De pijlen die er kriskras uitstaken wezen naar Ramsgate, Zeebrugge,
Holland. *Leeszaal voor zeelieden.* De woorden waren op een pla-
quette aangebracht en Lily begreep ineens dat het huis met de

witte boogdeuren en de gladgesleten koperen klink een museum was, open voor het publiek. Er was niemand in de leeszaal en er viel weinig te lezen. Er waren maar drie exemplaren van de *East Anglian Times* en twee bruine stoelen. In hoge glazen kisten langs de wanden stonden scheepsmodellen. Punters en schoeners, oorlogsschepen en sloepen. Ieder plankje hout, ieder pietepeuterig touwtje en zeiltje was nauwkeurig nagemaakt, schoongeschuurd, opgeverfd en gepoetst. Boven de glazen kisten hingen foto's van vissers en zeelieden, en opengeslagen logboeken met aantekeningen van alle reizen. Er hingen lijsten met namen: Harper, Seal, Child. Harry, Bertie, Mabbs en Mops. Achter elke naam stond genoteerd van wanneer tot wanneer ze hadden geleefd. Achter in de zaal was nog een groene, gecapitonneerde deur waarop 'privé' stond. In het midden zat een rond raampje, niet veel groter dan een sinaasappel en Lily drukte haar gezicht ertegenaan. Tot haar verrassing zag ze twee mannen staan biljarten, een derde die de krant las en een vierde die niets zat te doen. Ze drukte zich nog meer naar voren en gluurde opzij, waar ze nog net het stuurrad van een schip op een bank zag staan, toen er op haar arm werd getikt.

'We gaan sluiten.' De man had een kleppet op waar een blauw koord omheen was gevlochten en hij droeg rubberen regenlaarzen, omgeslagen bij de knie. De klok achter hem begon te slaan toen de wijzer op vijf schoof, een volle, diepe gongslag die een warme gloed door de kamer zond. 'Dankuwel.'

Lily keek om zich heen naar de foto's met mannen, de werktuigen en documenten en telescopen, de verdoemde gezichten van Seal, Harry en Child die allemaal in 1949 waren verdronken. 'Ik kom nog eens als er wat meer tijd is.' De man volgde haar met zijn blik tot ze de zaal uit was en toen hoorde ze hem zichzelf insluiten.

Op het marktplein zat een delicatessenzaak waar ze verse Parmezaanse kaas, zwarte pasta, Griekse yoghurt en biologische chips verkochten. Lily vulde twee tassen en deed er nog wat veldsla en fruit bij. Ze keek even naar binnen bij het Regency Hotel, waar een oude man zat weg te doezelen in een sitsen kamer, en zag dat er een serveerster werd gevraagd. *Per direct. Binnen aanmelden.*

Met een boodschappentas aan beide kanten van het stuur, als een muilezel met zadeltassen, fietste ze langzaam terug naar huis. De wind was gaan liggen, de zon scheen laag en warm, en in elke duinpan hing de zware zoete kokosgeur van brem. Lily slingerde tegen een rij heuveltjes op en boven gekomen strekte ze haar benen en liet zich naar beneden rijden. Ze was weer een kind. Ze speelde en sjeesde, warm en veilig en gelukkig, omgeven door wind, gekwinkeleer en de strandgeur van Ambre Solaire. En toen stapte er een man uit de heg. Lily's hart sloeg zo hard over dat haar ribben er pijn van deden. Haar bloed kolkte en haar fiets zwalkte als een schichtig paard naar één kant. De man stond midden op het smalle pad zodat ze er niet langs kon. Ze was halverwege de helling, te zwaar bepakt om achteruit te kunnen, te bang om door te rijden. Een blikje tomatenpuree rolde de heg in en ze hoorde de spaghetti knerpend breken. De man kwam twee stappen haar kant op. Hij was gewikkeld in repen vuilniszakkenplastic en zijn voeten, zijn lichaam en de bovenkant van zijn hoofd waren met zwart omzwachteld. Van zijn benen rees een soort sissend geluid op en zijn grauwe gezicht ging schuil achter een baard. Lily keek achterom. Niemand te bekennen. De schreeuw die ze had voelen opkomen, stierf weg. Rustig blijven, zei ze tegen zichzelf, rustig blijven. De man had vaart gekregen. Hij kwam ineengedoken en met roodomrande ogen op haar af gebanjerd en net toen hij vlak bij haar was, zwenkte hij het hoge gras in en was verdwenen. Lily hapte naar adem. Hij had haar misschien niet eens gezien. Toen hij langs haar liep waren zijn ogen op iets anders gericht geweest. Lily remde en bleef hem staan nakijken. Hij liep door een veld met vaarzen, over een verhoogd pad. Voor hem aan de horizon stond een groepje bomen en een witte houten wegwijzer waar het pad zich in drieën splitste en vlak daarachter, nog net te zien, lag een huisje met een kaal dak.

Lily propte de gevallen boodschappen terug in haar tas. Haar benen voelden slap, haar armen stijf en pijnlijk, maar eenmaal weer op de fiets merkte ze dat ze opgelucht lachte.

Om acht uur verplaatste Lily haar auto. Ze had hem bijna twee weken niet gebruikt en het duurde even voor haar handen en voeten weer weg wisten met de versnelling. Ze reed achteruit en zette hem toen dicht tegen de muur, zodat Nick er straks zo naast kon gaan staan zonder de weg te blokkeren. Ze stak de haard aan en vond een oude geruite deken voor over de bank zodat het allemaal niet zo vreselijk bruin leek. Af en toe liep ze naar de deur en keek naar buiten voor het geval Nick haar misschien – heel misschien – wilde verrassen en vroeg zou komen. Ze kon ook, bedacht ze, naar de telefooncel gaan en uitvinden waar hij precies was, maar ze zag hem al voortjakkeren over de Orwell-brug en naar zijn telefoon grijpen terwijl juist de wind aan zijn auto rukte en hij zich genoodzaakt zag in te voegen tussen een rij vrachtwagens.

Mijn lieve El, las ze in plaats daarvan. Ze was inmiddels goed ingevoerd in Lehmanns handschrift, in de krullen en de grove, neerwaartse halen van zijn pen. Ze dacht geamuseerd terug aan het ellendige Duits op school, de grammatica die erin was gestampt, vrouwelijk, mannelijk, onzijdig, en hoe dat nu toch nog van pas kwam. *Vandaag*, schreef Lehmann, *ontving ik je eerste brief hier toen ik aan het ontbijt zat en alle tranen die anders over mijn wangen zouden zijn gebiggeld omdat jij zo alleen bent, werden nu snel gedroogd door de zon. Het klinkt alsof je bergen werk verzet, lieve El, en je hebt me zo prachtig over alles verteld, afgezien van de maaltijden, die je hopelijk niet echt hebt overgeslagen? Ik kon gisteravond niet slapen en lag te denken aan alle dingen die ik je nog wil zeggen. Doe je wel genoeg inkopen voor jezelf? En als er wordt aangebeld, kijk je dan wel altijd door het spionnetje voordat je de* deur openzwaait en wie dan ook binnenlaat? Zou je er geen ketting op laten zetten? Schrijf dat nu op, dan vergeet je het niet. En sta alsjeblieft niet te vroeg op en hol niet achter wegrijdende treinen aan. Ik kan gemakkelijk nog een hele bladzijde voor je volschrijven met vermaningen en goede raad. Vergeet niet, mijn lieve El, mijn lieve lieve El, dat ik dit kind net zo graag wil als jij.

P.S. Je bent vergeten te vertellen wat je 's avonds doet. En wat je eet!

Lily werd wakker toen er op de deur werd gebonkt. Het vuur was uitgegaan en toen ze opsprong dwarrelden brieven en donkerpaars oplichtende enveloppen op de vloer. 'Ik kom eraan,' riep ze en toen ze weer wist waar ze was: 'Kom binnen. Kom binnen. De deur is open.' Ze draaide zich om, streek haar handen door haar haar en trok haar kleren recht. 'Hoe is het gegaan?' riep ze en toen gaf ze een gilletje. In de gang stond Grae. 'O.' Ze kreeg de keukenklok in het oog en haar gezicht in de spiegel daaronder; verkreukeld en aan één kant rood waar ze op een naad had gelegen. Het was halfelf. 'Sorry. Ik verwachtte iemand anders.'

Grae stond ongemakkelijk in het smalle gangetje, zijn brede schouders iets opgetrokken. 'Sorry dat ik je stoor op dit tijdstip... maar uhm... je auto... die staat te dicht op het hek en ik moet erdoor met wat hout, niet nu, maar morgenvroeg. Ik zag nog licht branden... en eh.... ik dacht, beter nu dan om zes uur 's ochtends.'

Lily staarde hem aan. Ze begon eigenlijk nu pas wakker te worden. Haar ene been tintelde en haar hart ging als een gek tekeer. Waar is Nick? dacht ze. Hij kan toch niet nog onderweg zijn?

'Tuurlijk. Ik zet hem even weg.' Als een slaapwandelaar reed ze de auto achteruit tot voorbij het zijhek. 'Zo ver genoeg? Ik verwacht namelijk nog iemand.' Lily keek naar de meent – een zwarte vlakte. 'Mijn vriend.' Ze wilde niet dat hij dacht dat ze alleen was. 'Ik kan maar beter even bellen.' Maar haar angst voor Grae was minder groot dan de paniek bij het idee het donker in te moeten lopen en in de telefooncel te gaan staan, opgesloten in die toren van licht, zelf goed zichtbaar terwijl verder alles aardedonker was. 'Sorry, maar... Zou ik... Kan ik bij jou bellen?'

Door Grae's achterdeur kwam je direct in het woongedeelte. Een klein keukentje, keurig aan kant, en een woonkamer met een bank waarover een bonte sprei lag.

'Hij staat op de vensterbank,' zei Grae, en ze ging op een stoelleuning zitten en draaide het nummer. Stel dat er niemand opnam? Ze stelde zich Nicks weggeslingerde telefoon voor, zijn auto in de puin en alleen het geluid van een overgaande telefoon op een zwarte weg.

'Yep.' Nicks barse, zelfverzekerde stem. Lily was zo kwaad dat de tranen haar in de ogen sprongen.

'Waar zit je?'

'In Londen.' Nick klonk alsof hij volledig in zijn recht stond. 'Ik zat te wachten tot je zou bellen!'

'Je zei dat je hier om negen uur zou zijn.'

'Luister, vijf minuten na ons telefoontje kwam er iets tussen.' Hij liet zijn stem zakken alsof hij haar wilde verleiden. 'Een waanzinnig spannend project. Ik heb zelfs nog geprobeerd je in die rottige telefooncel... maar... nou ja, ik... behalve dan misschien een postduif... Lily, het spijt me. Je moet echt een mobiele telefoon nemen.'

Lily zat zwijgend bij Grae in de woonkamer. In de hoek stond een sinaasappelkistje met speelgoed van de meisjes. Beren en uitgeklede blote poppen en een lange lijn waaraan een hele reeks klosjes waren geregen. 'En wanneer kom je dán?'

Het bleef stil aan de andere kant, op het onmiskenbare gedruis en gekwek in een kroeg na. 'Ik zie het me niet meer doen. Het is een gigantisch groot project. Als we nu gelijk beginnen, het hele weekend doorwerken en volgende week echt niets anders meer doen, is er een kans dat we de opdracht binnenhalen.'

'Juist ja.'

'En jij bent sowieso volgende week terug. Toch? Lily? Hè, toe nou.'

Lily voelde dat Grae naar haar keek terwijl hij tegen de deurpost geleund stond. Hij wachtte tot ze klaar was en hij naar bed zou kunnen.

'We hebben het er morgen nog wel over.' Ze probeerde het luchtig te laten klinken, alsof het haar koud liet. 'Het is dat ik... eh... ik bel bij iemand anders.'

'O.' Nicks stem klonk verslagen, alsof hij zich had zitten verheugen op een ruzie. 'Goed. Spreek ik je dan.'

'Slaap lekker,' zei ze opgewekt en ze draaide zich naar de kamer.

'Heel erg bedankt. Kan ik iets bijdragen aan...'

'Nee, nee, dat is wel goed.'

Grae liep naar de achterdeur en zonder nog iets te zeggen hield hij hem voor haar open en glipte ze naar buiten. Ze stond in het donker met boven haar, hard en glinsterend, drommen sterren waar het licht van afspatte. 'Klootzak.' Ze zei het expres hardop en voelde in haar keel hete tranen van teleurstelling opwellen.

De daaropvolgende drie dagen waren uitzonderlijk warm voor de tijd van het jaar. Lily pakte haar handdoek en een tas met boeken en liep meteen na het ontbijt naar het strand. Daar lag ze te bakken in de zon en bladerde door fotoboeken over gebouwen die in het interbellum in Europa waren gebouwd. Langgerekte lage huizen, grote glaswanden, ze bekeek de gebouwen en bedacht dat ondanks deze modernistische toekomstvisie de meeste mensen nog altijd in hoge, benepen rijtjeshuizen in de stad woonden, in een eindeloze opeenvolging van blok na blok na blok. Ze las de beknopte biografieën van Lehmanns Oostenrijkse en Duitse collega's, meest joods. Ze las over hun emigratie naar Groot-Brittannië of Amerika, de invloed die ze daar hadden gehad, en anders de onvermijdelijke sterfdatum als ze waren gebleven. Maar hoe ze zich ook concentreerde, het strand wist haar al snel weer af te leiden. Ze moest rechtop gaan zitten om Ethel te kunnen zien, haar afhangende schouders vol sproeten en haar ochtendjas als een warm wit plasje in het zand. Het had iets magistraals, zoals zij de zee in waadde, het moment dat de oranje bloemen op haar badpak uit het zicht verdwenen. Even later kwam een man zijn paard uit laten draven. Hij denderde ermee over het zand en trok hem keer op keer weg van zijn natuurlijke drang te gaan zwemmen. Het paard was wild en probeerde steigerend te ontsnappen aan het gareel van de teugels. Tegen elven verschenen de eerste vrouwen met kleine kinderen, zeulend met kinderwagens, windschermen en volgestouwde tassen met flessen, dekens en extra kleertjes. Lily zag de vrouwen afwisselend lachen en vertwijfeld kijken als het ene kind op de zee afstormde en een ander brullend voorover op de grond lag. Daar stonden ze dan zonder een stap te kunnen zetten vanwege het lastpaard van een kinderwagen die met zijn wielen in het zand was vastgelopen. Halverwege de ochtend waren Em en Arrie opgedoken. Lily keek hoe ze het strand afstruinden. Ze hadden haar willen laten schrikken door ineens van achter een duin te voorschijn te springen, en ze bleven wachten tot ze er niet meer op verdacht was voor ze dichterbij slopen en een geul om haar handdoek groeven.

'Wat zeggen ze hier op school van?' vroeg ze uiteindelijk toen de meeste dagjesmensen waren vertrokken en ze het strand weer voor zich alleen hadden. 'Vinden ze het niet erg dat jullie nooit komen?' Ze lag lang uitgestrekt en liet zich rustig en geduldig door hen bedelven onder het zand. De korrels onder het oppervlak waren klam, die bovenop droog en kriebelig.

'Het is vakantie.' Ze schudden hun hoofd, verbijsterd dat ze dat niet wist. 'Bovendien,' zei Em, 'zagen we jou zonnebaden.

En je zei nog wel dat je Fern Cottage alleen had gehuurd om te kunnen werken.' Ze pakte een van Lily's boeken. 'Welk huis vinden jullie het mooist?' En de meisjes bleven eindeloos, al snuivend, zuchtend en smiespelend over het boek gebogen zitten bladeren, op zoek naar hun droomhuis.

13

Max was bijna bij het huis van de Lehmanns aangekomen. Als hij de rol helemaal uitrolde besloeg deze de volle lengte van de woonkamer. Een strook groen en baksteen en raam, vogels en katten en lucht. Hij had de neiging hem als een band rondom aan de muur te prikken, maar uiteindelijk hield hij het meest van zijn rol als deze, opgerold onder zijn arm, zijn kennis verborgen hield. Bij wijze van experiment pakte hij een fijne, zwarte pen en plaatste een heel klein merktekentje. Een miniem visserskrabbeltje op de voordeur van Marsh End. Hij verstopte er nog eentje onder de dakrand van Heron House, en de vreemd hellende K die voor de familie Gottschalk stond moffelde hij weg in het portiek van Sole Bay View.

Max liep op en neer over het laantje. Steeds maar weer langs het huis van de Lehmanns. Hij was gewend geraakt aan rieten daken, golfpannen, grindmuren en erkers, en had nu geen idee hoe hij moest beginnen. Hij herinnerde zich een artikel van begin jaren dertig over een huis dat Lehmann had ontworpen. Het stond in een buitenwijk van Hamburg, gebouwd in opdracht van de directeur van de Deutsche Bank, en Max herinnerde zich dat zijn vader een en al bewondering was geweest en had voorspeld dat deze jongeman ongetwijfeld de nieuwe grote naam in Duitsland zou worden. Traag gleed de zon om de hoek van het huis. Het licht kroop over het terrashek en overspoelde de ramen met kleuren. Max zat op zijn schilderskruk en bekeek hoe het donkere hout zachter werd, zag de lambrizering van kleur veranderen, van roest naar goud naar grijs, zodat de hele tuin in de ramen werd weerspiegeld en de bladeren van de beuk ertegenover in de glazen vlakken dansten. Max sloot zijn ogen. De hele dag al had hij vagelijk de geur van augurken geroken, de geur uit het vat dat net om de hoek van de deur stond in de kruidenierszaak in Vitte. Hij rook daar altijd aan, boog zich over het zoutzure water om te snuiven en nu hij er met zijn gezicht vlak boven hing kon hij de winkelier horen praten tegen zijn moeder, over dat ze de kleur wol die zij wilde niet meer hadden. Ze kon het, zei hij, wel bestellen in Stralsund, dan kwam het mogelijk eind volgende week binnen met de boot. 'Ja,' zei ze. 'Misschien doe ik dat wel.' En toen dook ineens Käthes sterke hand achter hem op en werd zijn hoofd de ton in geduwd. Zijn neus schuurde langs de augurken, zijn mond liep vol pekel en hij voelde een scherpe pijnscheut toen azijnwater zijn oor in sijpelde. Proestend en sputterend kwam hij weer boven. Zijn moeder stond voor hem, boos en geschrokken. 'Max!' vermaande ze, en toen zag hij zijn zus met haar handen onschuldig achter haar rug. 'Max,' zei Käthe licht verwijtend, en ze haalde een zakdoek uit haar zak en begon zijn hals af te vegen.

Max merkte ineens dat hij kreunde, nog altijd op zijn kruk. Hij wankelde overeind en keek beschaamd om zich heen en gelijk schoot de pijn door zijn oor. Hij hield zijn hand ertegen en voelde iets nats, een dunne, doorzichtige vloeistof die door zijn trommelvlies druppelde.

'Gertrude,' fluisterde hij toen hij het huis in strompelde, maar ze was er niet en hij drenkte een theedoek in koud water en drukte die tegen zijn hoofd. Het was absurd dat zijn oren nog altijd zo'n pijn konden doen. Hij zou er niets meer mogen voelen, ze moesten ze weghalen, de trommelvliezen verwijderen, maar op dat moment hoorde hij iets zachtjes ploppen en toen een vreemde, ijle luchtstroom. Zijn hart sprong op. Hij hoorde het, een tunnel van geluid, maar toen werd alles weer afgesloten, alsof er een hordeur dichtklikte, en was er alleen nog de vertrouwde, lage bromtoon en een holle naklank, doortrokken van pijn.

'Had mij maar gehaald,' zei Gertrude toen ze thuiskwam. 'Ik zat vlakbij, in de pastorie, ik help het feest voorbereiden.'

'Er is niets aan te doen.' Max hing rillend en slap in zijn stoel en verlangde hevig naar een deken over zijn rug.

Onverstoorbaar stak Gertrude een kaars aan, goot een bleke ovale vlek olie in een lepel en verhitte deze boven de vlam. 'Je vergeet,' zei ze terwijl ze zijn hoofd opzij drukte, 'dat ik mijn leven lang al voor kinderen zorg,' en langzaam goot ze de vloeistof in zijn oor.

'Dankje,' probeerde hij te zeggen terwijl de vlammen door hem heen joegen, en zij knikte pinnig en legde haar hand op zijn voorhoofd. Dat voelde prettig, een krachtige hand, koel en breed, eelt in haar handpalm.

'Heb je koorts?' En toen hij knikte liep ze weg om het bad te laten vollopen met koud water. 'Hup, stap erin,' zei ze tegen hem terwijl ze de badkamerdeur openhield, en toen hij kleinzielig tegensputterde, dreigde ze hem eigenhandig zijn bezwete kleren te zullen uittrekken. Tot zijn verrassing deed de schok van het koude water hem goed. Het was alsof hij weer in zichzelf terug werd geduwd, en hij pakte het metalen kommetje van de rand van het bad en goot dat telkens weer leeg boven zijn hoofd. Al snel hielden zijn tanden op met klapperen en werd zijn gezicht koeler. Hij had nu alleen nog een kloppend oor, een weeë en dreunende pijn die, nu hij er zo over dacht, naar tin smaakte.

Gertrude hielp hem de trap op en wendde zich naar het raam toen hij in bed kroop. 'Kan ik nog iets brengen?' vroeg ze, maar Max' ogen vielen dicht en met zijn hand tussen het kussen en zijn oor geklemd zakte hij weg in een diepe slaap.

Gertrude had angstvallig het woord 'analyse' vermeden en mevrouw Wynwell uitgelegd dat wat ze had bedacht meer een soort praatje voor de gezelligheid was. 'Het is nu ruim een jaar geleden dat uw man...' – ze was er geen voorstander van om de hete brei heen te draaien – 'dat Harry is overleden. Een jaar, mevrouw Wynwell, dat is een hele tijd voor een kind.'

'Hij was altijd al stil,' zei mevrouw Wynwell, 'en ik dacht, met die piano enzo...' Ze keek Gertrude aan om te laten zien dat ze haar dankbaar was, zij het met tegenzin. Alf was altijd een kind geweest dat rustig in een hoekje had zitten spelen als zijn moeder werkte, en Gertrude had met bewondering toegekeken hoe ze om elkaar heen scharrelden, door onzichtbare draden verbonden, maar zonder al te veel drukte. Maar toen Harry's boot was omgeslagen, was Alf gaan fluisteren en vervolgens volledig verstomd.

'Nadat hij thuis heeft gegeten dan?' drong Gertrude aan met een glimlach, de wenkbrauwen opgetrokken, en ze kwamen overeen dat hij iedere woensdag om halfzeven zou komen.

Gertrude verplaatste de meubels: ze schoof de bank meer naar het midden en zette haar stoel dichterbij zodat ze kon uitkijken over het gazon. Ze had ook speelgoed voor Alf: een zakje dat ze zelf had genaaid en waar ze een gummibal en zeven bikkels in had gestopt. Ze wist dat het onjuist was om met cadeautjes het vertrouwen te winnen, maar in de oorlog op de kinderafdeling had ze ondervonden dat zelfgebreide kleertjes voor een pop vaak meer troost boden dan alle wijze woorden bij elkaar.

Alf kwam even na zessen en sloop als altijd de gang in. 'Kom je hier zitten?' riep Gertrude, en hij schuifelde de kamer in. Alf bleef strak naar zijn schoenen kijken en zijn gezicht stond treurig, maar glom alsof het net geboend was. Hij ging gedwee op de bank zitten. 'Zo,' zei Gertrude op het laatst, 'hoe is het vandaag?'

Alf keek haar aan met een heldere blik alsof hij alles in zijn leven nog eens naging, en toen trok zijn gezicht weer vlak – misschien dacht hij het antwoord te hebben gegeven – en keek hij weer strak naar zijn voeten.

'Nou,' zei Gertrude met een glimlach. 'Ik heb het razend druk gehad en de loterijprijzen voor het zomerfeest helpen uitzoeken.' Daar zat niets bij wat hem zou kunnen interesseren. Een aquarel van de riviermonding, een fles whisky en eentje met rum. 'Misschien,' zei ze dus maar, 'houden we wel een wedstrijdje "Raad hoeveel rozijnen er in de cake zitten". Of zullen we ze foppen en er maar eentje in stoppen?'

Alf beet op zijn lip en keek strak naar de tuin, waar twee eksters aan het gras pikten. Gertrude moest denken aan een oud rijmpje over eksters dat begon met 'eentje voor onheil, twee voor geluk', en desondanks bekroop haar een angstig voorgevoel toen een van de vogels wegvloog over de heg. Gertrude bleef een kwartier wachten en toen boog ze naar voren en gaf Alf de bikkels. Ze had het zakje van een lapje gordijnstof gemaakt en bij wijze van koordje een groen lint gevlochten. Alf trok het zakje open.

'Zullen we spelen?' stelde Gertrude voor, en Alf gleed van de bank en kieperde de bikkels op het parket. Hij ving de bal die van hem wegstuiterde en wachtte tot Gertrude haar stoel had weggeschoven. Haar knieën kraakten toen ze naast hem hurkte en haar hiel boorde zich pijnlijk in het hout. Alf lachte even stralend naar haar. Hij miste twee voortanden, en dat had ze nooit geweten. Hij stuiterde de bal en pakte de eerste bikkel. Hij liet de bal nog hoger stuiteren en griste er twee weg. Drie, hij moest nu grabbelen en de bal kwam tegen de zijkant van zijn knokkel. 'Jammer.' Nu was Gertrude aan de beurt. Ze liet de bal opstuiteren, niet te hard en niet schuin, ze nam er wijselijk de tijd voor. Twee, ze veegde ze op en draaide haar pols om de bal op te vangen. Drie, maar de bal ging te hoog en raakte een schakel van haar horlogebandje. 'Ahhh,' kreunde Gertrude teleurgesteld, maar Alf was al aan zijn beurt begonnen. Deze keer was hij voorzichtiger. Hij liet de bal gericht stuiteren en verloor hem niet uit het oog. Hij griste drie bikkels weg en ving de bal keurig op in zijn handpalm. Vier. Het was hem gelukt. 'Vijf,' fluisterde Gertrude, en ze glimlachten toen de spanning steeg en hij langzaam, voorzichtig de bal mikte. De bal stuiterde hoog op. Hij griste en graaide over de vloer, maar moest een fractie van een seconde wegkijken om die laatste, vijfde bikkel te vinden. Daar kwam de bal al en schampte zijn hand. 'Jammer,' zuchtte Gertrude, en Alf legde zijn bikkels weer neer.

Gertrude was vastbesloten niet voor hem onder te doen. Niet alle kinderen hadden graag dat je ze liet winnen. Zorgvuldig rangschikte ze de bikkels, een handjevol vrolijke snoepjes, op precies de juiste afstand van elkaar. Ze keek nog eens goed en prentte zich hun plek in, vastbesloten straks niet naar beneden te kijken. Maar nee, ze vergiste zich en in plaats van drie raapte ze vier bikkels op, en al ving ze de bal, ze moest haar beurt toch afstaan. Ze kon Alf horen ademen en zijn hart horen kloppen toen hij op de vloer hurkte. Met rappe polsbewegingen schepte hij de bikkels op en draaide zijn hand. Zes – Gertrudes hart bonkte, ze wilde dat hij won, en toen griste hij de zevende bikkel weg en klemde zijn hand eromheen. 'Ja,' ontsnapte hem, en hij ving de bal.

'Heel goed,' zei ze, en Alf kwam overeind en stopte de schat heel voorzichtig terug in het zakje.

Gertrude stond op en strekte haar benen. Haar ene schouder was vast komen te zitten toen ze met haar volle gewicht op de vloer drukte. 'Zo erg was het toch niet?' vroeg ze. 'Ga nu maar snel naar huis, dan zie ik je volgende week om dezelfde tijd weer.' Alf stond haar behoedzaam aan te kijken alsof ze niet goed wijs was, en het zakje in zijn broek proppend glipte hij de deur uit en sprintte weg over het laantje.

14

In de volgende brief zat een tekening van Lehmanns kamer gevouwen. Hij had nu zijn eigen briefpapier met bovenaan, in grote letters, zijn naam en beroep – Architekt. *Onder het raam staat een tafel en rechts op deze tafel liggen mijn tekenspullen. In het midden ligt mijn schrijfmap en links staan mijn inktpot en het zilveren doosje met een lok van jouw haar. Daar zal ik het mee moeten doen tot ik weer bij jou kan zijn. Wees niet verdrietig, huil nou maar niet. Ik zeg niet graag dat ik had gezegd dat je voorzichtig moest zijn, rustig aan moest doen, ik zal het dus niet zeggen. Of het zelfs maar denken. Maar nu moet je uitrusten en wachten, ik ben er snel weer om voor je te zorgen. Ik weet dat je niets liever wilde dan een kind, maar vergeet niet dat je mij hebt.*

Lily zocht gretig de volgende brief en bestudeerde alle poststempels uit 1932, naar eentje uit juni.

Naast je portret op mijn tafel staat een donkerrode anjer in een hoog vaasje. Zo dol als jij op deze bloem bent, zo bewondert deze bloem jou. Alleen kijk je bedroefd en doe ik mijn best je prachtige ogen op te fleuren. Ik kon de slaap vannacht niet vatten en lag te denken aan onze plannen voor Palestina, de beslommeringen van de reis en onze vestiging aldaar. Houd die mogelijkheid echter wel in je achterhoofd, liefste, want er komt een moment dat we ons heil elders zullen moeten zoeken.

Lily vouwde de brief dicht, een velijnen blad, zijdezachte korreligheid, en toen ze hem weer in de envelop schoof, drukte ze hem tegen haar neus. Daar: een zoete, bittere geur van tabak, een droge stoffigheid waarvan ze bijna moest niezen, en ze vroeg zich af of dit de geur was van Lehmann in luchtdichte verpakking, of van een kast in Noord-Londen waarin de andere Lehmann ze al die jaren in een plastic tasje had bewaard.

Lieve Nick,

Ik ben hier nog steeds. Ik dacht, je werkt toch zo hard... Lily kauwde op het uiteinde van de pen. Ze had hem niet verteld dat ze Fern Cottage een maand langer had gehuurd. *Ik weet eigenlijk niet zeker of er wel een architect in mij schuilt.* Dat had ze niet willen schrijven, maar sinds ze hier was twijfelde ze of zij wel zo geschikt was om een keuken opnieuw in te richten, of leiding te geven aan een stel bouwvakkers die een huis renoveerden. Was ze ambitieus genoeg, twijfelde ze, om haar eigen bouwwerken te scheppen, om net als Lehmann zichzelf uit te vinden, en dat niet één, maar twee keer? 'Maar ja. Wat dan?' Ze zag Nicks gezicht al voor zich. 'Weer de bediening in?' Ze voelde een golf van paniek dat ze na drie jaar opleiding nog steeds niet wist wat ze moest doen. *Ik zou graag een huis willen bouwen,* ze krabbelde nu maar wat, *niet alleen ontwerpen.* Het zou een huis zijn met lariksen eromheen, met uitzicht op zee, duurzaam, snel te verbouwen, en het zou niet vloeken met zijn omgeving. *Misschien moet ik zo'n zelfbouwcursus volgen...* en ze herinnerde zich dat je in Zweden bouwpakketten kon bestellen. Houten huizen met voor en achter een veranda.

Toen ze Nick leerde kennen werkte ze als serveerster in een restaurant in Covent Garden. Daar was ze ooit parttime begonnen om haar studiebeurs voor de kunstacademie aan te vullen. Maar op den duur maakte ze steeds langere uren, dubbel zo veel uren, tot het restaurant bijna ongemerkt het middelpunt van haar leven was geworden. Het was net een familie, een besloten wereldje in de avonduren, met eigen waarden, extra's en regels. Ze vond het heerlijk in haar uniform te glijden, de keuze beperkt tot zwart en wit. Het was altijd fijn er aan te komen, dwars tegen het verkeer in, als voor alle anderen de dag er op zat, en nu ze er zo aan dacht was het bijna of ze de linnen tafelkleden weer kon voelen, de geur rook van rotan mandjes en soepstengels en het geknars hoorde van de kruimeldief die over het tafellinnen gleed.

Maar toen ze Nick ontmoette had ze zich ervoor geschaamd. 'Dit is wat je echt wilt doen?' Hij had haar gezicht in zijn handen genomen en haar zo diep in de ogen gekeken dat ze het gevoel had gekregen zoveel meer waard te zijn.

'Niet per se,' stamelde ze. 'Niet voor altijd...'

Lily's schilderijen stonden door het hele huis tegen de muur. Ze slingerden zich haar slaapkamer in en uit en stonden twee rijen dik in haar gang.

'Mag ik?' Nick liep op de grootste af, terwijl Lily geschrokken naar voren schoot.

'Nee,' zei ze, 'alsjeblieft niet.'

Maar Nick negeerde haar en draaide een hele rij om naar de kamer. 'Ze zijn prachtig.' Hij bekeek een bleek en krijtachtig landschap, een verstilde ruimte vol licht. 'Alleen... Als je ze nooit laat zien, nooit een tentoonstelling hebt, dan ben je op je drieënnegentigste nog serveerster.'

Lily draaide de schilderijen stuk voor stuk terug naar de muur. Ze wilde niet dat iemand ze zou zien. Doodsbenauwd dat iemand ze mee zou kunnen nemen. Haar huisbaas die onder haar woonde had eens een tentoonstelling geregeld. Hij had stralend bij haar aangeklopt om te zeggen dat een vriend van hem met een café in Highbury het prima vond als ze ze daar aan de muur hing. 'Misschien verkoop je wel wat, je weet maar nooit.'

Lily had hem aangestaard. Geschokt had ze zichzelf horen schreeuwen: 'Nee, dat wil ik niet!' Mensen die hun spaghetti omschepten, hun liefdesleven doornamen. Ze had geheid een knalrood hoofd gehad. 'Zeg maar dat het niet doorgaat.'

Haar huisbaas was achteruitgeweken. 'Ik dacht dat je blij

zou zijn met zo'n kans, nog afgezien van het geld.' Hij stond er beteuterd bij. 'Als ze verkopen.' Ze vermoedde dat hij maar al te graag de huur had willen verhogen.

'Kom mee.' Nick had zijn autosleutels gepakt. 'Kom, gaan we een eindje rijden.'

Het was al laat, en Londen was glad en zwart en leeg. Ze reden richting Victoria Station, verlicht door de lampen langs de tuinmuren van het paleis, over de brug bij Vauxhall en verder langs de rivier. 'Mijn favoriete uitzicht op Londen,' meldde Nick toen ze nogmaals de rivier overstaken, bij Waterloo, en gretig draaiden ze hun hoofd van links naar rechts om toch vooral niets te missen. De snoeren lichtjes boven het water, de bogen en tunnels van de bruggen, de boten, de gebouwen met ramen in alle mogelijke vormen en daken van groen en goud. 'Rij wat langzamer,' smeekte ze, maar er reed een auto achter hen en ze moesten de tunnel van het Holborn-viaduct in en weer uit richting Bloomsbury. Nick parkeerde de auto voor het British Museum, en ze stapten uit en hielden zich vast aan de reling voor het gebouw. De schijnwerpers gaven het een Egyptische gloed en het warme oranje licht sijpelde over de traptreden. 'Hoe zou je het vinden,' vroeg hij, 'als je had meegewerkt aan zoiets schitterends als dit hier?' Ze keken naar de grote leeuwenkoppen, de fraaie pilaren en de nieuwe glazen koepel. 'Je bent geschift,' zei ze en hij zei dat het hielp om op de meest ontzagwekkende schaal te denken, zelfs als het om plannen voor een wc ging. Hij tilde haar op en zwierde haar rond, en ze vielen lachend en wankelend tegen elkaar alsof ze dronken waren.

Ze reden iets rustiger door de smalle kloven tussen de oude en nieuwe gebouwen naar de City. 'Wanneer,' vroeg hij toen ze het plein voor Saint Paul's Cathedral opdraaiden, 'ben je daar voor het laatst opgeklommen?'

'Met school?' Ze herinnerde zich nog maar vagelijk de wirwar van lichamen, jassen en tassen toen haar hele klas naar boven draaide. 'En trouwens, ik dacht dat je Saint Paul's niet eens mooi mócht vinden. Ik heb eens ergens gelezen dat Wren geen echte architect was, al snap ik niet goed hoe dat kan...'

'Je hebt gelijk.' Nick boog zich naar haar toe en kuste haar oor. 'Maar het gaat om de gebouwen die je ervandaan kunt zien, daarvoor moet je omhoog. En trouwens,' – hij keek haar grijnzend aan – 'geen mens die het ziet als wij om twee uur 's nachts de Saint Paul's willen bewonderen, toch?'

'Ik zal er morgen opklimmen.' Ze kuste hem terug. 'Of vandaag.' En aangestoken door zijn hartstocht en zijn geloof in haar, meldde ze zich aan bij zijn oude academie voor een driejarige opleiding architectuur.

Er was een kast vol kaarten in Fern Cottage. *Kaarten*, stond er behulpzaam op een sticker die er voor de eeuwigheid was opgeplakt. Er waren kaarten van East Anglia, kaarten van de wandelpaden in de omtrek, stafkaarten die tot meer dan zeventig jaar teruggingen. Met al die informatie was het toch belachelijk dat ze nog steeds het huis van de Lehmanns niet had gevonden. Ze stelde zich elke dag voor dat ze er tegenaan zou lopen, het ergens op de hoek van een weg zou zien staan, maar in het hele dorp stond niets dat niet was voorzien van een rieten dak, puntgevel, kiezelmuur, balken. Lily trok een kaart van Steerborough te voorschijn en spreidde die uit over de grond. De huizen stonden er in rijtjes op getekend, voor het merendeel langs de hoofdstraat van het dorp. Een aantal herkende ze inmiddels. Het scheefgezakte Oudhollandse huis en de voormalige kroeg, nu een twee-onder-een-kap. Die was per kruiwagen steen voor steen verplaatst naar de nieuwe stek naast de winkel. 'Deden ze dat wel vaker?' had ze Ethel gevraagd. En Ethel had haar verteld over een verbouwde schuur achter Kiln Lane die wel twaalf kilometer had afgelegd. Misschien was het huis van Lehmann verplaatst, bedacht Lily. Per kruiwagen afgevoerd naar een ander dorp, en zelfs al ontdekt en beschreven door een veel inventievere student in het bekroonde project van dat semester. Ze zou het Ethel moeten vragen. Ethel wist dat vast. Misschien kon Ethel zich zelfs Lehmann nog wel herinneren. Had ze Elsa gekend en wist ze wat er van haar was geworden nadat Lehmann was overleden in 1953.

Lily vouwde de kaart weer op. Er was één weg, Mill Lane, die ze nooit was ingeslagen en waar op een hoek de fundering voor een huis werd gelegd. 'Hidden House' had de kaart vermeld, maar meer dan modder en puin was het niet. Mill Lane liep achter de garage langs en met een boog naar zee, en ze had de weg altijd gemeden omdat hij er zo nieuw uitzag met van dat bleke grind dat zo typisch was voor nieuwbouwwijken. Maar het grind was misleidend. De huizen aan weerszijden waren oeroud, met veel details, gigantische tuinen achter smeedijzeren hekken en alleen het geluid van tjilpende vogeltjes. Nee, zei Lily bij zichzelf, hier heb ik niets aan, maar ze liep toch door in de geborgenheid van de stilte en de bocht in de weg. Bijna aan het eind kon ze half verscholen aan één kant nog net een hoek van een huis zien. Het was oud en laag, rabarberkleurig roze, en toen ze ernaartoe liep, zag ze dat in de knik van de twee helften van het huis een portiek uit de jaren vijftig zat geklemd.

Lily leunde tegen het hek. Het huis zag er verlaten uit, de gordijnen waren open, het portiek leeg en kil. Ze duwde tegen het hek, maar het gras eromheen was dicht opgeschoten en liet zich niet opzijduwen. Lily keek om zich heen, niemand te zien, en trapte met haar voet tegen de houten latten, klom toen op de hekstijl en sprong eraf. Snel klopte ze aan. Ze wachtte tot er een schaduw achter het bleke glas zou verschijnen, en toen er niemand kwam, liep ze om naar de achterkant. Haar hart bonkte en haar oren versterkten elk geluid, maar ze gaf niet op nu. De tuin was rond, een groene kom die schuin de lucht in stak, met zulk vol en veerkrachtig gras dat het door schapen kort geknabbeld kon zijn. In het midden stond een hoge, dunne boom met een hooghangende tak waar zo een schommel aan kon hangen. Lily haalde iets rustiger adem nu en draaide zich om om het huis te bekijken. Een bankje, openslaande tuindeuren, daklijst en bogen, allemaal naar zee gericht. De ramen waren donker, de houten en glazen deuren gesloten en vergrendeld. Lily liep er op haar tenen heen en drukte haar gezicht tegen de ruit. Binnen was alles verwaarloosd. Haveloos meubilair en tot op de draad versleten kleden, allemaal om een of andere reden verslonsd en, ze kon het door het hout heen ruiken, aangevreten door vocht.

Lily liep door tot achter in de tuin. Als ze zich door de heg kon wringen, kwam ze misschien uit op de kwelders, de vlakke, drassige heidegronden die naar zee leidden. Ze wurmde zich in het struikgewas van de heg en zocht op de tast naar een bres, met handen en voeten voelend of er ergens een gat zat. Maar de takken zaten samengeklit en vol meidoornstekels, en Lily was gedwongen door de tuin terug te lopen en over het hek te klimmen. Pas toen zag ze de auto. Een oude, grijze Morris die pal naast het hek stond geparkeerd. Lily bleef ernaar staan kijken. Die zou haar toch moeten zijn opgevallen daarnet met zijn reebruine en blauwe interieur en een dak zo rond als een kaal hoofd. Ze stak haar hand uit om te voelen of hij warm was, maar aarzelde omdat ze het gevoel kreeg dat er iemand naar haar keek. Ze slikte en keek snel even naar het huis, maar er was geen licht, geen schaduw. Toch draaide ze zich om en liep zo snel als ze kon knerpend over de grindweg terug.

Werk als een gek. Gaat goed. Weet binnenkort of we hebben gewonnen. Het was weer vrijdag en Nick had zijn boodschap gekrabbeld op een envelop van haar academie die hij had doorgestuurd. Eigenlijk moest ze hem bellen. Het was halsstarrig en stom dat ze hem niet eerder had opgebeld, maar ja, als hij echt zo hard werkte had het niet veel zin hem te storen, behalve om hem succes te wensen. Ja, dacht ze, ik moet eigenlijk bellen, maar eenmaal bij de telefooncel aangekomen, kwam ze erachter dat die nu echt kapot was. Kapot of vol. Alleen voor noodgevallen: 999, luidde de oplichtende boodschap. *Bel 999. Wacht bij de muur...* Het briefje lag er nog steeds. Onder dezelfde grijze kiezelsteen en met dezelfde gescheurde rafelrand. Lily haalde een pen uit haar zak en zette in de hoek een klein tekentje, een zigzaggend lijntje, en keek toen schuldbewust om zich heen of iemand haar had gezien. Hou op, zei ze tegen zichzelf, er is niemand! En terwijl ze terugliep over de meent vroeg ze zich hoofdschuddend af of ze nu echt te lang alleen was geweest.

'Sorry' – Grae hing rond bij haar deur, liep op en neer – 'maar ik vroeg me af of ik eh... Em heeft een snee in haar voet. Ik heb geprobeerd een taxi te bellen, maar tot in Waveney was er geen vrij.'

Lily keek hem aan. Hij zag er niet uit als een man die in staat was iemand van de trap te smijten. Hij glimlachte zorgelijk naar haar en zijn gezicht leek op dat van Arrie, hartvormig en gebronsd. 'Ik heb er iets omheen gebonden, maar het blijft bloeden en misschien moet het wel gehecht worden, of moet ze een tetanusprik hebben.'

'Natuurlijk. Wacht heel even.' Lily holde naar binnen om haar sleutels te zoeken en toen ze weer buiten kwam had Grae de beide meisjes al opgehaald. Hij hield Em bij de hand en leidde haar naar de auto. Haar ene voet zat in een theedoek gewikkeld en over haar gezicht liepen traansporen.

'Ik deed het niet expres,' kermde Arrie, en Grae stak een arm naar haar uit. 'Het geeft niet, dat heb ik toch al gezegd, je kon er niets aan doen.'

Lily deed het portier open en bleef staan wachten tot ze achterin waren geklommen. 'Wat is er gebeurd?' vroeg ze toen ze achteruitreed.

'Ze waren aan het spelen bij die oude molen en... Wat gebeurde er, Emerald?'

'Arrie duwde mij erin.'

'Ik deed het niet expres!' jammerde Arrie, en Grae zuchtte alsof hij te moe was om nog iets te zeggen. 'Er moet iets scherps hebben gelegen, meer niet.'

Ze reden zwijgend over de lange rechte weg door zachtgroene, wuivende korenvelden en sloegen rechts af bij een modderbruin veldje met varkens. Het veldje was bezaaid met golfplaten huisjes en de varkens lagen er als campinggasten glimlachend op hun zij naast. Lily maakte de bocht landinwaarts rond de drassige uitloop van de riviermonding, en schuin terug naar Eastonknoll over de gebochelde brug. Toen ze in de buitenwijken van het stadje kwamen, dirigeerde Grae haar langs de theesalons, het padvindershonk en het gemeentehuis met daarop een aankondiging van een bijeenkomst van de vrouwenvereniging, en verder in de richting van het strand, zigzaggend door achterafstraatjes tot ze stilhielden voor de eerste hulp. 'Mooi,' zei hij duidelijk opgelucht, en zonder te vragen of ze gewenst was, liep Lily achter ze aan naar binnen.

De wachtkamer was leeg en Grae en Emerald konden zo door witte klapdeuren heen doorlopen.

Jezus, dacht Lily, als ik nog eens in Londen bij de eerste hulp moet zijn, moet ik niet vergeten dat je sneller hierheen kunt rijden.

Arrie zat ineengehurkt op de vloer een blokkentoren te bouwen en drukte zo hard op iedere plastic steen dat ze putjes in haar handpalmen kreeg van de noppen.

Lily knielde naast haar neer. 'Kan ik iets doen?'

'Ik heb haar niet geduwd.' Arrie gezicht was opgezwollen van het huilen. 'Ik pakte haar vast, meer niet, en toen kukelde ze erin.'

'Het geeft niet.' Lily gaf haar de gekleurde stenen aan. 'Maar hoe zijn jullie teruggekomen?'

Arrie keek haar wantrouwig aan. 'Ze hinkte, en toen...' Ze keek vlug om zich heen. 'Bob de Bagger heeft haar meegenomen.'

'Meegenomen?'

'Gedragen.'

Ze keken allebei even naar de keurig verzorgde receptioniste die met gebogen hoofd aan haar bureau zat.

'Wie is Bob de Baggie, ik bedoel... Bagger...'

Arrie begon te giechelen. 'Dat is... Dat is een vriend van ons, en van Alf,' en toen zoefden de klapdeuren open en verscheen Grae weer, met Em aan zijn hand. Haar voet was omzwachteld met stevig crèmekleurig verband dat er, vergeleken met het vorige, verrassend schoon uitzag.

'Moest ze worden gehecht?' Lily krabbelde overeind.

'Tiensecondelijm,' zei Grae ongelovig. 'Ik had het thuis kunnen doen. Ze spoten er wat van in en klemden de wond dicht, net zoals bij... weet ik het. Een stoel.'

'IJsje,' fluisterde Em. 'Heb je beloofd.'

'Da's waar.'

Grae liet haar op zijn rug klimmen, en ze liepen naar het strand. Er lagen mensen uitgestrekt in hun strandstoelen, anderen bouwden kastelen op het zand en kinderen dobberden in enorme zwarte rubberen banden in zee. Ze liepen door tot het theehuisje, en de beide meisjes grepen het drama met beide handen aan en kozen een kolossaal ijsje met extra veel chocola.

'Ik denk dat we daar vier van nemen,' bestelde Grae terwijl hij een blik wierp op Lily – zijn ogen heldere spleetjes blauw. En daar zaten ze dan met hun vieren op de strandmuur aan hun ijsjes te likken, die ze langzaam ronddraaiden om wat er afdroop op te vangen. De zee was leeg, glad en glinsterend, het tij liep af en voerde met elke golf een dun laagje zand en stenen en zeewier mee. Em, schijnbaar weer opgekrabbeld, hinkte het strand op en Arrie dribbelde achter haar aan, het hoofd omlaag, op zoek naar schatten. Ze vonden een steen met een gat erin, zo een die geluk brengt, al vond Lily ze er eng uitzien – net een leeggevreten oogkas. 'Bewaar die voor mij,' zei Em toen ze Lily de steen in de hand drukte, en Arrie vond een afgesleten stuk groen glas. Het leek wel jade, zo teer en melkachtig, en Lily liet zich van de muur glijden en begon ook te zoeken. Er moest op dit strand amber te vinden zijn, maar in plaats daarvan vond zij een muntje van één pond, een zachtroze kiezelsteen die in het water doorzichtig was, en een opengebroken vuursteen met aan één kant een fossiel van een heel klein zeepaardje. Ze keek om naar Grae. Hij zat roerloos naar ze te kijken, zijn gezicht strak, en ze vroeg zich af of hij soms aan Em dacht, wegzakkend in het zompige water van de molen.

De meisjes bouwden een kasteel met grote en kleine torens en een ophaalbrug over een gracht, en Ems verband was vergeten, met zand gecamoufleerd. Grae riep naar ze. Hij was het strand op komen lopen met een blad vol geroosterde broodjes, appelsap en een enorme bruine pot thee.

'Papa!' Zijn kinderen leunden verbaasd tegen hem aan, maar hij schudde ze van zich af en schonk in.

'Melk en suiker?' vroeg hij al roerend aan Lily.

Ze gingen met hun rug tegen de strandmuur zitten en lieten zich opwarmen door de lage stralen van de zon.

'Het ziet er bewolkt uit in Steerborough,' zei Lily met een hand boven haar ogen toen ze de kustlijn afkeek, en Grae vertelde dat de horizon zó weids was dat je je eigen weer kon kiezen en erheen kon rijden.

'Toen we nog een auto hadden,' vertelde Arrie ze, 'zijn we een keer helemaal naar Lowestoft gereden zodat we in de zon konden picknicken. Toch, pappa?' drong Arrie aan. 'Toen we nog een auto hadden, reden we toch de zon achterna?'

Grae streek afwezig over haar hoofd, maar gaf geen antwoord. Lily huiverde. De zon zakte rood weg achter de vuurtoren en de warmte reikte net niet voorbij de vloedlijn. Over het strand vielen strepen schaduw, de glanzende stenen werden dof, en alsof ze het hadden afgesproken stonden ze allemaal tegelijk op en liepen terug naar de auto.

Er zat zand in Lily's haar, en op haar armen en benen zat een glanslaagje van zout. Ze had droge handen en poezelig gladde vingers die weggleden toen ze het stuur vastpakte. Als ze thuis was, dacht ze, zou ze een warm bad nemen, de wind uit haar haren kammen, maar toen ze bij de meent kwamen, stond er een auto op haar plek geparkeerd.

'Het lef,' zei Lily en ze genoot van het idee dat dit stukje grond van haar was. 'Wat zou er zijn?' En toen pas herkende ze de auto.

'Bedankt.' Grae draaide zich naar haar om terwijl de kinderen de auto uit klommen. 'Heel erg bedankt. Als je ooit iets nodig hebt...' Hij grijnsde breed. 'Nog wat aanmaakhout?' En precies op dat moment trok Nick haar voordeur open.

15

Max bleef halverwege het laantje staan en luisterde. Na een infectie ging het bijna altijd slechter met zijn oren. Ze gonsden en knapten en kraakten, en één keer had hij drie eindeloze dagen en nachten het robuuste gezang van een mannenkoor gehoord. Maar vandaag waren zijn oren in een warme deken van stilte gewikkeld. Alsof je door een raam keek: zacht wuivende bomen, een hond met een open bek, de slag van een dichtzwiepend hek. Hij liep langs het huis van de Lehmanns – Hidden House heette het, dat was hem niet eerder opgevallen – en zette zijn kruk neer voor het met riet bedekte huisje er pal tegenover. De muren waren van verweerde baksteen, roze omrand en donker verkleurd door de wind. Het steile rieten dak was grijs en vastgezet met een net van touwen, als het knotje van een oude vrouw.

'Wat ben je aan het doen?' Het was Elsa, die zich over hem heen boog en strak naar de plek keek waar het huis van haar man had moeten staan. Max keek op in haar gezicht. Roze en kwarts en kastanje, haar ogen van scherven splinterend blauw. 'Laat je ons weg?'

'Sorry.' Hij schudde zijn hoofd. Hij had echt zijn best gedaan, wilde hij zeggen, maar hij kreeg het er onmogelijk ingepast. Elsa draaide zich om. Hij voelde haar rug, net even links van hem, en haar enkels, haar kuiten die onder een katoenen rok uitstaken. Hij wist dat ze keurend naar hun huis keek en toen liep ze weg zonder een woord te zeggen.

Sommige kunstenaars, had Henry geschreven, *begaan de fout schoonheid aan hun eigen criteria te willen laten voldoen. Ze schilderen nadrukkelijk alleen dingen die daar binnen vallen. Dat is de houding van een criticus en niet van een kunstenaar. Vergelijk deze houding eens met die van Degas, Manet, Monet of Pissarro, die allen als kinderen de natuur in trokken om een nieuw soort schoonheid te ontdekken en wier werk bewijst dat schoonheid overal te vinden is, en dan begrijp je dat de criticus op een dood spoor zit en deze anderen als een rivier zijn waarop je wordt meegevoerd waarheen je maar wilt.*

Max dacht aan Helga, en aan de schilderijen van haar die hij niet meer bezat. De eerste werken waar hij trots op was geweest, de eerste schilderijen die echt van hem waren. Helga Gau. Zijn vriendinnetje, speelkameraad. De dochter van het vissersgezin dat naast hen woonde. Een fier, mager meisje met rechthoekig afgeknipt haar en een zandkleurig gezicht. Ze hadden samen gefietst, palingen opgeschept in hun netten, en toen kwam de zomer dat hij bij aankomst al zag dat ze veranderd was. Ze had een nieuwe, omfloerste blik in haar ogen en lang haar. Als ze liep, zwaaiden haar nog altijd smalle heupen met lichte schokjes van links naar rechts. Helga was de enige die nooit leek te merken dat hij doof was geworden. Ze riep hem als vanouds, schold hem uit als hij niet kwam en mepte hem dan op zijn arm. Nu draaide ze haar fiets zo dat ze hem aankeek en kantelde haar hoofd alsof ze de woorden er op een lepel uit wilde laten glijden. 'Kom mee.' Max wist niet zeker of hij dit nieuwe, ongrijpbare meisje wel mocht, maar hij sleurde zijn fiets uit het schuurtje en pompte energiek de banden op. Helga stond naar hem te kijken, haar bleke haren woeien in de wind, en toen hij klaar was, zwaaide ze haar been over de stang en sjeesde weg. Max vloog haar achterna en keek naar haar rechte rug, haar schouders die op een bepaalde manier omlaag werden gedrukt waardoor haar nek langer leek. Ze fietsten in razende vaart over de weg vanaf de haven en toen die doodliep lieten ze hun fietsen als paarden over de omgeploegde aarde springen, tot ze uitkwamen op het paadje naar Neuendorf.

Max was zo vaak verteld dat hij niet naar Neuendorf mocht, naar waar de naturisten het strand hadden overgenomen, dat hij zich er nu op betrapte over zijn schouder te kijken. Maar Helga fietste verder. Ze trapte stevig door en keek niet eenmaal om, en dus kromde Max zich tegen de wind en haalde haar stukje bij beetje in tot ze naast elkaar reden. Haar blouse werd plat tegen haar borst geduwd, de wind blies op haar in, en daar, alsof ze in één nacht waren komen opzetten, zaten twee borstjes. Max keek ernaar, verbaasd dat ze zo buiten hem om was veranderd, en opgelaten richtte hij zijn aandacht op de ronding van zijn voorwiel. Nog geen tel later lag hij op de grond.

'Malle zot.' Helga kwam slippend terugrijden om hem te helpen. 'Wel op de weg letten.' En toen hij overeind scharrelde, zag hij dat zijn hele arm was geschaafd. 'Kom mee,' zei ze toen ze hem aandachtig bekeek, 'dat gaan we wassen.'

Ze wierpen hun fietsen tegen een duin en renden omlaag naar de zee. Max knielde in het ondiepe water en hield zijn arm in de golfslag. Het zoute water kabbelde bijtend tegen de schaafwond, maar toen hij zijn arm optilde, werd de pijn nog erger. Hij trapte zijn laarzen uit, trok zijn overhemd over zijn hoofd en liep het water in. Zijn korte broek werd met iedere stap donkerder, de haartjes op zijn buik stonden recht overeind van de kou, en hoewel hij zeker meende te weten dat Helga hem riep, keek hij niet om. Hij kon voelen dat ze hem achternakwam, de golf die haar lichaam vooruitging in het ondiepe zeewater, en zijn hart ging steeds sneller kloppen, hoe verder hij de zee in liep. Haar vingers waren vlak bij het kuiltje in zijn rug, stelde hij zich voor, en hij dook vooruit, trappend om aan haar te ontsnappen, en pas toen hij weer bovenkwam stond hij zich toe zijn hoofd om te draaien.

Helga stond nog op het strand. Haar ene hand hield ze beschermend boven haar ogen, en vlak achter haar speelde een bloot stel met een bal. Zelfs zonder kleren aan gaven ze de indruk getrouwd te zijn, hun doorleefde en stevige lichamen hoorden bij elkaar zoals ze zich uitstrekten en de bal gooiden. Ze leken aan elkaar vast te zitten, zoals ze gooiden, vingen en weer teruggooiden, hun voeten verankerd in het zand. Max leunde achterover in de golven en liet zijn hoofd op het water rusten. Hij maakte een koprol en duwde zichzelf onder water, en toen hij weer opkeek, zag hij dat Helga haar rok had uitgetrokken. Ze stond in haar witte ondergoed en knoopte haar blouse los. Max begon driftig te watertrappelen. Hij moest vooral niet naar haar toe zwemmen nu, maar zich omdraaien, nee, dat ging ook niet. Onder haar witte blouse droeg ze een wit vestje, en onder haar vestje – dat ze over haar hoofd uittrok – zat niets dan haar borst met de nieuwe vormen.

Een kleine rimpeling verstoorde het vloeiende ritme van het spel van de naturisten toen de bal uit de handen van de man schoot en naar de zee rolde. Max lachte, leek even te zweven en toen hij weer keek, liep de vrouw achter de bal aan, haar lichaam iets zachter toen ze zich bukte om hem op te rapen. Helga stapte uit haar onderbroek en legde die op het stapeltje kleren, en toen waadde ze naar hem toe, wierp zich voorover en scheerde over de deining, die tot haar knie had gereikt. Max voelde zijn lichaam in het water verstijven met een pulserende energie, alsof hij vol ijzererts werd gepompt. Helga kwam op hem af zwemmen en met elke slag voelde hij zich harder worden. Hij wilde zijn handen in zijn korte broek duwen en klaarkomen in zee, het katoen dat erlangs schuurde en knelde was bijna ondraaglijk, maar ze kwam steeds dichterbij en hij was zo verlamd dat hij zich amper drijvende wist te houden.

'Hallo.' Ze dartelde als een dolfijn om hem heen en haar gezicht met wipneus en sproeten zat vol sprankelende druppels en haar haren, nog droog, glansden en rafelden aan de uiteinden. Ze keek hem even aan, een zeehond in zee, en duwde hem onverhoeds onder water. Hij had geen tijd om adem te halen en hapte nu naar lucht, met open ogen, en hij keek naar haar naakte lichaam, even wit als wortels onder de zeespiegel. Hij sloeg om zich heen en spartelde, half stikkend, trappend naar haar knieën, tot haar greep verslapte en ze lachend van hem wegdook. Max moest zijn best doen niet te huilen. Zijn lichaam was slap, zijn erectie verdwenen, en in plaats van te schreeuwen, draaide hij zich om en crawlde weg met lange, treurige slagen. Toen hij ophield, liet hij zich drijven op de zee en staarde naar de lucht om rustig te worden en hij strekte zijn armen en benen zo ver mogelijk uit. Zo bleef hij lang, heel lang liggen, af en toe omkijkend om zich te oriënteren op het strand, tot er niets anders op zat dan naar de kant terug te zwemmen. Hij vond zijn overhemd en laarzen waar hij ze had achtergelaten, maar Helga's stapeltje kleren was verdwenen.

'Jij was natuurlijk nog te jong' – Klaus boog zich naar Max – 'om in de eerste oorlog te vechten.' Ze zaten bij Gertrude aan de sherry en trotseerden de tuin en de avondmuggen.

'Ja...'

'Ik was veertien toen de oorlog uitbrak.' Klaus leunde achterover en trok aan zijn sigaar. 'Als ik jonger was geweest, had ik misschien niet gehoeven. "Godzijdank," zei mijn moeder elke verjaardag weer, "dat ik de meisjes eerst heb gekregen," en het is waar, ik dank mijn leven waarschijnlijk aan het feit dat ik de jongste van vier ben.'

'Mijn vader vocht mee...' zei Max, maar Klaus praatte door en herinnerde zich de dag dat hij zeventien werd, de dag dat zijn moeders gebeden niet langer golden. De dag dat hij naar het front marcheerde in de rotsvaste overtuiging dat zijn inzet nou net het laatste zetje zou zijn dat nog nodig was. 'Maar binnen zes maanden was ik weer thuis, hulpeloos als een baby, uitgeteerd en beroerd, mijn hele lichaam... – dit zul je interessant vinden, Max – bleekgroen.'

'Was je gewond?' vroeg Gertrude. Het woord zond een rillinkje door haar heen – 'gewond', alsof ze zojuist door een naald geprikt was.

'Niet gewond,' vertelde Elsa. 'Maar Klaus lag een hele nacht naast een man die aan tbc was gestorven, en daarna...'

'Ik had het niet door...' Klaus leek tegen zichzelf te praten, 'ik was zo uitgeput dat ik niet doorhad dat hij dood was.'

Gertrude keek door haar samengeknepen ogen naar de bruine koker van zijn sigaar. Ze had hem aangemoedigd er eentje op te steken tegen de muggen.

'Toen de oorlog was afgelopen ging ik naar de Alpen, naar Aroza, om daar te kuren. Ik lag op een terras, at, sliep, las en liet de zon op mijn blote borst beuken. Maar 's nachts... Eens zien wat jij hiervan maakt' – hij wendde zich tot Gertrude – 'droomde ik alleen maar over de oorlog. Opengereten paarden, jongemannen die weggleden in moddergraven. Mijn geschreeuw dreigde het sanatorium wakker te houden en dus verhuisde mijn dokter me naar een kamertje ergens achter in het gebouw, waar ze eigenlijk de meubels altijd opsloegen als het regende. En daar, niet op mijn donzen matras maar op een houten plank, sliep ik heel rustig.'

Hij keek naar Gertrude, zijn ene wenkbrauw opgetrokken. 'Nou ja,' – hij zuchtte toen er van haar kant geen reactie kwam – 'ik slaap op mijn plank, struinde door de bossen om mezelf uit te putten, en iedere dag werd ik gewogen en gaven ze me melk en room totdat ik zo dik en bruin en knap was geworden dat ze me genezen verklaarden.'

Max keek naar hem. Hij was ook knap. Een kleine man met een bruin gezicht en donker haar dat, hoewel hij de vijftig gepasseerd moest zijn, nu pas grijs begon te worden.

'Maar je bent wel altijd voorzichtig geweest.' Elsa legde een hand op zijn arm.

'Ja,' zei hij als om haar gerust te stellen. 'Hoewel ik geen melk meer kan zien.'

'En de sigaren?' vroeg Gertrude aan hem. 'Zijn die je ook voorgeschreven?'

'Gertrude' – Klaus staarde haar duister aan – 'er bestaat een psychologische verklaring voor de eeuwige behoefte om op een sigaar te kauwen, is het niet?'

'Misschien heeft je moeder je nooit de borst gegeven?' daagde Gertrude hem uit. 'Of juist te lang?' Ze wachtte om te zien hoe hij zou reageren, en ze was blij dat haar huis alleen door de zee in de gaten werd gehouden. Ze wilde niet dat de inwoners van Steerborough gesterkt zouden worden in hun vermoeden dat psychologie in feite een verkapte vorm van pornografie was. Het zou haar spijten als ze haar niet meer zouden vragen hoe ze geld konden inzamelen en als ze zou worden geschrapt van de lijst met dorpsbewoners die altijd wel taarten en chutney wilden verkopen als er feest was.

'Max' – Elsa richtte zich tot hem – 'raakte jouw vader gewond? In de eerste oorlog?' Even dacht hij dat ze de andere oorlog bedoelde. Te recent om het er ooit over te hebben.

'Ja,' zei hij. 'Hij vocht bij Loos en zijn voeten werden doorboord door scherven van een grote granaat.'

Doorboord, herhaalde Gertrude bij zichzelf, maar het gaf niet dat zelfde, verzengende gevoel in haar maag.

'Ze hebben ze operatief verwijderd, de scherven en botsplinters, alleen hadden ze in het ziekenhuis geen serum en moest mijn moeder aan zijn bed zitten om in de gaten te houden of hij geen tetanus had opgelopen. Als hij moeite had met slikken, was dat een teken. "Help, Help!" schreeuwde mijn moeder toen hij een paar uur later iets probeerde te zeggen, en al liep hij geen tetanus op, hij kreeg dankzij haar wel een eigen kamer.'

Het was een anekdote die zijn vader altijd vertelde als mensen hem naar zijn orthopedische schoenen vroegen. Stevige gevallen met dikke zolen, opgebouwd uit lagen zwart, en elk jaar voorzag de regering hem van een nieuw paar, zelfs in 1938, zelfs na zijn arrestatie.

Maar Max vertelde ze niet zijn eigen verhaal. Het verhaal over hoe zijn oren het hadden begeven. Eerst het ene en toen het andere, op zijn dertiende. Zijn moeder stuurde iemand naar de dokter in Rissen, maar de dokter was er niet. 'Hij heeft oorontsteking,' zei ze door de telefoon tegen zijn vader, die beloofde iemand te zullen zoeken die wel kon komen. Die hele nacht lag Max als door gloeiend metaal op zijn bed genageld van de pijn. 'Gaat het wel?' Zijn moeder legde een hand op hem, maar hij hoorde niets, alleen het gonzen en suizen van zijn bloed. Hij had wel eerder een ontsteking gehad, maar deze was anders en liep van het ene oor door naar het andere.

Die ochtend werden ze voor dag en dauw opgeschrikt door luid gebons op de deur. 'Wie bent u?' Zijn moeder schrok toen ze een man in jagerkostuum zag met een boog op zijn rug.

'Ik ben de dokter,' en hij legde uit dat hij naar een verkleedpartij was geweest van zijn oudoom en tante die vijftig jaar getrouwd waren. Hij onderzocht Max. Tuurde in zijn oren, zijn ogen, zijn keel, maar hij kon niet helpen, evenmin als de dokters die naderhand langskwamen.

Helga wachtte hem op in het schuurtje, haar haren nog nat, haar ogen glanzend in het donker. Max duwde zijn fiets naar binnen en zette hem tegen die van haar en net toen hij zich zou omdraaien, strekte ze haar arm uit.

'Kom hier,' zei ze en al kon hij zich niet herinneren dat een van hen zich had bewogen, ogenblikkelijk lag ze tegen hem aan gedrukt, en haar vingers tastten zijn huid af, gleden over zijn armen, rond zijn hals en van bovenaf zijn hemd in. Ze vond de drie dunne haren die die winter waren komen opzetten als in een vruchteloze poging hem warm te houden, en toen streek ze kringen over zijn borst, strelend en knijpend, met borende nagels. Max stond doodstil en durfde zich niet te verroeren uit angst dat ze zou ophouden, zich zou herinneren wie hij was, en toen gleed haar hand omlaag, wrong zich langs de tailleband van zijn broek en tastte over de koude, gladde klamheid van zijn huid, de uitstulping van zijn heupbeen, het kippenvel op zijn dij. Hij viel bijna tegen haar aan en toen was er haar andere hand, eerst warm tegen zijn buik, afglijdend naar zijn intieme kern, beenhard in zijn korte broek.

'Helga...' Hij wist niet of hij schreeuwde of fluisterde en duwde zijn gezicht in haar haar, zich stevig tegen haar aan drukkend toen zij hem een, twee keer streelde... en hij knalde door de muren, rees op voor een sprong en kromde even snel weer in elkaar. Hij zakte door beide knieën en neerzinkend keek hij naar haar op en zag dat ze ver weg was en langs hem heen staarde naar de knoesten en golvende lijnen in de wanden van het schuurtje.

Max zat weggedrukt in een hoekje op de vloer, waar spinnen aan draden van lucht hingen. Hij voelde de kleverigheid overal stug opdrogen. Helga graaide in het mandje op haar moeders fiets en trok een handdoek te voorschijn. Ze glimlachte verlegen toen ze hem de handdoek aangaf, en hij voelde een warme blos opkomen toen hij die aanpakte, zichzelf afveegde en hem met een dankjewel teruggaf. Ze rolde hem weer op en legde hem terug in het mandje. 'Dankje, dankjewel,' had hij gezegd, maar pas veel later in bed toen hij probeerde het gevoel van haar hand weer op te roepen, drong het tot hem door dat hij niet aan haar had gezeten, haar lichaam met geen vinger had aangeraakt, haar niet had gekust en zelfs niet over haar haar had gestreken.

Max werd de volgende morgen vroeg wakker. Hij zocht een boek uit en ging in het grasperk liggen naast het pad dat rechtstreeks naar de zee liep. Hij keek na iedere zin naar haar uit, en toen ze tegen elven nog niet was komen opdagen, klopte hij op de keukendeur om naar haar te vragen.

'Ze is naar Stralsund,' vertelde haar tante, 'met de stoomboot, en pas morgenavond weer terug.'

'Danku,' zei hij, en hij voelde zijn hele lichaam prikken van schaamte toen hij wegliep.

Max fietste naar Kloster, omhoog over het onverharde pad dat boven het vlakke land uitrees tot je het hele eiland onder je zag liggen. De helling was begroeid met gele brem en de geur daarvan kringelde op toen hij zwoegend het laatste steile stuk beklom. Hij liet zijn fiets achter en holde hijgend naar de top. Er stond een bank speciaal voor bezoekers, maar hij bleef doorlopen tot hij bijna over de allerachterste kliffen wankelde. Van daar liet hij zijn blik niet over het eiland gaan, maar staarde hij ver uit tot aan de horizon, speurend naar Denemarken, Zweden of de kust van Rusland, op een dag varen afstand.

16

Nick viel uit de toon in het kleine keukenpaleisje van Fern Cottage, de kopjes en schotels keurig op een rijtje, de bekers allemaal één kant op gedraaid.

'Waar was je?' vroeg hij. 'Ik ben hier al een eeuwigheid.'

'Sorry...' Lily schudde haar hoofd. 'Ik had geen flauw idee... ik dacht dat je het veel te druk had...' Haar oog viel op zijn broek, niet wit maar meer de kleur van dikke room.

'En dat je niet eens je deur op slot doet, ongelooflijk.'

'Hè, Nick!' Ze kreeg een wee gevoel in haar maag, als van een kind dat een standje krijgt.

'Kom hier.' Hij trok haar tegen zich aan en ze voelde de muur van zijn ribben, zijn borst die zo heet was dat ze er door het katoen van zijn overhemd warm van werd. 'Ik heb je gemist.' Hij kuste haar, veel te diep, zodat ze zich van hem los moest maken en toen zag ze zijn uitgestrekte arm die het gebloemde rolgordijn naar beneden wilde trekken.

'Niet hier,' fluisterde ze zogenaamd geschokt, en dus tilde hij haar half op en stommelde met haar de trap op. Die was zo smal dat ze bijna uitgleden over de oude loper toen hij haar met beide handen op haar heupen half tillend, half duwend vasthield. Lily aarzelde op de overloop. Het gaat te snel, dacht ze, en ze moest welbewust haar gedachten niet voorbij de tussenmuur laten dwalen, naar Em en Arrie, Grae.

Er viel een formele stilte toen ze de gordijnen dichttrok en Nick zijn schoenen uitdeed.

'Kunnen we de bedden tegen elkaar schuiven?'

Ze was het bijna kwijt, dat sijpelende stroompje lust, maar Nick begon haar uit te kleden en draaide haar daarbij om naar de spiegel op de kaptafel.

'Kijk naar jezelf,' zei hij, en daar stond ze, vlasblond in het schemerlicht, haar borsten ronder, haar tepels veel rozer dan wanneer ze alleen was. Veranderde ze als hij er was? vroeg ze zich af, en ze keek naar de lichte, fraaie glooiing boven aan haar benen die afhankelijk van haar gewicht uitdijde of slonk. 'Ben je mooi of niet? Zie je dat?' Ze keek naar haar gezicht. Haar neus was verbrand, haar haar naar achteren gebonden, op wat verwilderde lokken na die om haar oren krulden. De twee delen van haar lichaam leken niet bij elkaar te passen; de gladde, bleke glooiingen, schijnbaar nergens goed voor, alleen voor seks, en dan dat blozende, krachtige gezicht. Ze sloot haar ogen en liet zich in haar lichaam zakken, één met haar ronde vormen, en reikte omlaag naar de hete bron van wellust die daarbinnen wachtte.

'Doe je ogen open,' drong Nick aan, 'kijk naar ons,' en al waren hun lichamen prachtig zoals ze daar als twee golven samenklonken, toch was haar gezicht haar veel te vertrouwd. Het was komisch, belachelijk, alsof je door een geschilderde bordkartonnen figuur op de kermis keek, en dus deed ze haar ogen weer dicht en gaf ze zich volledig over aan haar gevoel, de eerste hete sidddering van hem als scherven zonlicht die de nacht in spatten.

Later lagen ze onder de lakens en dekens van het eenpersoonsbed te kijken hoe het licht achter het gordijn vervaagde tot het uiteindelijk donker was in de kamer. 'Heb je dat contract gekregen?' vroeg ze. 'Weet je het al?'

Nick knipte het licht aan. 'Nee, er is nog steeds geen beslissing genomen. Best mogelijk dat ze ons nog een week laten wachten.'

Lily begon zich aan te kleden. 'Wil je thee? Eh... we kunnen ook ergens wat gaan drinken?'

'Ja.' Nick keek om zich heen. 'Ja, laten we ergens heen gaan.'

De bewolking die was komen opzetten, moest nog dikker zijn geworden, want het was een duistere nacht nu ze het laantje opliepen. 'Jezus,' – Nick greep haar arm – 'ik zie geen barst.' Ze bleven stil staan wachten tot de duisternis zich zou openen en hen door zou laten.

'Ssst,' zei ze, al was het geluid overal om hen heen. 'Hoor je dat? Hoor je de zee?'

Nick hield een arm voor zich uitgestoken en schuifelde vooruit. 'Kom, anders halen we het nooit. Straks zijn ze aan de laatste ronde toe en lopen wij nog altijd de kroeg te zoeken.'

'Oké.' Ze leidde hem bij de arm en toen ze de hoek omsloegen werd hun pad verlicht door het raam van het huis naast het hare. De gordijnen waren nog open en ze zag Grae en de kinderen aan tafel zitten en onder het lamplicht kaarten op tafel slaan. Vlug keek ze de andere kant op. 'Toen ik hier pas was,' fluisterde ze, voornamelijk om zichzelf eraan te herinneren, 'hadden ze daar gruwelijke ruzies... Ik weet niet wat er gebeurde, maar op een avond... Wel zo'n gewelddadige uitbarsting... Ik heb de vrouw daarna niet meer gezien.'

Nick gluurde even achterom. 'Zo gaat dat op het platteland. Er is geen zak te beleven, dus slaan ze bij thuiskomst hun vrouw verrot, puur voor de lol.'

'Nou...' Ze voelde haar geweten knagen. 'Tenzij zij het was die hem verrot sloeg?' En Nick begon te lachen.

Er lagen twee enorme honden te slapen op de vloer van The Ship. Ze lagen uitgestrekt tussen de haard en de deur, en Nick en Lily moesten over hun achterlijf stappen om een plekje te vinden. 'Moet je dit nou toch zien!' zei Nick, en de vijf mannen aan de bar, met voor zich glazen donker bier die nog achterovergeslagen moesten worden, keken allemaal om.

'Ssst.' Lily fronste haar wenkbrauwen, maar het was waar, de kroeg was ongelooflijk vervallen. Touwen, netten en dierenvallen dropen van het plafond. De kroegbaas stond half verscholen in de grot van zijn bar.

'Wat heeft hij aan?' Nick praatte uit zijn mondhoek, alsof dat zijn woorden zou dempen. 'Het lijkt wel een korset!'

'Ik haal iets te drinken,' zei Lily beslist. Ze was bang dat Nick zou gaan staren, maar toen ze stond te wachten, raakte ze zelf geheel in de ban van de barman, zijn bietrode kop, het sluike haar dat over zijn schedel geharkt zat. Strak over zijn trui, vroeger wit, nu groezelig grijs, zat een steunschort geknoopt.

'Ja?' Hij liet haar schrikken. 'Wat zal het zijn?' Lily keek op in zijn troebele ogen en begreep dat zijn korset, en alleen zijn korset, hem overeind hield.

'Een bier en... en...' Bijna als een waarschuwing tegen de gevaren van alcohol nam de barman weer een slok van zijn bier. 'En een appelsap graag.'

Het was smoorheet in de kroeg en de haard zat volgestouwd met aswitte blokken hout. Nick en Lily zaten nippend aan hun glas bij het raam en wapperden naar de rook die kringelend en wervelend door de ruimte dreef. 'Het is juni,' protesteerde Nick, en Lily, die vond dat ze het dorp, Lehmanns dorp, moest verdedigen, zei geïrriteerder dan bedoeld: 'Hij is goddorie ziek. Misschien kan hij niet tegen de kou.'

· Nick keek haar aan met opgetrokken wenkbrauwen, en ze bleven zwijgend naar de honden zitten kijken die met hun grote warme lijven over elkaar heen lagen te slapen, hun poten net koperen klauwen, met een bungelende roze tong uit de bek. Vermoedelijk droomden ze dat ze op een verlaten hoogvlakte in het zonnetje lagen of naar rondcirkelende roofvogels keken. Of misschien joegen ze in de duinen achter konijnen aan, kwijlend en keffend als ze wegstoven.

Naast hen aan de muur hing een serietje foto's en elke keer als Nick naar de bar liep, keek Lily in de gezichten van vissers.

Harry, Kitner, Seal, Dibs en Mabbs en Mops, allemaal met kleppet en gevlochten koordje. Er hing een foto van de oude trekpont die een olifant overzette terwijl er een andere olifant op de oever met opgeheven slurf zijn bek opensperde, alsof hij niet kon geloven dat het enige andere dier van zijn soort in heel Suffolk hem daar achterliet.

Nick dronk zijn glas leeg toen de barman zei dat ze gingen sluiten en hetzelfde rijtje van vijf man bleef zitten kijken hoe ze opstonden om weg te gaan.

'Er is nog een andere pub die we morgen kunnen proberen. Verderop in het dorp.' Ze pakte zijn arm vast om hem houvast te geven toen hij het donker in stapte, maar hij bleef staan en keek om zich heen alsof hij al snuffelend de zee zocht.

'Ik weet niet of ik het hele weekend kan blijven,' zei hij.

'Wat bedoel je?'

'Sst, ik hoor het.' Ze luisterden. 'Het klinkt ruig,' en Lily keek op naar het dichte hemelgewelf, zonder ster of een glimp van de maan, en hoopte dat het ging stormen.

'Wat is er zo belangrijk?' vroeg ze toen ze weer verder liepen, 'dat je alweer weg moet terwijl je er net bent?'

'Lily.' Ze kon hem niet eens zien en voelde alleen de druk op haar arm. 'Ik heb werk te doen, het is erg druk. Dit' – vervolgde hij even later – 'is een dorp voor als je met pensioen bent, en dat ben ik níet.'

Het huis van Grae was nu donker, en als om zijn gelijk te bewijzen waren alle huizen rond de meent afgesloten voor de nacht.

'Doe jij nooit je deur op slot?' vroeg Nick toen ze de klink naar beneden duwde, maar zonder antwoord te geven ging ze hem voor naar binnen.

Nicks werk lag uitgestald op de tafel, zijn fijne ruitjespapier verspreid over het plastic zeil, zijn Rotring-pennen, zijn liniaal, de elastiekjes waarmee hij speelde als hij niet verder kon.

'Luister,' zei ze met een diep triest gevoel, 'wil je hier alsjeblieft naar luisteren?' En ze pakte de brieven van Lehmann in hun roomkleurige en paarse enveloppen van een plank en haalde er eentje af.

Mijn allerliefste El,

Je vroeg om een liefdesbrief en die zul je krijgen: je mag nooit denken dat ik boos op je ben om wat je hebt besloten. Ik was hooguit een beetje moe van al die keren dat je toch weer je plannen veranderde. Maar het zal nooit meer gebeuren. Ik zal nooit meer aan je liefde twijfelen, zelfs niet een heel klein beetje. Van je korte kapsel tot je nog kortere vingernagels en verder omlaag tot aan je kleine teentjes, van het ene eind tot het andere met je ziel daar tussenin, ben je me heel erg dierbaar, met of zonder moed, met veel of weinig grond voor je keuzes, dat alles zal er niets toe doen.

Lily keek naar Nick, die met gebogen hoofd zat te luisteren, zijn voorhoofd in een frons geplooid.

Mijn El,

Er is net een telegram van je gekomen. Om negen uur vanavond. Oftewel drie en een half uur nadat hij is verstuurd. Het geeft me een geweldig gevoel te weten dat jij nu op hetzelfde moment als ik in bed stapt en dat ook jouw ochtend hetzelfde als de mijne zal zijn.

'Kijk,' zei Lily terwijl ze hem de plattegrond gaf, 'hij maakte voor haar een tekening van elke kamer waarin hij verbleef.'

Het bleef even stil toen Nick de tekening aandachtig bekeek. 'Hoe dacht je in 's hemelsnaam,' zei hij langzaam, 'dat dit iets kan bijdragen aan je werk? Zo krijg je nog een onvoldoende voor je scriptie' – hij leek behoorlijk ontdaan – 'en dat na al het werk dat je erin hebt gestoken.' Hij begon zijn spullen op te ruimen, borg ze netjes in zijn tas, en toen hij klaar was, liep hij naar boven naar de badkamer, en Lily bleef luisteren terwijl hij zijn tanden poetste.

Ze pakte een andere brief van de plank.

Mijn liefste Elsa,

Hier lig ik dan, honderden kilometers van je vandaan, en wel zo woedend als je je nauwelijks kunt voorstellen, in afwachting van de tedere brieven die zich mijn kant op zouden moeten spoeden. Hoe kan ik me een voorstelling van je leven maken als jij me niet langer tot bondgenoot maakt en ik geen idee heb hoe je dagen eruitzien, uitgezonderd de kamers waarin ze zich afspelen. Je hebt maar twee taken in deze tussenperiode. De eerste, en belangrijkste, is goed voor jezelf te zorgen. De tweede is MIJ te schrijven. Al het andere. Lunch met de Mendels, avondeten, Eva opzoeken, dat alles komt lager op de lijst. Het kan niet worden getolereerd dat ik in meer dan een week slechts drie of vier ansichtkaarten ontvang, plus een telegram met excuses. Tot de volgende lange brief. Boos, maar nog altijd de jouwe, L.

Nick lag te lezen, niet in haar bed, maar in dat ernaast. Hij was bloot, het roze laken onder de crèmekleurige deken in kreukels over zijn borst getrokken. Ze bleef in de deuropening naar hem staan kijken, in schril contrast met het pastelkleurige beddengoed, als de boze wolf uit Roodkapje uitgedost als grootmoeder.

'Wat?' Hij keek op.

'Niks.' Ze schudde haar hoofd en na zich te hebben uitgekleed, stapte ze in haar eigen bed.

'Juist,' zei hij toen, en hij deed de lamp tussen hen in uit. 'Slaap lekker.'

'Slaap lekker.' Lily voelde zich zo eenzaam dat ze hem haar rug moest toekeren en half herinnerde versjes voor zich uit mompelend, dwong ze zichzelf in slaap.

17

Max kwam thuis met anderhalf nieuw huis op zijn rol. Hij had een bungalow toegevoegd, eenvoudig qua constructie en met hetzelfde dak als een huis dat hij al eerder in Church Lane had geschilderd. Hij was daarna verder gegaan met een huisje waarvan de ramen als wenkbrauwen onder het strodak uitstaken, maar werd overvallen door de regen, eerst een paar spatjes en toen, als een papaplu die inklapte, viel het opeens met bakken naar beneden. Max wachtte onder een boom met zijn jasje om zijn dierbare rol gewikkeld, de mouwen ver uitgetrokken, zijn rug gekromd tegen de regen, en toen had hij de moed opgegeven en het op een hollen gezet. Hij vond het niet erg om nat te worden. Juist niet nat willen worden was vermoeiend, en buiten adem en dampend stapte hij ten slotte Gertrudes portiek in.

Voorzichtig haalde hij zijn rol te voorschijn. Die had geen schade opgelopen, alleen een veegje langs een rand waar nog wel een struik van te maken viel, maar toen hij het papier verder uitrolde, ontdekte hij dat hij bijna geen ruimte meer overhad. Er was nog plek voor twee, misschien drie huizen, en toen hij achteromkeek door het gebobbelde glas zag hij de beverige omtrek van een groepje ongeschilderde daken. Max hing zijn jasje op, klopte op zijn broek en liep naar binnen. Het was stil in huis, maar op de een of andere manier ook druk, alsof een hele horde mensen boven noest aan de arbeid was. Hij liep op zijn tenen de eetkamer in. De tafel was pas in de boenwas gezet, de geur kriebelde in zijn neus, en op een plat onderzettertje van linnen en kant stond een bosje stijve bloemen. Max hield er zijn neus bij en snoof hun bittere geur op, toen hij Gertrude gehurkt bij de tuindeuren zag zitten. Haar grijze haarknotje, losjes in een houten klem gepriemd, was iets opzij gegleden en haar gezicht, deels naar hem toe gewend, vertoonde zo'n intense concentratie dat hij zich niet kon verroeren. Terwijl hij toekeek tilde ze haar hand op en liet met uiterste precisie een rubberen bal neerkomen. De bal vloog omhoog en daarop volgde een wirwar van activiteiten waarbij Gertrude wild om zich heen grabbelde en daarna over de vloer glibberend triomfantelijk de bal ving toen die weer omlaag kwam.

'Beter!' riep ze, en opnieuw liet ze de bal stuiteren. Hij schoot schuin omhoog, en zelfs Max kon zien dat ze nooit genoeg tijd zou hebben om naar de haard te hollen en de bal te vangen. 'Nou ja...' Ze had Max inmiddels gezien, en hij vond het bewonderenswaardig dat ze maar lichtjes bloosde. 'Alf heeft vast en zeker geoefend.' Ze hield een handvol dof metalen vormpjes omhoog, pakte een zakje van de tafel en liet de bikkels erin glijden.

Tenzij je jezelf onzichtbaar maakt, zul je altijd de aandacht trekken. Maar wat zou je je daar druk om maken? Het belangrijkste is dat je op de beste plek komt te zitten ten opzichte van wat je wilt tekenen. Luister, ik kan je eindeloos blijven vertellen dat je deze schets wat lichter moet maken, die iets donkerder, maar een ontdekking die je zelf doet staat voor twintigduizend dingen die je geleerd worden, ook als het een ontdekking is die iedereen doet. Maar dat gezegd hebbende is en blijft een school de beste plek om geduchte kritiek op je tekeningen te krijgen en uitentreuren aan je techniek te werken, zoals een pianist eeuwig toonladders oefent. Doe dat nou maar gewoon.

Max' vader had het niet zo op scholen. Hij wilde dat zijn kinderen zelf hun vaardigheden ontwikkelden. Ze hadden in de kinderkamer les gehad van hun moeder, en au pairs uit Zwitserland, Engeland, Frankrijk en Scandinavië hadden hen alles geleerd wat ze wisten. Mary had de grondbeginselen van het Engels aan hem uitgelegd nog voor hij vijf was, en op zijn twaalfde had Mique, een mollig meisje uit Avignon, hem een Franse roman te lezen gegeven. Daar zaten ze dan samen in de blauwe salon overheen gebogen en lazen om de beurt een bladzij.

Er was een school in het dorp, amper twee kilometer verderop. Een klein schooltje onder leiding van Herr Reeder, waar alles, zoals hij zijn moeder meedeelde, 'volgens het boekje ging'. Max ging daar elke zomer een week lang heen om te zien of hij de gewenste vorderingen maakte, en als hij dan binnenstapte op een van de laatste warme dagen van juni werd hij verrast begroet door zijn medeleerlingen. Maar weinigen herinnerden zich hem nog van het jaar ervoor, en elke keer werd er opnieuw in hem geprikt en gepord om hem uit te testen. 'Ik wil weten,' zei zijn moeder bij thuiskomst, 'of de proefwerken makkelijk zijn?' Ze waren makkelijk, en ook saai, zodat Max op een keer toen hij vroeg klaar was, had opgekeken en Herr Reeder een van zijn sokken had zien uittrekken. Hij had er zijn vuist ingestoken, en daar zat hij dan, het hoofd gebogen, zijn sok te stoppen, terwijl de hele klas driftig doorpende.

Max had Klaus Lehmann niet verteld dat zijn vader officier was geweest. Lehmann zou meteen hebben geweten, en Gertrude niet, dat zijn vader zich moest hebben bekeerd om officier te kunnen worden. Je werd in het leger nooit ofte nimmer bevorderd als er ook maar de minste smet op je naam rustte, en joods zijn was de ergste smet. Max had de argumenten daarvoor nagespeeld zien worden door zijn vader toen ze samen in de werkplaats in de kelder een kast voor zijn schetsen hadden gemaakt met brede, diepe laden met zwaluwstaartverbindingen.

'Waarom zou je je blootstellen aan de vernederingen die men de joden aandoet, als het christendom een logische voortzetting van je geloof is? Je doet er verkeerd aan,' had zijn vaders

18

Lily had zich voorgenomen niet te zullen zwaaien, maar toen Nicks auto om de laatste bocht van de meent verdween, schoot haar hand omhoog en schreeuwde ze als een idioot: 'Dag.' Nick toeterde, tot schrik van een oude man die bij zijn heg stond, en schakelde met ronkende motor door en weg was hij.

Lily ging terug naar binnen. Ze ging aan tafel zitten en begon driftig met haar pen te krassen. Het was wel duidelijk dat hij honderdvijftig kilometer had gereden voor een beurt, en nu, tja, nu ging hij weer naar huis. Lily pakte een nieuw vel papier en tekende wat rustiger, met zachtere halen, een plattegrond van de kamer. Daar dan, het raam met de acht kleine ruitjes, de haard, de betegelde schouw. Ze schetste de omtrek van de bank en dacht terug aan het moment dat Nick was gaan zitten en de deken als een wollen lijkwade over zijn lichaam was gegleden. Hij had met opgetrokken wenkbrauwen naar haar opgekeken, alsof hij wilde zeggen: 'En jij wilt dat ik híer blijf?' Lily tekende de tafel, de drie zware stoelen, de boekenplanken in de nis waar de scheidingswand tussen haar huis en dat van de buren het dunst was.

'Wat doe je?' Het was Em, die in de deuropening stond.

'Hallo.' Ze had ze niet horen binnenkomen.

'Kom maar kijken.' Arrie schuifelde naar voren. 'We hebben een nieuwe auto.'

Lily stond op en volgde ze door de openstaande deur naar waar een zwarte Renault 5 geparkeerd stond, exact dezelfde als die van haar. 'Het lijkt wel een wagenpark,' zei ze en ze zag ze al naast elkaar rijden als twee aan lager wal geraakte hoogwaardigheidsbekleders.

'Maar die van ons heeft een deuk,' merkte Arrie op, 'en dit raampje gaat niet helemaal dicht.'

'Nee, dan de mijne.' Lily liet ze de mankementen aan haar eigen auto zien, de kras die er 's nachts op onverklaarbare wijze op was gekomen, de ontbrekende zijspiegel aan de passagierskant.

'Hij is wel beter dan onze oude.' Arrie streelde de kofferbak, en Em keek haar verbolgen aan.

Grae kwam aanlopen door het openzwiepende hekje en liet de autosleutels om zijn vinger zwieren. 'Zo, wie gaat er mee een eindje rijden?'

'Ikke, ikke.' De meisjes kropen in de auto en heel even keek Grae naar Lily. De meisjes draaiden hun raampjes omlaag en keken ook naar haar, met ogen zo helder als bergkristal. 'Ga mee, toe nou.'

'Ik moet eigenlijk aan het werk' – Lily glimlachte – 'maar bedankt.'

'Het is toch zaterdag?' probeerde Em.

Grae bleef staan wachten met de autosleutels nog altijd aan zijn vinger bungelend. 'Nou?' zei hij, alsof nog niet duidelijk was dat ze had besloten van nee, en een ogenblik lang staarden ze haar alledrie half glimlachend, half verlamd van hoop aan.

'Nou, vooruit dan.' Lily holde naar binnen voor haar portemonnee. Wat doe ik? Wat is dit? Maar desondanks haastte ze zich.

Het duurde even voor de nieuwe auto wilde starten en kuchend, sputterend aansloeg. Lily's hart, dat sprongetjes maakte, sloeg nu zo op hol dat het pijn deed en ze moest naar buiten kijken om rustig te worden. Niemand zei een woord toen ze over de enige rechte weg het dorp uit reden en afremden bij het hoogste weiland om de pasgeboren biggetjes te kunnen bekijken, minstens tien per zeug.

'Links of rechts,' vroeg Grae toen ze bij het kruispunt kwamen.

'Rechts,' riepen de meisjes, maar ze leken niet te merken dat hij rechtdoor reed. Hij volgde de weg landinwaarts tot ze de torenspits van de kathedraal konden zien, die buiten alle proporties en als een kasteel opgetuigd met torens oprees uit het land.

'Wil iemand daar naar binnen?' stelde Grae voor, maar de meisjes, die languit op de achterbank lagen terwijl de zon over de zandkleurige stroken van hun huid speelde, zeiden: 'Neu.'

Grae reed door een laan met eiken waarvan de knobbelige takken over de weg heen bogen en een grotgewelf vormden.

'Woeee,' zuchtten de meisjes toen ze onder het groene bladerdak doken, en 'Waaaa,' toen ze het volle licht weer in knalden. Aan beide kanten lagen nu korenvelden, zacht goudkleurig en wuivend, omrand door rode en oranje papavers waarvan de zwarte harten net mooie ogen waren. De kathedraal lag links van hen, en slingerend sjeesden ze over weggetjes tussen hoge hagen door en de meisjes zaten nu rechtop en letten op of ze geen hert of vos zagen. 'We hebben op deze weg een keer een uil gezien,' zei Em tegen haar.

'Ja,' waarschuwde Grae, 'maar dat was 's avonds.'

'En een konijn,' vulde Arrie aan. 'Dit is het konijnenweggetje.' Ze reden een bos in, niet groot, maar zo dichtbegroeid dat ze alleen de onderkant van takken konden zien en de grond, een doolhof van golvende boomwortels, rottende bladeren en korte flitsen groen gras. 'Daar zit er één, en daar.' Het wemelde van de witte kontjes, duifbruine ruggen en trappelende achterpoten toen een hele kolonie konijnen hun kop omhoogstak. Arrie zat als een razende te tellen, maar nog voor ze tot twintig was gekomen, waren ze het bos alweer uit en de grote weg overgestoken. 'De zee, de zee.' De meisjes leunden ver naar voren, en Lily dacht hoe zot het eigenlijk was, zo'n koor dat alles telkens onder één noemer bracht. Ook wel troostend eigenlijk, en het maakte praten overbodig. Ze keek even naar Grae – de schaduwkant van zijn gezicht, één hand aan het stuur, de witte boord van het T-shirt onder zijn overhemd – en voelde zich opgelucht zelf geen commentaar te hoeven leveren.

Ze reden heel geleidelijk omlaag over smalle weggetjes, tussen hoge hagen door, en probeerden een glimp op te vangen tussen de heiningpaaltjes langs het drasland dat doorliep tot aan de zee. 'Daar is-ie!' Maar de weg dwong ze de bocht om door een dorp, langs een kerk die net als in Steerborough tussen de ruïnes van een grotere kerk genesteld lag. Er was een winkel zo groot als een tuinschuurtje, een café met glas-in-loodramen en toen ze een weggetje naar het strand insloegen, stond daar een enorme schuur waar mensen in en uit liepen. *Vis en friet* stond erop en achter de openstaande deuren lag de zee. Buiten zat het bomvol mensen aan tafels en stoelen, en op elke tafel stonden ladingen borden propvol eten.

'Ik hoop dat jullie trek hebben,' zei Grae, en op dat moment kwam er een rood aangelopen meisje in overall met een dienblad naar buiten.

'Molletts!!' schreeuwde ze, en een gezin van zes zwaaide met hun armen.

Lily, Grae, Em en Arrie gingen in de rij staan om eten te bestellen. Kabeljauw met friet, schelvis met friet, brood met boter, bonen. De bonen gingen door voor groente waar je je bord mee op kon fleuren. 'Ik betaal,' bood Lily aan, maar terwijl ze het zei wist ze al dat haar poging gedoemd was te mislukken.

'Nee,' zei Grae, 'wij hebben jou uitgenodigd.'

Lily trok een bankbiljet uit haar portemonnee. 'Laat me dan in elk geval voor mezelf betalen.' Ze drong hem het briefje op en hun handen raakten verwikkeld in een soort worsteling toen Grae haar geld probeerde weg te duwen. Zijn vingers waren ruw en splinterig, alsof ze deels van hout waren, maar ook warm en gevoelig en ze zonden een schok door haar arm. 'Als je het zeker weet,' zei ze terwijl haar bloed stokte, en op datzelfde moment zagen ze allebei dat het meisje achter de kassa in alle rust naar hen zat te kijken met iets van een grijns in haar opgekrulde mondhoeken. 'Dankje,' zei Lily en ze borg haar geld weg.

Toen hun eten klaar was, namen ze het mee het restaurant uit, weg van de parkeerplaats waar de serveersters met bezwete gezichten een eindeloze reeks namen afriepen, en liepen een steile helling op en vandaar door naar het strand. Het strand was breed en liep genadeloos steil af naar een ruige, bruine zee. In de bocht van de kust kon ze Steerborough zien liggen, asblond en vlak, en daarachter Eastonknoll, de vuurtoren en de contouren van het Regency Hotel. Ze had geen zin om de kerncentrale te zien, de buitenaardse koepel die flikkerde in het zonlicht, en draaide zich om naar zee waarbij het blad met drinken, thee en heet water, in haar handen rinkelde.

'Hierzo.' De anderen zaten weggedoken tegen een lage rotswand en stalden hun lunch uit op een reep zand. De overhellende rotswand achter hen was dooraderd met strepen roestrood, omber, paprika en muskaat. Er groeiden pollen gras uit de overhangende richels vol hellingen en geulen waar het zand omlaag gleed. Grae had zijn dienblad neergezet onder een hachelijk overhellende rots.

'Die komt naar beneden,' zei hij toen hij Lily zag opkijken, 'maar waarschijnlijk niet vandaag.'

Em en Arrie schrokten de witte flenters van hun vis naar binnen, de goudkleurige korst, de slappe friet, en zodra ze klaar waren begonnen ze – amper de tijd nemend om op adem te komen – aan de beklimming van de rotswand. Ze vlogen holderdebolder zijwaarts de helling af, scheerden op hun rug naar beneden en met elke schuiver kwam er een dun laagje grond mee. Lily liet zich achteroverzakken tegen een zandheuveltje met haar voeten warm en knus tussen platte, grijze stenen.

'Vroeger was dit de grootste stad aan de oostkust.' Grae keek even haar kant op. 'Ze kwamen hier uit de hele wereld handel drijven.'

Lily liet haar blik over het strand gaan. Er waren drie bootjes op de kiezels getrokken, en daarachter niets dan dat ene dorpstraatje.

'Er stond hier een ommuurde stad met poorten, een paleis van een koning, tweeënvijftig kerken, kapellen, ziekenhuizen en zelfs een heel bos. Daarboven' – hij wees naar de rotswand achter hen – 'kun je nog de laatste resten van de buitenmuur zien.'

Lily lachte. 'Hoe weet je dat allemaal?' Ze draaide zich naar hem om. 'Je leek me niet echt het type voor lokale geschiedenis.' Ze had het nog niet gezegd of ze had er al spijt van. Het was zo'n Londense opmerking, en volledig uit de toon hier.

'Dat komt door Em.' Hij had een kleur gekregen. 'Ze deed een project voor school, er is een museumpje...'

Ze gingen overeind zitten en keken uit over de immense watervlakte.

'Ik neem aan dat de ruïnes allemaal nog daaronder liggen.' Ze probeerde het weer goed te maken. 'De boerderijen en kerktorens.'

'Ja. Sommige mensen beweren dat als je hier om middernacht het strand op loopt, je de kerkklokken het uur kunt horen slaan.'

Lily voelde een rilling langs haar rug lopen. 'Hou op,' zei ze lachend. Terwijl ze daar zaten was de zee tot rust gekomen. Het was zo mooi dat ze het gevoel kreeg ernaar toe te worden getrokken, alsof het getij aan haar hart rukte.

'Ik neem aan dat het langzaam is gebeurd?' Lily zag het hoge huis bij de rivier voor zich, waar zandzakken voor waren opgestapeld bij wijze van buitenmuur. En de datum die iemand op de muur had gekrabbeld boven wat ooit de waterlijn moest zijn geweest. Er moesten toen ook overstromingen zijn geweest. In 1953.

'Ja.' Grae strekte zich uit en sloot zijn ogen tegen het zonlicht. 'Heel geleidelijk in de afgelopen duizend jaar. En eens in de zoveel tijd: woesj.'

'Woesj.' Lily praatte hem na en op dat moment viel er een kluit aarde naar beneden, recht op zijn hoofd. Lily sloeg haar hand voor haar mond. Ze voelde een schaterende lach in zich opborrelen, brandend, niet te houden, en toen zag ze tot haar opluchting Grae's schouders schudden. Hij krabbelde overeind en keek haar aan en hoofdschuddend begonnen ze te hikken, schudden en huilen van het lachen terwijl ze onder de overhangende rotswand vandaan kropen.

'Goeie God,' zei Lily toen ze weer iets kon uitbrengen.

Grae veegde de tranen uit zijn ooghoeken. 'Jezus,' zei hij en hij kroop terug voor een laatste slok koude thee.

'Maar eh,' – Lily was rillerig van het lachen, de wanden van haar maag zurig en slap – 'kom je eigenlijk hier uit de buurt? Oorspronkelijk?'

'Nee.' Grae keek van haar weg. 'Van zo'n dertig kilometer van de kust. We gingen als kind weleens voor een dagje naar het strand. Sue...' Hij zweeg, en de lucht werd heel roerloos. 'Mijn... uhm...' Hij kuchtte. 'Mijn vrouw... zij zag een advertentie in de krant voor dit huisje. Overal waar we elders hadden gekeken was het pure ellende... vanwege de kosten. Je weet hoe dat is als je huurt. En we moesten verhuizen... weg, eens wat anders.' Hij rolde zich om en lag plat op zijn buik, zijn armen en benen gespreid, alsof hij was aangespoeld. 'Jezus,' zei hij, en toen verder niets meer.

Lily stond op en liep naar de vloedlijn. Em en Arrie, hun rokjes in hun onderbroek gepropt, renden de branding in en uit, achter het terugtrekkende getij aan en voor elke golf uit sprintend die terug kwam denderen. Daar waar de zoom van hun rokjes loshing was deze doorweekt geraakt en hun lange, smalle voeten waren lichtblauw aangelopen. 'Jullie worden nog zeemeerminnen,' zei ze tegen ze, maar ze bleven doorgaan.

19

Gertrude zat in de commissie voor de tentoonstelling over lokale geschiedenis. Die zou in de Gannon Room worden gehouden ter inhuldiging van de tweede eeuwhelft, hoewel de halve eeuw alweer drie jaar oud was. Het idee was afkomstig van de predikant, de eerwaarde heer Leweth, die de vorige herfst bij het omspitten van zijn tuin de hals en het oor van een antieke vaas had opgegraven. De vaas droeg een afbeelding van een grotesk gezicht, een soort demonenkop, en dateerde uit 1410 volgens een expert uit Lowestoft. In zijn enthousiasme over deze vondst had hij in het dorp een briefje opgehangen bij de meent, waarin iedereen die in het bezit was van spullen uit Steerboroughs verleden werd opgeroepen deze af te staan voor een tentoonstelling over de plaatselijke historie. Er werden heel wat nutteloze en oninteressante voorwerpen ingeleverd, maar ook – en het was Gertrudes taak ze uit te zoeken – enkele zaken die met recht tentoongesteld konden worden. Er was een verzameling fossiele botten, sommige van een olifant, die op het strand waren aangespoeld, als ook een brok graniet, en dat terwijl er tot aan Aberdeen geen graniet voorkwam. Er was een bronzen kanonskogel van de Slag om Soul Bay, een logboek van de bark Nina die in 1894 bij Darwich Bite ten onder was gegaan. Gertrude liep met haar vinger langs de namenlijst van de mannen die waren omgekomen en was aangedaan toen ze Wynwell zag staan, twee keer. Bert en Alfred junior, ver-dronken op nog geen vijf kilometer van huis. Een van hen moest de overgrootvader van Alf zijn geweest, want ze wist van een gedenksteen aan de muur in de kerk dat zijn grootvader tot de veertien mannen uit het dorp behoorde die in de Eerste Wereldoorlog waren gevallen. Er was een draaispit, een poe-liershaak en een uitgebreide collectie huishoudelijke en agrari-sche voorwerpen die teruggingen tot honderden jaren her. Er waren munten, waarvan vele bij eb waren aangetroffen in de ri-viermodder, onder andere drie shillings uit de tijd van Eliza-beth I. En dan was er nog de doopjurk van de gepensioneerde veerman, wiens kleinzoon nu de boot roeide, en zowel de doopjurk als de veerman waren net zesennegentig geworden.

De tentoonstelling stond gepland voor midden juni en zou een lang weekend te bezichtigen zijn. De eerwaarde had het liever een week laten duren, maar de badmintonvereniging, die op dinsdag- en donderdagavond in de Gannon Room speelde, had daartegen geprotesteerd. Gertrude was ziedend, het hele nut van badminton ontging haar, maar de eerwaarde had erop gewezen dat het lidmaatschapsgeld van juist deze vereniging werd aangewend voor kranten, melk en thee, als-mede voor de schoonmaakster, Betty Wynwell, die het zaaltje aanveegde en netjes hield voor de vissers die er overdag gebruik van maakten.

Gertrude zat in de brede vensterbank van de pastorie en schreef de informatie over de afzonderlijke objecten op kaart-jes. Wat was een poeliershaak? vroeg ze zich af, maar schreef ge-woon maar door. Boetnaalden. Knoopnaalden. Een splitshoorn om touw mee te splijten. Er was een raadselachtig, afgeplat voorwerp, rood en groen geroest. Het was een fuik, of mis-schien iets volslagen anders en gedoneerd door iemand die zo heette.

Ondertussen zat Gertrude aan Alf te denken. Ze speelden nu al drie weken met bikkels. De jongen werd er buitengewoon handig in en wist de bal opmerkelijk gewiekst te gooien en vangen, maar ze maakte zich zorgen dat dit op den duur toch niet genoeg was. Deze week zou ze een pak kaarten introduceren. Ze zou hem patience voor twee spelers leren en hoopte dat de spanning van dit spel en het woest met je handen op tafel meppen nogmaals een woord uit hem zouden krijgen.

Max bekeek zijn nieuwe rol papier. Het was glad en stevig behang dat hij had gekocht bij de bouwgroothandel in Eastonknoll en per fiets had vervoerd naar wat hij zelf was gaan zien als zijn huis. Vandaag, dacht hij, zou hij beginnen aan het huis van Alf. Hij herinnerde zich hoe de vinger van de jongen de rivier had gevolgd langs de hut van de veerman, en hij ging op pad, de rol onder de arm en zijn verf in een tas op zijn rug. Tijdens het lopen keek hij naar de vissershutten – de netten in warrige kluwens, hun planken voordeuren soms blauwgeschilderd, soms zoutbestendig zwartgebeitst. De namen van de vissers stonden boven de deurpost: Blucher, Kitner, Child, Seal, Sloper, Mops en Mabbs. En toen herinnerde hij zich dat mevrouw Wynwell hem had verteld dat ze hun huis verder landinwaarts hadden gezet, stukje bij beetje in een kruiwagen hadden geladen en afgevoerd. Hij draaide zich weer om naar de riviermonding met het idee naar de kom onder The Ship te slenteren, toen hij werd afgeleid door een vrouwengestalte met een zware wrong achter op haar hoofd, haar armen beschermend om zich heengeslagen tegen de wind. Ze droeg zwarte kleren en haar zwartgekouste benen, zo dun als van een vogel, staken haast lachwekkend uit onder een plooirok, en toen draaide ze zich een beetje en zag hij dat het Elsa was.

'Elsa!' schreeuwde hij en zijn stem werd ondenkbaar ver het niets in geslingerd, maar tot zijn verrassing draaide Elsa zich als bij toverslag naar hem om. Hij zwaaide en na even aarzelen stak ook zij haar hand op en zwaaide. Ze stonden ver uiteen naar elkaar te kijken, krijsende meeuwen zwierden tussen hen door, en alsof ze allebei hetzelfde dachten, wendden ze zich in de richting van de riviermonding en begonnen te lopen. Af en toe keken ze naar elkaar over de rivier en naarmate deze smaller werd, tekenden hun gezichten zich scherper af, tot ze beiden op de houten steiger stonden waartussen de veerboot heen en weer voer.

Max zag de boot eerst niet liggen en de schrik sloeg hem om het hart, maar daar was hij, verscholen tegen de oever aan de kant van Eastonknoll en daar rees ook de veerman op om Elsa te helpen instappen. Elsa zat in het midden van de boot met haar gezicht naar hem toe, verscholen achter de brede rug van de man die tegen de stroom oproeide tot een punt halverwege, waarna het water de boot rustig terug naar de kant voerde. Max liep mee over zijn steiger en voelde de constructie onder zijn gewicht meegeven, iets verschuiven en toen schokken op het moment dat de veerboot erop botste. De veerman boog naar voren om Elsa te helpen uitstappen. Hij zag niet dat Max achter hem ook een hand uitstak en voorover boog, zodat een moment lang Elsa's beide handen werden vastgegrepen, wat het voor haar niet makkelijker, maar juist lastiger maakte om uit te stappen.

'Bedankt.' Elsa maakte zich los en pakte haar portemonnee om te betalen, en schuchter, nu ze oog in oog stonden, leidde Max haar de steiger over en het droge op. Zwijgend liepen ze langs de havenmuur naar de uiterste punt van de monding, waar boven het drasland uitstekend een groepje witte huizen was gebouwd. De huizen waren net ooievaars, op poten als stelten, met steenrode, modderige onderbuiken en door ramen en dunne planken gegroefde vleugels. Tot op dat moment had Max er niet aan gedacht ze te schilderen. Ze leken niet echt bij het dorp te horen, maar toen ze naar het verre einde van de monding liepen, waar de ruige grond vol venkel en fluitenkruid overging in modder en drasland en zand, stelde hij zich voor hij hoe het wit van zijn rol zich zachtjes klapperend zou ontrollen en koers zou zetten over het bruin en groen van vaste grond.

'Ik zal je mijn lievelingshuis laten zien,' zei Elsa alsof ze het laatste halfuur over huizen hadden gepraat, en langs zijn mouw strijkend liep ze met hem langs de Tea Room, langs het onlangs geschilderde huis met tafel en stoelen op de veranda, langs de scheepswerf, de zoutopslag en de schuur waarin haring werd gerookt. Ze kwamen langs Little Haven, waar de predikant, vertelde ze hem, ieder jaar zijn vakantie doorbracht na de pastorie op de hoek van Church Lane te hebben afgesloten en met het hele gezin te zijn verkast naar nog geen halve kilometer verderop langs de weg. Elsa bleef staan voor het meest oostelijk gelegen huis. Ooit wit geweest, en vrijwel vierkant, op staken die hoger waren dan alle andere, de voordeur recht tegenover de zee. *Sea House* las Max, en daaronder, op een kleiner bordje: *Te huur*. Een trapje leidde naar een houten veranda met een reling waar de verf afbladderde, en erboven was een balkon.

Elsa zette een voet op de trap en toen Max even naar haar keek, glimlachte ze naar hem en liep ze naar de voordeur. Max bleef toekijken toen ze haar gezicht tegen de ruit drukte en zag haar toen tot zijn schrik de deurkruk omlaag duwen. 'Kom,' gebaarde ze, en Max volgde haar naar binnen. Daar stond een lange houten tafel, een buffetkast waarin kopjes hingen, en vlak daarachter een ladder die steil opliep naar een luik van licht.

'Hallo?' riep Elsa naar de kamer boven, al wisten beiden dat er niemand was en toen begon ze de ladder op te klimmen en schoven haar benen met de lange, smalle schenen voor Max' ogen naar boven. 'Snel,' galmde ze van boven naar hem. 'Het is schitterend.'

Max hees zich met één hand omhoog, met zijn rol nog altijd tegen zich aan geklemd. Elsa stond bij een ronde tafel met een kleed erop. Net achter haar stond een bed waar een sprei overheen was getrokken met twee heuvels van kussens die naar elkaar toe welfden. Het zag er zo zacht uit dat als je één arm op de quilt zou leggen, je er voorgoed in weg zou zinken. Snel liep Max het balkon op. Hij sloot zijn ogen om nog iets langer het zweempje schaduw tussen de glooiende kussens voor zich te zien, en toen hij ze weer opende was hij op zee. Tussen hem en de horizon lag niets dan water, glinsterend in stroken blauw en grijs. Max snoof diep, zoog het in zich op, en toen kwam Elsa naast hem staan. Haar arm, al even smal als haar been, hing zo dichtbij dat hij zijn hele borst voelde schudden van het verlangen haar aan te raken. Een soort misselijkheid die, besefte hij, op de pijn in zijn dromen leek, en heel even zag hij zichzelf achter het stuur van die auto over weggetjes en zijweggetjes naar zijn volmaakte huis zoeken. Max richtte zijn blik op het dunne lijntje waar de zee ophield en de lucht begon, een haarscherp schaduwstreepje dat even iets aanzwol voordat de twee blauwtinten zich van elkaar scheidden en de zee ervan weg golfde naar de volgende landmassa. Op een dag als deze zag je duidelijk dat de aarde rond was. De rand in de verte boog flauw weg, en toen, precies zoals hij had gehoopt, als in zijn dromen, drukte Elsa haar hand tegen zijn arm. Hij draaide zich naar haar om.

'De deur,' zei ze. 'Er komt iemand binnen.' Ze keek achterom de kamer in alsof ze een plek zocht waar ze zich konden verstoppen – het bed, de kast – en toen vermande ze zich en liet zijn arm los. 'Ik kan het beste maar even beneden gaan kijken.' Ze schudde haar hoofd, geamuseerd om haar eigen paniek, en verdween snel uit zicht, te beginnen bij haar voeten. Max stond boven aan het trapgat. Hij wilde niet op haar handen gaan staan en dus bleef hij wachten tot hij haar niet meer kon zien, waarna hij sport voor sport de ladder afdaalde, en toen hij beneden was draaide hij zich verwachtingsvol om. Maar daar stond alleen Elsa bij de voordeur. 'Het was de wind maar,' zei ze en ze stak haar hand uit en trok hem mee naar buiten.

Max voelde nog altijd Elsa's hand. Het deed zeer als hij eraan dacht, joeg een felle pijnscheut door hem heen, maar hij wilde het niet loslaten. Hij beleefde het opnieuw en alles in hem sloeg op hol en de lucht tintelde om hem heen toen haar vingers versmolten met de zijne. Haar hand woog niets, de botten lagen vlak onder het oppervlak, maar in haar handpalm scheen hoop te schuilen. Max zat tegenover Sea House de contouren ervan te schetsen en voelde zich half verblind door alle gedachten in zijn hoofd. Twee keer tekende hij de tinnen schoorsteenpijp en twee keer gumde hij hem weer uit. Hij drukte van pure ergernis zijn potlood zo hard op het papier dat de punt ervan brak. Boven zijn hoofd cirkelden zeemeeuwen met uitgestrekte hals, hun poten naar voren gekanteld om te landen. Hoe zou het zijn, vroeg hij zich af, als je die schouder mocht aanraken wanneer je maar wilde. Klaus, dacht hij, en hij duwde het beeld van de man weg. Hij was er niet, had Elsa gezegd, tot het eind van de week, en in een plotselinge uitbarsting schetste Max met een paar ferme streken de trap, de reling en de voordeur.

20

Lily meed Grae de dagen daarna. Als hij langs het raam liep, draaide ze zich om alsof ze geheel opging in haar werk, en bleef dan wel een uur doorpiekeren of hij naar binnen had gekeken en naar haar had geglimlacht om dan slechts haar koel afgewende hoofd te zien. Met de grootste moeite richtte ze haar aandacht weer op haar brieven.

Mijn El,

Vanochtend werd ik ineens wakker en maakte me zo'n zorgen om je. Maar toen stelde ik mezelf gerust. Zo vroeg kon er nog niets gebeurd zijn. Het heeft hier gesneeuwd en op de takken voor mijn raam liggen zware, fantastische vormen. Laat je toch alsjeblieft niet uit je hoofd praten om mij hier op te zoeken. Wat betreft het advies van de dokter, en ik heb echt mijn best gedaan dit uit mijn gedachten te zetten, maar volgens mij heeft hij het helemaal MIS. Het is nu een maand geleden dat je de baby hebt verloren... en je bent jong en gezond, en dat je hier in de bergen een longinfectie zou kunnen oplopen, dat is ook onzin. Als je zo nodig een longontsteking moest krijgen, had je die wel van mij gekregen. Echt! Ik blijf me steeds afvragen of je moeder met de dokter heeft gepraat en hem van haar standpunt heeft overtuigd. Natuurlijk begrijp ik wel dat ze je in Hamburg wil houden, maar ik heb je hier nodig. Ik heb hard gewerkt en de eerste plannen voor het sanatorium zijn bijna af. Je kunt alles bekijken als je hier bent, als mijn gezelschap. Vandaag heb ik de kamer gezien waar we zullen verblijven. Ik sluit een tekening bij, zodat je je twee keer zo thuis zult voelen als je hier komt. Zoals je ziet, kun je als je rechtop in bed zit uitkijken over de bergen, waarop tegen die tijd de sneeuw misschien al wel weer smelt. Beloof me al je krachten te sparen voor de reis. Ik heb liever niet dat je naar het feest van Gerda gaat, maar als je denkt dat het niet anders kan, zie dan af van het dansen. Dat kan gevaarlijk zijn.

Zou je alsjeblieft een flesje fixatief en een fixeerspuitje voor me mee willen nemen, en Einsteins boek over de relativiteitstheorie? Zorg goed voor jezelf, voor mij. Je L.

Lily vouwde de plattegrond open. Het was een grote kamer plus een zijkamer met hoge ramen aan drie zijden. Er stond een bureau en Klaus had daarop Elsa's portret getekend dat majesteitelijk stond te wachten. Het bed stond als beloofd voor het raam, en daarop lagen, als twee figuurtjes van pijpenragers, Klaus en Elsa verstrengeld.

Lily pakte de volgende brief.

Dank voor het fixatief en het spuitje, maar waar is het boek van Einstein, en, belangrijker nog, waar ben JIJ? Ik zal aan je moeder schrijven en erop aandringen dat ze je laat gaan, en jij moet haar erop voorbereiden dat wij op een dag voorgoed vertrekken. Je weet toch dat ik gelijk heb als ik dat zeg? Ben ik de enige die daadwerkelijk de moeite heeft genomen Mein Kampf te lezen, afgezien natuurlijk van de Semmels en Leibnitzen die inmiddels al vertrokken zijn. Maar je moet met je moeder ook over haar eigen vertrek praten. Ze moet bij ons komen zodra we wat zijn ingericht en ons helpen met het drukke huishouden dat we dan zullen hebben. Ik zat gisteren tijdens de lunch naast een vrouw die over niets anders sprak dan haar liefde voor het Vaderland, en daar zat ik en kreeg geen hap meer door mijn keel terwijl zij me aankeek voor een blijk van instemming! Ik voelde een migraine komen opzetten en was daardoor gevoeliger dan anders, maar later, alsof ik daarmee werd beloond voor het afbijten van mijn tong, ontmoette ik een architect die Hermann heet en al plannen heeft gemaakt om naar Londen te verhuizen. Hij kan ons misschien goede raad geven en een nuttig contact zijn als we besluiten daarheen te gaan. Verder, en dit hoef je de fotograaf niet te vertellen, maar ik ben helemaal niet gelukkig met de foto's die hij van het appartement stuurde. Ten eerste heeft hij alles verplaatst, en net zoals je ook bij een portret van iemand niets aan het uiterlijk moet veranderen, zo mag je ook een kamer niet herinrichten. Aan de afbeeldingen ontbreekt alles wat het licht er in werkelijkheid zo mooi aan maakt. Nou ja, hij heeft jou ten minste niet gefotografeerd en evenmin alle belangrijke onderdelen over het hoofd gezien. En ik smeek je nogmaals, wees nou verstandig en ga NIET dansen als je naar een bal gaat. Ga ook niet naar de bioscoop of naar buiten voor een wandeling. Ik weet zeker dat je zo kou kunt vatten. Ik zou het liefste zien dat je op zondag uitsliep. Wacht maar af wat ik allemaal met je van plan ben te gaan doen... de meest afschuwelijke dingen! Blijf gezond, allerliefste van me, en blijf niet weg bij me. Je L.

Elsa moest erheen zijn gegaan, want een aantal maanden waren er geen brieven meer en toen de stroom weer op gang kwam was dat in de zomer van 1933 en zat Klaus in Londen. Lily overwoog Nick te schrijven om hem op het hart te drukken niet te hard te werken, wel of niet naar de bioscoop te gaan, maar maakte in plaats daarvan wat krabbeltjes met haar pen en bouwde een minipatroontje van bakstenen. Wat wilde ze nou eigenlijk van hem? Of hij van haar? Ze voelde een steek van jaloezie bij de verstrengelde levens van Elsa en Klaus. De mannen die zij kende leken geenszins de aandrang te hebben hun vrouwen zo volledig te bezitten. Ze wilden niet met ze trouwen of per se kinderen van ze, en dus was het aan de vrouwen om alles te willen, om te blijven smachten en verlangen en de bakens te verzetten.

Toen ze Nick leerde kennen had ze hem ingedeeld bij de toekomst. Vliegen, varen en reizen, baby-armpjes en -beentjes, het dak van een huis, maar hij had haar dat verboden, wenste niet langer dan een maand vooruit te denken, en nu, vier jaar later, zag ze in dat hij misschien wel gelijk had. Het fata morgana van haar hoop trok op en voor de allereerste keer zag ze nu zijn ware gezicht.

Lieve Nick, schreef ze in een vlaag van mistroostigheid, alsof ze zojuist haar geloof had verloren. *Ik mis je. Het spijt me...* Ze moest dat laatste schrappen of anders erkennen dat ze hem hiervoor niet echt gemist gehad. *Ik geloof niet dat ik erg gelukkig ben geweest in Londen*, probeerde ze uit te leggen. Ze zag zichzelf braaf de trappen van de academie op en af lopen, informatie opnemen en spuien, omgeven door pilaren, ramen en binnenplaatsen, treinstations, monumenten en tochtgaten. *Ik bedoel niet nooit...* Ze was in Londen geboren, er in zevenentwintig jaar amper een dag uit weg geweest, en ze zag zichzelf op het brokkelige gipsen hek zitten voor het huis in West-Londen waar ze was opgegroeid. Na school zat ze daar altijd te kijken naar de mensen die vermoeid van de doorgaande weg af kwamen, totdat ze haar in het oog kreeg, de meest afgesloofde van allemaal, haar moeder met de boodschappen en eeuwig en altijd een gat in haar kous. Als ze aan Londen dacht, dacht ze aan dat warme, afbrokkelende zitplekje, aan de smaak van limonade als ze aan het roerstaafje zoog en het gebruis als ze hem er weer in stak.

De brede trap voor dat huis daalde steeds smaller wordend met een boog af naar de kelder, een ander land tussen buizen en afvoerpijpen, en terwijl ze achter haar moeder aan naar hun zijdeur liep, ving ze in het voorbijgaan het bedwelmende vleugje krentengeur op. De woning was donker en vochtig en het rook er vagelijk naar gas – een geur van gras en urine die nooit helemaal te traceren viel. Maar aan de achterkant lag een verwilderde tuin tot aan de spoorlijn. Lily was dol op de tuin, de grote leeuw van een trein, en was trots op de rabarber die tot haar middel kwam, met harige stelen die je kriebelden als je erlangs wilde. Onder de bladeren daarvan vochten lange stelen van een Oostindische kers zich een weg naar het licht, met heel kleine elleboogjes vooruit kruipend en klittend totdat ineens een tros oranje bloemen te voorschijn knalde.

Lily kende elke centimeter van de straat, daar hoorde ze, op háár stoep, zoals ze ook de winkel op de hoek als haar bezit beschouwde. Ze snoof en trachtte de geur van stof en Spaanse peper terug te halen, voelde zelfs nu nog de zacht meeverende rubberen strip als je de deur openduwde. Maar haar moeder was meteen verhuisd zodra Lily het huis uit ging om te stude-

ren. Ze had een lichte, zonnige bovenetage gevonden in Kil-
burn, zonder vocht, zonder tuin, waar Lily niets naar hun huis
vond ruiken. Het had haar geschokt, die verhuizing, meer dan
ze kon zeggen. Ze had altijd gedacht dat ze noodgedwongen in
die sombere kelder hadden gewoond, omdat ze nergens anders
heen konden.

'Lily, LILY!' Er werd met een vuist op het raam gebeukt, en
toen ze opkeek, zag ze Emerald staan met Arrie tegen zich aan
gedrukt. Lily ging de deur opendoen.

'Mama is terug,' zei Em met een stralend gezicht, en Lily zag
dicht naast Grae's auto en half over het laantje de lange, stoffige Volvo die ze had zien staan toen ze hier aankwam.

'Geweldig.'

Ze draaide zich om en wilde weer naar binnen lopen, maar
de meisjes volgden haar op de voet en toen ze ging zitten, kropen zij op de bank. Die leek voor ze gemaakt, en ze zaten er
kaarsrecht op als twee oude heren. Na een minuutje liep Arrie
naar de tv en zette hem aan.

'Vindt jullie mama...? Zouden jullie niet...?' probeerde Lily.
Maar de meisjes hielden hun ogen strak op het scherm gericht,
een afschrikwekkend krakende tekenfilm, en ze begreep dat ze
pal voor ze moest gaan staan als ze de uitzending wilde onder-
breken.

Mijn lieve El, las ze over de uitstoot van lawaai heen, en ze
constateerde verrast dat deze brief getypt was. Het tikken was
wat onhandig en dicht op elkaar gedaan, met vette grijze letters die door de achterkant van het vel heen drukten, en de
woorden zagen er niet zozeer officieel als wel intiem uit, met
moeite gewrocht, letterlijk een indruk van Lehmanns vinger
en duim. Laat me je vertellen hoe ik mijn dagen hier doorbreng. Iedere ochtend heb ik Engelse les en dan ga ik op pad en ren heel Londen door om maar
zoveel mogelijk mensen te zien. Gisteren had ik een heuse werkdag. Ik ben
langs de Architectural Review geweest, een geslaagd bezoek, stuur mij alsjeblieft zo snel mogelijk foto's van de kinderkamers die ik voor de Bermanns heb

ontworpen. Er is hier een tentoonstelling waarop een heel treurige kinderkamer te zien is, ik weet zeker dat mensen graag een betere willen bekijken. En
toe, lieve El, vat alsjeblieft niet alles wat ik schrijf op als een verwijt. Ik wil je
alleen maar wijzen op wat belangrijk is. Vanmiddag kwamen twee Engelse
dames bij me langs voor plannen voor nog een sanatorium – discretie van onze kant gewenst – en in antwoord op je vraag over de dames hier waar je zo ja-
loers naar informeerde, kan ik niet anders zeggen dan dat hun desinteresse in
mij danig alarmerend is. Ik zie soms werkelijk schitterende verschijningen in
de meest prachtige kleren, maar ze komen me zielloos voor. Geen van hen
vormt dan ook de geringste bedreiging en je kunt gerust zijn. Mis me alsjeblieft niet al te erg, ik ben snel weer bij je, en maak je niet zo'n zorgen als je
niet elke dag een brief van mij ontvangt. Het snijdt me door de ziel dat ze zoveel voor je betekenen. Met heel mijn hart, je L.

Alle brieven na deze waren getypt, en Lily merkte dat ze de
grandeur van het handschrift miste, de krullen en lussen in
zwarte inkt. Ze was gewend te gissen naar de betekenis van een
al te haastig geformuleerd woord en miste de bevrediging als
ze iets had weten te ontcijferen wat haar eerst hoogst duister
was voorgekomen.

Lieve Elsa,

Ik ben zo blij dat je hebt besloten toch niet naar Hiddensee te gaan. Als je
avontuur wilt, wacht maar, het zal snel genoeg komen. Ik heb een brief naar
je in Vitte geschreven toen ik dacht dat je al onderweg was, maar er stond niets
belangrijks in, alleen een menu – karbonade, gepofte aardappel, rijstpudding
en brood met boter – om te laten zien hoe goed ik eet. Vannacht heb ik gedroomd dat ik de veerboot uit Stralsund over de zee-engte naar Hiddensee
voer. De man van de boot, de oude Kolwitz, liet me aan het roer en ik was zo
gelukkig, de wind in mijn gezicht, het opspattende water van die koude zee,
en toen werd ik wakker en zag dat mijn sprei was afgegleden en dat ik me in
werkelijkheid in een onverwarmde Engelse kamer bevond. Ik kan nog niet
overzien wanneer ik terugkom en zal hier moeten blijven zolang ik het zo
druk blijf houden. Zorg ondertussen heel goed voor jezelf en probeer een zo
prettig en actief mogelijk leven te hebben. Je L.

De kinderen hadden de bank naar voren geschoven en speelden winkeltje in de ruimte erachter. Lily keek het aan en vroeg zich af waarom ze bij haar waren terwijl hun moeder hiernaast was, en toen hoorde ze dwars door de muur en boven het tumult van de reclame uit de stem van de vrouw. 'NEE, dat doe ik niet!!' Lily verstijfde terwijl ze strak naar Em keek, die haar over de geïmproviseerde luifel van de deken aanstaarde. 'Laat dat!' Er klonk een schreeuw, gevolgd door het gekletter en gerinkel van iets wat als een telefoon klonk.

Em dook weg. 'Arrie,' vroeg ze stug doorspelend, 'verkoop je ook diepvrieserwten?' Het was even stil en toen antwoordde Arrie gedragen: 'Dat is dan twintig pond.'

Lily stond op en zette de televisie uit. En had er onmiddellijk spijt van. Ze kon nu de lage, grommende stem van Grae horen en daar bovenuit het geschreeuw van zijn vrouw. 'Ik doe het niet! Ik doe het niet!' Er volgde hoorbaar een worsteling en er werd met een stoel of iets dergelijks gesleept, en net toen ze de knop weer in wilde drukken, verscheen Ems hoofd boven de leuning van de bank. Ze keek naar Lily met een trillerig lipje, en toen begon achter haar en uit het zicht Arrie te huilen.

'Arrie...' Lily zakte op handen en knieën en kroop naar haar toe, opgelucht dat ze iets kon doen. 'Kom nou maar. Kom maar.' Het was of ze een kat lokte, en uiteindelijk kropen beide meisjes bij haar op schoot.

Lily hielp ze hun schoenen met gespen en veters aantrekken, al wist ze dat ze het best zelf konden. Arrie hield haar hoofd omlaag en streek af en toe met haar mouw langs haar neus en Em bekeek haar met de nieuwsgierige en afstandelijke blik van kinderen die een ander kind verdriet zien hebben. Lily hield de deur open en ze stapten naar buiten. Het miezerde heel zachtjes, warme regen, maar daar, bij haar tuinhek, stond Ethel in haar ochtendjas. Haar haar was nat aan de randen en haar gezicht glom.

'Heerlijke dag om te zwemmen,' riep ze Lily toe, maar Em en Arrie hadden zich al omgedraaid en liepen weg over de meent. Lily ging ze achterna. Over het pad, langs de rivier, de rietvlakte op. Ze liepen achter elkaar over de witgebleekte planken, de zegge ruiste en de regen rimpelde het water in de ondiepe plassen. Voor hen lag de zee. Een hoge, grijze muur van deinend water, zo breed en uitgestrekt dat hij aan drie kanten de lucht raakte. Ze kon niet anders dan in bewondering stil blijven staan en opmerken wat het met haar oogspieren deed – ze vroeg zich af of je er ooit aan zou wennen tot aan de horizon te kunnen zien, als je blikveld je leven lang ingeperkt was geweest.

'Kom mee,' riep Em. Ze was het pad afgestapt en klauterde over een breed, groen spoor omhoog. Arrie holde achter haar aan in een poging haar bij te houden, maar Lily had geen zin zich van de zee af te wenden. De mist kwam aanrollen over de duinen en daarboven werd het grijs witter. Toen Lily achteromkeek naar het spoor waren beide meisjes verdwenen.

'Em?' Ze holde ze achterna. 'Arrie?' Aan weerskanten lagen velden met hoog opgeschoten brem vol duistergroene spelonken en heuvels. Ze liep om zich heen spiedend langzaam door in afwachting van het moment dat ze zou worden besprongen en bereidde zich erop voor te doen of ze schrok. Maar ze waren er niet en ze stuitte op watergangen die zich in stilstaande, zwarte poelen stortten waar hele bomen tevreden diep in het water groeiden. Waar waren ze? Ze draaide zich abrupt om en daar, tussen de struiken, opende zich een pad. Ze sloeg het pad in en belandde zo bij een aantal treden naar beneden. De treden leidden naar een oude bunker – het betonnen casco lag half verscholen, de hoeken brokkelden af alsof ze werden aangevreten door de muizen. Lily zette haar voet op de eerste tree en riep, en haar stem sloeg dof tegen de wanden.

'Een minuutje nog,' riep Em terug, 'we komen zo.' Haar stem klonk niet bepaald uitnodigend en dus liep ze een rondje om de bunker en wierp gebukt een blik door de rechthoekige

spleten, de schietgaten naar zee. Daar beneden zaten de ineen-
gehurkte gestalten van Em en Arrie over een soort offertafel gebogen. Ze sloop zo stilletjes mogelijk verder om ze van opzij te
kunnen zien en zag dat ze biscuitjes neerlegden uit een pakje
dat ze voor het laatst bij haar thuis had zien liggen.

'We komen,' riep Em terwijl ze zich omdraaide naar de trap,
en toen ze wegliepen zag Lily dat ze in de weer waren geweest
bij een bed van plastic tassen, zwarte kreukelige zakken die
naast elkaar waren gelegd met aan het ene eind een zwart plastic kussen. Het kussen zat volgepropt met kleren, die er deels
uitpuilden op de vochtige grijze vloer, en daar bovenop lagen
vier biscuitjes met amandelsnippers.

'Lily??' De meisjes kwamen haar huppelend zoeken. 'Waar
zullen we nu heen?' Maar nog voor ze kon vragen wat ze daar
hadden uitgespookt, en of het wel veilig was, waren ze al weg-
gehold over een recht graspad dat naar de molen liep. Lily rende achter ze aan en de regen, die nu gestager viel, sloeg haar in
het gezicht zodat ze nauwelijks iets kon zien. Toen ze ze had
ingehaald, stonden ze met uitgestoken tong druppels op te
vangen, net zo lang tot er genoeg was voor een slok.

Ook Lily hief haar gezicht op en op dat moment klonk er een
donderende slag als van kromtrekkend metaal en stortte de regen omlaag. Het kabaal ervan, één grijze massa, gigantische
druppels zo groot als kettinghangers, spattend, roffelend, en
het leek hopeloos er nog voor te schuilen en met glimmende armen en benen sprintten ze onder het afdak van de molen uit.

Ze sprongen gillend als kleine krijgers in het rond en Lily
volgde ze, half verblind en uitzinnig gelukkig, al zou ze niet
weten waarom. Maar even abrupt als hij was begonnen hield
de regen toen weer op. Her en der verschenen stukjes blauw en
een zonnestraal vlamde langs de grijze lucht. Ze hielden halt in
de bocht van de duinen en schudden zich droog, wrongen hun
haren uit en wisten met de rug van hun hand het water van
hun gezicht.

'Er komt een regenboog,' zei Arrie en ze keken alledrie de kant van Eastonknoll op, en als op verzoek werd daar voor hun ogen een boog van kleuren opgebouwd, steeds duidelijker en uitdijend tot hij de hele riviermonding overspande, één voet naast de veerhut geplant, de andere in strepen uitmondend in zee.

Ze trokken hun schoenen uit en liepen terug naar huis, hun ogen strak gericht op de regenboog die hen naar zich toe lokte om hun pot met goud te komen halen. Op de parkeerplaats bleven ze voor het ene houten huis staan kijken hoe de kleuren ten slotte vervaagden. De damp sloeg nu van hun zware, natte kleren af en zo begonnen ze aan het laatste stukje naar huis. Op de meent zag Lily meteen dat de Volvo weg was. Het laantje was leeg, alleen de afgeplatte achterkanten van de twee Renaults stonden er nog, zij aan zij. Em en Arrie zetten het op een hollen. Lily keek ze na en bleef staan wachten tot ze binnen waren en liep toen met gebogen hoofd door. Ze had niet naar binnen willen kijken, maar op het laatste moment kon ze het niet laten en onmiddellijk wendde ze geschokt haar hoofd af. De kamer was een puinhoop. De tafel lag op zijn kant, overal op de vloer lagen boeken en speelgoed, en in die ene tel had ze Grae gezien, met een bloedende jaap over zijn gezicht.

Lily draaide de deur op slot en drukte zich er met haar rug tegenaan. Ze had Grae's blik opgevangen toen hij opkeek om de kinderen te begroeten en naar ze te glimlachen, het was maar een schrammetje, maar op datzelfde moment had hij haar zien kijken en haar met een dreigende blik gewaarschuwd onder geen beding binnen te komen.

21

Max begon over Sea House te dromen. Soms beklom hij in zijn eentje de steile ladder en keek aan alle kanten omgeven door het water om zich heen, maar meestal was hij er, niet met Elsa zoals hij zou willen, maar met Gertrude, met haar hand in de zijne terwijl het verlangen heet kloppend zijn arm doortrok. Hij zwierf met haar door de kamers, kneep even in haar krachtige hand als ze samen genoten van het uitzicht en dan neerzonken op dat donzige bed – haar armen waren langer dan de zijne, haar grijze knotje kwam los en de krullende haarstrengen vielen als Brillo omlaag tot op haar middel. Soms werd hij wakker met een koude pyjama van het zweet, en probeerde het dan nog eens, probeerde in zijn slaap Elsa te vinden.

Maar vannacht zocht hij haar niet, maar bouwde aan een kast van schelpen. Er zaten kleine vakjes in, afgezet met saffieren, knaapjes van zeewier en parelmoeren laden. Kijk eens, riep hij en hij deed bewonderend een stap naar achteren, maar het was Helga die zijn hand vastpakte. Helga in haar groene jurk op de dag van hun verloving. Dat hadden ze op 21 juni gevierd met een feest, een midzomerfeest buiten, en zowel zijn moeder als die van Helga had een palingschotel gemaakt. De paling was gekookt in ui, bloem en water, en de grijze vleesbrokken dreven in het heldere kookvocht. Hij kon de korte eindjes skelet zien zitten, de knokkelige ruggengraat en de uitwaaierende vinnen, en voelde zijn mond omlaag trekken, elke keer als hij een vork vol in zijn mond schoof. Er was ook een zalm, zo zoet en oranje als drilpudding, die Helga's vader zelf had gevangen en gerookt, en er waren kleine ronde zonnebloem-Brötchen, knapperig bestrooid met zaadjes, het zachte deeg nog warm van binnen. Er stonden schalen met groenten in het zuur, kool, wortels en sperziebonen in azijn, en ze dronken bier en nadien kleine glaasjes dikke gele likeur. Ze hadden het feestmaal hun gemeenschappelijke achtertuin in gedragen, langs de weg en verder over het pad tot op het zachte zand van het strand. Helga's broer had naarstig rieten strandstoelen lopen inzamelen waar je met z'n tweeën in paste en na het eten had Helga haar gezicht naar hem toegewend – een zweem van de glibberige geur van gebakken ui nog op haar huid – en hem gezegd dat ze van hem hield.

Soms beklom Max de hele nacht de ladder en vouwde zijn handen telkens weer over een sport, maar ook al raakte zijn hoofd bijna het plafond, toch bereikte hij nooit de verdieping erboven. 'Liefste, ik heb je lief, ich liebe liebe liefste...' Hij kon de zacht splinterende woorden horen, en het was Elsa die ze fluisterde en wachtte tot hij zou verschijnen.

Hij zag Elsa nu dagelijks. Ze kwam aanlopen en ging naast hem zitten als hij zat te schilderen – eerst Sea House, daarna de paar hutjes die het drasland in weken. Ze zei niets over Klaus, maar hij wist van Gertrude dat er moeilijkheden waren met de bibliotheek – de tekeningen van een andere architect werden verkozen boven de zijne – en in de tussentijd ontwierp hij een balkon voor een dame in Pimlico opdat haar honden de twee trappen naar de straat niet af hoefden. 'Het is toch schandalig,' zei ze. 'Een man met zijn talenten.'

Elsa keek toe hoe Max zijn papierrol vulde met wit. Wit hout, witte wolken en het witte zand van de oplopende duinen daartussen. Hij was klaar met de tearoom en had ook de hoofden van de mensen erin geschilderd, het golvende uithangbord en de geraniums in de vensterbank. Hij overwoog de trap naar de kroeg op te lopen en het huisje te schilderen waar mevrouw Wynwell met Alf woonde, toen er langzaam een auto langsreed, behoedzaam manoeuvrerend over stenen en slik, en stilhield voor de trap van Sea House.

Er stapte een vrouw met een baby uit die aan één arm een peuter meetrok en toen verrees er een man aan de bestuurderskant die zich uitrekte. Er was nog een andere, iets oudere vrouw die de voordeur opentrok en ondertussen buitelden er nog meer kinderen als springveren achter uit de auto. Max liep op ze af. Eentje schreeuwde opgewonden bij het zien van een palingnet dat tussen de palen was opgehangen, en een ander, zag hij door de ruit in de voordeur, vloog de ladder op en sprong toen ongetwijfeld met laarzen en al op het opgemaakte bed.

De vrouw ging naar binnen en begon manden met eten uit te pakken, haalde kopjes van het buffet en controleerde met één vinger of ze schoon waren. Boven hem verscheen de jongere vrouw op het balkon met de baby tegen haar schouder geklemd en bleef daar staan terwijl haar blik zich uitstrekte over zee.

'Nee,' wilde hij haar toeschreeuwen. 'Dit is mijn huis.' Het was ook zijn huis. Hij had het niet eerder geweten. 'Elsa,' riep hij wanhopig – hij was vergeten dat ze al naar huis was. 'Elsa!' en pas toen zag hij de gezichten van de bezoekers, die hem verontrust opnamen.

Die nacht lag hij wakker in zijn stille kamer en dacht aan Käthe. Niet aan de stervende Käthe – aan haar probeerde hij niet te denken – maar aan de zus die ze al die jaren daarvoor was geweest. Vinnig en arrogant, slim, sterk, zijn redding, zijn veilige haven, die hem toen hij geïnterneerd zat elke week trouw had geschreven. Maar hoe stevig hij haar ook vasthield, ze verschrompelde in zijn armen. Ingeteerd, geel en gruwend van haar eigen schrale luchtje, had het haar elf maanden gekost om dood te gaan. Haar gezicht was een zilveren netwerk van lijntjes geworden, haar haar stug, haar pols een knokig bot. Max had haar een keer betrapt toen ze zichzelf bekeek in een ovaal spiegeltje, dat ze daarop snel wegmoffelde in het laken, en hij wist dat ze op dat moment net als hij aan hun moeder dacht tijdens haar laatste dagen op een slaapzaal in Buchenwald waar geen mens haar, koortsig en stinkend, had vastgehouden of verzorgd, geen mens zelfs maar haar naam had willen weten.

'Dat hadden we niet mogen laten gebeuren,' snikte Käthe tegen hem. 'We eten en lachen en denken er soms minutenlang niet aan.' Ze strekte haar hand naar hem uit en omklemde met kracht zijn arm. 'Dat mag je nooit geloven. Beloof je me dat?'

Max deed het licht aan. Aan de muur hing een spiegel, en hij keek erin. Nee, hij had niet het gezicht van zijn vader. Zijn vader was donkerder, breder, knapper dan zijn zoon, hoewel ze beiden dezelfde weerbarstige wenkbrauwen hadden, dezelfde bruine ogen en bleke huid. En dan hadden natuurlijk de schoenen van zijn vader met hun laag op laag van stevig, zwart leer hem een ongemakkelijke lengte gegeven.

Jos Meyer droeg deze schoenen, die hem van staatswege werden toegezonden, elk jaar een nieuw paar, of hij ze nu nodig had of niet. *Voor verwondingen, opgelopen bij de slag bij Loos. Eén paar schoenen, zwart, maat 42.* Jos Meyer, oorlogsveteraan, onderscheiden voor betoonde moed, tot christen gedoopt. Aanvankelijk genoten oorlogshelden nog een voorkeursbehandeling. Jos mocht zijn praktijk als advocaat blijven uitoefenen toen vele anderen hun licenties ingetrokken zagen worden, en de Meyers konden ongestoord op Heiderose blijven wonen. 'Waarom emigreren?' Ze hadden het er wel over gehad. 'Zo'n slecht leven hebben we hier niet. En om dan zomaar te vertrekken, zonder enig zicht op werk. Zonder enig vooruitzicht...' Ze hadden naar Max gekeken, al vierentwintig inmiddels, en hij wist dat ze zich afvroegen hoe hij zich zou redden, hun invalide zoon. Käthe was naar Engeland overgestoken en deelde een flat in Londen met een jonge vrouw, Gertrude Jilks, een verpleegster, en ze schreef hun regelmatig over haar werk als onderwijzeres en over haar liefde voor het vak.

En toen op een avond was Jos verdwenen. Hij moest tot laat in Hamburg werken en had beloofd de volgende dag vroeg thuis te komen, maar toen Max' moeder hem voor het slapengaan nog even had gebeld, werd er niet opgenomen. Ze belde nog een keer om twaalf uur en om drie uur en 's ochtends vroeg, en toen belde haar nichtje Marie om te zeggen dat haar eigen man, die bij de bank werkte, was opgepakt.

'Wat kunnen we doen? Kunnen we echt niets doen?'

Zijn moeder was wanhopig. Andere vrouwen en familieleden belden met het bericht dat ook hun man gearresteerd was, en met elk telefoontje was ze panischer geworden, alle argumenten om te blijven maalden door haar hoofd en ze vervloekte de list die ze niet hadden doorzien, dat hun leven net draaglijk genoeg was gehouden zodat ze niet zouden vertrekken. Die nacht werden in heel Hamburg joodse winkels vernield en geplunderd, synagoges werden in brand gestoken en niemand wist wanneer ze degenen die waren opgepakt terug zouden zien.

Maar op de avond van de tweede dag dook Jos weer op. 'Niets aan de hand.' Hij liep wat moeizaam op de buitenkant van zijn schoenen, zijn gezicht en hals waren grijs van de stoppels. 'Helemaal niets aan de hand.' Hij sliep wat, at iets, maar wilde niets loslaten. 'Nee.' Hij schudde zijn hoofd, en zelfs bij dat ene woord keek hij angstig om zich heen en legde een dik kussen over de telefoon, alsof de hoorn oren had. Later daalde hij af naar de kelder en Max zag hem planken uitzoeken om een kist van te maken. Hij zaagde en schaafde en beitelde, maakte zwaluwstaarten en schuurde de groeven glad tot hij een krat had.

'Jij gaat eerst,' zei hij tegen Max, en in de kist legden ze het onderstel, de poten en de twee gladde bladen van Max' tafel. 'Wacht.' Jos legde een hand op Max' arm, en hij kwam terug met de Renoir die in de woonkamer boven de schoorsteenmantel hing. Hij drukte het schilderij uit de lijst, verwijderde voorzichtig de kopspijkertjes waarmee het doek op het hout was bevestigd, en eenmaal plat, met opkrullende hoeken, schoof hij het doek tussen het tafelblad en de la. Het doek zat er mooi klem, paste volmaakt, pal boven Max' brieven. 'Käthe zal voor je zorgen tot wij er zijn.'

Twee jaar later had Max in een interneringskamp op het eiland Man ene Guttfeld ontmoet, die vroeg of hij soms familie was van de advocaat Joseph Meyer.

'Ja.' Max voelde zijn bloed stollen. 'Ik ben zijn zoon.'

'We zijn samen opgepakt,' vervolgde de man, 'in november 1938,' en hij vertelde hem wat er die nacht was gebeurd. Dat hij in bed had gelegen in zijn appartement aan de Esplanaden toen hij opschrok omdat er op de deur werd geklopt. 'Opendoen!' Het begon nog beleefd, de soldaten die hem naar zijn papieren vroegen en toekeken hoe hij ze weer opvouwde en wegborg, en toen dat achter de rug was, grepen ze hem beet en sleurden hem de trap af. Hij werd in een vrachtwagen geslingerd. Het was donker, maar hij kon anderen op de vloer zien liggen, op de plek waar ze waren neergekomen. Hij wist overeind te krabbelen en tot helemaal achterin te schuifelen voordat nog zo'n twintig, misschien veertig anderen naar binnen werden geduwd. Een aantal van hen struikelde over de metalen klep en sleurde ook degenen na hen mee in hun val, zodat toen de truck eindelijk de stad uit reed, deze vol zat met kreunende, gewonde mensen, te dicht opeengepakt om te kunnen staan. Het was bijna één uur 's nachts toen de vrachtwagen stopte.

'ERUIT.' Iedereen kwam in beweging. 'ERUIT! NU!' schreeuwden de soldaten, die er vaart achter begonnen te zetten en ze aan hun ledematen en haren naar buiten trokken en hen sloegen als ze neervielen tot ze moeizaam overeind kwamen. Guttfeld had al die tijd achterin gestaan en pas toen Joseph Meyer in het oog gekregen en herkend als de advocaat die een belangrijke zaak voor het textielbedrijf van zijn neef had gewonnen. Hij pakte hem bij zijn arm en sprong, en samen landden ze, op hun voeten, op de grond. Ze moesten nu lopen, steeds verder door het bos, minstens tien kilometer. 'Ik ben je vader toen uit het oog verloren,' zei Guttfeld, 'maar toen we eindelijk mochten halt houden, stond hij bij mij in de rij.'

Ze stonden op een open plek in het bos met rondom hoge, breed uitwaaierende naaldbomen. De neergevallen naalden lagen te rotten op de grond en alles was doortrokken van een zoete geur, klam, zwaar en houtig, in een verder stille nacht. Verderop konden ze het hek van een kamp zien. En toen kwam er een auto door de poort aangescheurd en sprong er een ss-officier uit.

'Hij liep heel langzaam telkens weer de rij af om ons te inspecteren en keek in ieder uitgeput gezicht. Ten eerste, zei hij, mochten we niets loslaten over wat er deze nacht was gebeurd, nog niet het kleinste detail, of we moesten willen dat onze dierbaren iets zou overkomen, en ten tweede moesten we alles in het werk stellen om te verdwijnen. "Verdwijn uit Duitsland."

Hij klikte met zijn vingers, en toen fluisterde er een man iets tegen zijn buurman, één woord maar, uit zijn mondhoek, en nog voor het wolkje van zijn adem was opgelost, klonk het bevel en werd hij uit de rij getrokken. Een soldaat gaf hem zo'n harde schop dat hij viel, waarop een ander naar voren stapte en op zijn gezicht stampte. Je kon het bot horen splinteren, zijn neus en jukbeen kraakten, en toen gaf de eerste man, die de smaak te pakken had, hem een trap in zijn zij. Zijn ribben knapten, hij kreunde, en toen ik weer keek, was de man dood. Iedereen stond nu met zijn kin omhoog, de borst vooruit, de ogen strak naar voren gericht. We stonden daar en ademden nauwelijks totdat het ochtend werd. Vogels begonnen te zingen, de takken van de bomen ruisten in de wind, en eindelijk, toen de zon opkwam, kwamen er karren en werd er soep uitgedeeld. Ik was dankbaar voor die soep, zo vreselijk dankbaar...'

Guttfeld draaide zich weg, walgend van zichzelf. En toen, er weer aan denkend. 'Je vader? Is hij hier?'

'Nee.' Max schudde zijn hoofd. Hij zag het kussen op de telefoon, stevig aangedrukt, alsof het volume ervan hun leven zou redden. 'Nee.' Zijn vader was niet uit Duitsland verdwenen, en op dat moment wist hij dat hij hem niet meer zou zien.

22

Lily vertrok toen de meisjes naar school waren. Ze wachtte tot ze het sputterende geluid van Grae's auto hoorde en bleef toen staan kijken hoe de auto zich om de hoek van de meent slingerde. Ze borg al haar werk snel in een map, haar aantekeningen en boeken en brieven, de tekeningen die Klaus van alle kamers had gemaakt. Ze griste haar eigen tekeningen bijeen, haar plan voor een uitbreiding van Lehmanns Heath Height Flats. Ze had een zonneterras annex promenade voor voetgangers ontworpen met ruimten waar kon worden gekaart, een doolhof met in de vorm van dieren gesnoeide buxushaagjes en centraal een fontein die uitliep in een helderblauw bassin. Er was een oerwoud van bamboe, een bosschage met oleanders en aan elke verdieping van het gebouw had ze een breed houten balkon bevestigd met een trap naar beneden.

De hele week had Lily Grae gemeden, en de meisjes waren vreemd genoeg weggebleven. Nu wierp ze een tas met kleren in de auto en met nog een laatste blik op de zee – de hoge, strakke lijn iets scherper op de plek waar hij de lucht raakte – reed ze achteruit het laantje af.

Het dichtstbijzijnde station was niet meer dan een spoorwegovergang met twee perrons en een withouten hek dat werd neergelaten over de weg. Lily parkeerde de auto op het parkeerterreintje voor forenzen en stak de spoorbaan over, haar pas iets versnellend toen ze tussen de rails stapte. Er stond niemand te wachten en even dacht ze hoopvol dat ze de trein misschien had gemist, maar toen klonk een hoog gezang als de roep van een meermin en met veel geflits van oranje lichten sloten de spoorbomen over de weg. De auto's in beide richtingen stopten en bleven even geduldig als pony's achter een hek staan wachten, en daar kwam de trein al fluitend in zicht. Lily schoof op een bankje aan het raam. Er waren maar drie coupés en ze had de hare helemaal voor zichzelf. Snel, voor ze wegzonk in een roes van velden en bomen en vlakten, sloeg ze de map open en trok er wat papieren uit. Samen met de brief van Nick.

Lieve Lily... Ze had de brief al meerdere malen gelezen, maar kon hem nu onmogelijk wegleggen. *Het contract is binnen! We hebben negen maanden fulltime werk! Ik ben dolblij, Tim is dolblij. Zou jij niet ook een heel klein beetje blij kunnen zijn? Blij genoeg om naar huis te komen en de koffie te zetten? Maar serieus, we kunnen moeilijk iemand aannemen die niet over de juiste papieren beschikt. Ben je kortom van plan hierheen te komen en je presentatie te doen of heb je gesolliciteerd naar een baantje als barvrouw in The Ship? Ze hebben je hard nodig, zoveel is zeker, maar er zijn anderen die je nog harder nodig hebben. Ik verwacht je dit weekend, tenzij de buurman met de losse handjes je in gijzeling houdt, in dat geval wens ik je veel succes. Dus tot ziens, liefs, Nick.*

Lily las de brief nog een keer. Hoe vaker ze hem las, hoe sterker de aandrang werd hem nóg een keer door te nemen in de hoop iets tussen de regels te lezen. *Er zijn anderen die je nog harder nodig hebben.* Dat duidde vermoedelijk op Nick, of bedoelde hij het restaurant in Covent Garden waar ze jarenlang serveerster was geweest? Uiteindelijk schoof ze de brief weg. Morgenochtend was de presentatie. Ze sloeg haar eigen map open en bekeek haar tekeningen, bedenkend hoe ze die op de academie aan de muur zou prikken, hoe het eruit zou zien, hoe ze haar visie zou ontvouwen, een vriendelijke, duurzame uitbreiding van Lehmanns wereld. Ze bladerde haar aantekeningen door, de namen en jaartallen en theorieën, omcirkeld en aangekruist en onderstreept. Lijstjes en kaders, hoofdletters en uitroeptekens, pijlen naar haar vondsten. De trein tufte langs een dorpje aan een riviermonding, witte zeilen klapperden in de wind, de rimpelingen in het water tekenden zich zo scherp, zo stevig af dat ze van zand leken. Lily drukte haar gezicht tegen het raam. Nog even en ze waren in Ipswich, waar ze zou overstappen op de lange, slanke intercity. Ze werd zenuwachtig bij de gedachte weer in Londen te komen, de metalen trappen naar de metro af te dalen, thuis de zware benedendeuren open te duwen en de klik te horen waarmee ze weer in het slot vielen.

Voor haar gemoedsrust pakte ze de brieven van Lehmann. Hij was terug in Hamburg en schreef Elsa vanuit hun leeggehaalde huis, en Elsa woonde blijkbaar in Londen waar ze op een kamer in de buurt van Goodge Street op hem wachtte.

Mijn kleine Londense El,

Het is niet eenvoudig iets over mijn vorderingen hier te melden, aangezien daar nauwelijks sprake van is. De man van de emigratiedienst zei dat hij mijn aanvraag heeft goedgekeurd, maar nu de papieren nog moet terugkrijgen van de hogere instantie aan wie hij ze zelf drie weken geleden heeft opgestuurd! Ik plofte haast van ongeduld. Ik heb geluncht met je mama, die de brief voorlas die ze net van jou had ontvangen. Ze was er zo blij mee, maar ik was geschokt zoals jij je situatie schetste. Het is een kwestie van een paar weken, dat weet je toch? Je briefje aan mij vandaag bevatte ook al een misverstand. Je vroeg me onlangs of ik je niet al half vergeten was, en ik reageerde grappend: 'hooguit de kleinste helft'. En dat neem je nu voor feit aan. O, Elsa, hoe krijgen we je nou gelukkig? Nou, alsof ik dat niet weet, en je mag de moed niet opgeven, hoor. Heb je ondertussen wel aan je Engels gewerkt? Er is een nieuwe methode, Basic English, die je volgens mij zou moeten proberen. Ik wil je weer zien, met alles erop en eraan, heel snel en goed geluimd. Ik hou van je, vergeet dat niet. Je L.

Hebt u ooit 'Ik hou van je' gezegd zonder het te menen? Het was een vraag uit een lijstje in de krant dat Lily soms las. 'Nee, nooit,' was het gebruikelijke antwoord waarin altijd een zekere eigendunk doorklonk, vond Lily. Ze moest altijd denken aan hoe vaak zijzelf die woorden had misbruikt. Ze had ze willen zeggen om te zien wat het met haar zou doen als ze echt verliefd was, maar de eerste keer had de jongen bij wie ze altijd een vreemde, krachtige wezenloosheid had gevoeld haar schokkend genoeg verbaasd aangekeken. 'Ja,' zei hij, 'ik ook van jou,' en Lily voelde het aarzelende begin van een ongelovig lachje. Dominic, zo heette hij. Dominic Barton, en het had haar twee maanden gekost, tot in de week van haar vijftiende verjaardag, om zich van hem los te weken. Ze zou het niet meer doen. Ze zwoer dat ze de woorden niet meer in de mond zou nemen, maar merkte dat ze onweerstaanbaar waren. 'Ik hou van je,' had ze gezegd en daarbij neergekeken op de gladde, witte borst van een jongen die in het laatste jaar keramiek van Camberwell zat, en terwijl ze ze uitsprak, dacht ze al: zou het niet geweldig zijn als het waar was?

Maar toen ze Nick leerde kennen was alles anders en ze begreep dat pas als je echt van iemand hield, die woorden niet zo makkelijk meer uit te spreken waren. Zij zou op haar beurt wachten. Hij zou er niet bang voor zijn. Het was Nick ten slotte die haar door Noord-Londen had geloodst, haar voor het gebouw van Lehmann had laten stoppen en haar had gezoend toen de lampen aanflitsten. Hij kon elk moment zeggen dat hij van haar hield, en eenmaal verlost zou haar eigen verklaring zo naar buiten rollen. Lily wachtte het hele eerste jaar. Ze stelde zich voor, soms wel elke dag, dat hij op het punt stond het haar te vertellen, haar de woorden over het hoofdkussen toe te fluisteren, te verstrooien tussen de waterdruppels als ze samen in de regen stonden. Ze meende ze te horen fluiten toen ze in de herfst Kite Hill af wandelden, en toen op hún dag, precies een jaar nadat ze voor het eerst hadden gezoend, had ze moed gevat en de woorden in zijn oor gezucht. Nick kneep in haar schouder, glimlachte en greep toen geschrokken van het plotselinge gerinkel naar de telefoon.

De maand later trok Lily bij Nick in. Er was niet om gevraagd, er had geen instemmend gejuich geklonken toen ze zei dat ze graag kwam, alleen de overweging dat toen haar huurbaas de huur verhoogde ze eigenlijk beter haar spullen bij hem kon stallen. Ze hadden overlegd waar ze haar schilderijen kon laten, haar kleren, haar waszak, zelfs het zakje met watten en ergens tussen hun plannen door om de klerenkast uit te breiden tot aan de hoek van de kamer was ze vergeten dat er iets niet was gezegd.

Mijn El,

Vandaag opnieuw een hoop ergernis en ellende ondervonden door mijn aanvraag. Mijn papieren zijn teruggezonden naar de hogere instantie! Een acuut telefoontje leverde me een nieuwe afspraak voor morgen twaalf uur op, wat het proces vermoedelijk alleen maar zal ophouden. Ik zal dus op z'n vroegst pas vrijdag langs het ministerie kunnen. Als alles goed gaat, zend ik je een telegram. Het is niet zo eenvoudig meer om kalm te blijven. Het is al twee dagen hondenweer en er vallen zulke buien dat je zou denken dat mama en papa uit Berlijn over waren! Vandaag is het beter, maar ik heb mijn winterjas bij Zirkov gebracht om hem te laten stomen en repareren. Heeft ten minste iemand baat bij mijn verblijf hier.

Voor eeuwig je L.

Lily drukte kort op de bel om even te waarschuwen terwijl ze naar haar sleutels zocht. 'Nick?' riep ze de gang in, maar er was niemand thuis. Lily bleef staan en keek om zich heen. 'Nick?' zei ze nog eens voor de zekerheid, en ze moest bijna blozen toen ze zag hoeveel hun huis op hem leek. Lang en sober, met gladde lichte planken op de vloer, witte muren en een keuken die in al zijn efficiëntie aan een schip deed denken. Alles werd door staalblauwe deuren aan het zicht onttrokken, zodat als je een theelepel zocht, of de koelkast, je geen idee had waar je moest zoeken.

Lily deed haar schoenen uit en zette haar tas op de grond. Ze

voelde zich opeens stoffig en verhit. Er zat zand tussen haar tenen en aan haar schenen kleefden nog sporen van goudglan-
zend stuifmeel. Haar schoenen deden op de kale planken denken aan een Van Gogh. Ze schonk zich een glas water in en be-
wonderde de kracht waarmee het water uit de kraan spoot, het
gewicht van het gladde glas, het smetteloos stalen aanrecht-
blad, alsof het allemaal nieuw was voor haar.

Er was geen ruimte in de flat voor een bad, alleen voor een
douche in een glazen toren in de hoek van de slaapkamer. In
Fern Cottage was ze gewend in een plas roestig water te liggen
dobberen en dromen en nergens aan te denken, maar hier in de
koker van Nicks douche voelde ze haar lichaam laaiend tot leven komen. Haar schouders met strepen in alle tinten bruin
leken te zuchten en steunen onder de harde stralen, en ze lachte toen ze haar benen zag, de dijen nog bleek, maar daaronder
steeds donkerder tot aan haar voeten. Het gezicht dat haar vanuit de badkamerspiegel aankeek, zat vol gouden zonnesproet-
jes en ze bedacht dat ze in al die weken van huis haar uiterlijk
niet had kunnen ijken. Dit was de spiegel waarnaar ze zichzelf
beoordeelde, de spiegel waarin ze geloofde, de enige ware in
haar optiek, alsof iedereen op de hele wereld haar bezag door
dit raam.

Ze wikkelde een dikke, witte handdoek om zich heen en
ging op bed liggen. De schoonmaker moest vandaag zijn geweest, alles was zo keurig opgevouwen, gladgestreken en aan
kant, en alleen haar oude lampenkap met kraaltjes en een wat
rafelig ruche duidde erop dat één kant van het bed van haar
was. Ze deed haar ogen dicht en liet de geluiden van de straat
beneden naar haar opdwarrelen, het geronk van de auto's voor
het stoplicht en van achter het raam het gekwinkeleer in de
enige boom van de hele straat. Nick was waarschijnlijk nog aan
het werk, dacht ze gapend en keek even op de klok terwijl de
metro op de rails achter de huizen aan de overkant langsden-
derde en de hele kamer liet schudden. Ze zou eigenlijk moeten

opstaan, de klerenkast openschuiven, haar achtergebleven kleren weerzien en zich aankleden. Nick bleef ongetwijfeld lang doorwerken, bleef nu vast altijd lang doorwerken. Negen maanden, had hij geschreven, en ze wist dat dat een jaar betekende. Lily sloot haar ogen. Motoren, fietsen, auto's, klikklakkende hakjes, geschuifel van slippers, piepende banden. De doffe dreun van een deur die beneden dichtviel, en in de luwte van de stilte die daarop volgde, viel Lily in slaap.

'Waar zal ik ze neerzetten?' klonk de stem van een vrouw, en toen een andere, lagere stem – niet die van Nick, of Tim: 'Zet daar maar neer.'

Lily ging rechtop zitten. De handdoek om haar heen was klam geworden en op de grijsgeblokte sprei tekende zich als een schaduw de indruk van haar lichaam af.

'Okido.' Weer die schelle stem, gevolgd door het vertrouwde metalige klikje van de voordeur. Lily keek op de klok. Het was even na zessen, ze had het koud. Vlug glipte ze uit de handdoek, schoot in Nicks donkere badjas, en uiterst behoedzaam en zachtjes opende ze de deur. Eerst hoorde ze niets, maar toen ze de gang in stapte, hoorde ze iemand bezig in de keuken: voeten die over de tegels gleden, dichtklappende kastdeurtjes die nog even bleven natrillen. Ze rekte zich zo ver mogelijk uit om iets te kunnen zien, toen de voetstappen rechtsomkeert maakten en gedecideerd haar kant opkwamen. Ze schoot de slaapkamer in. Er lag een hoopje slappe, gedragen kleren van haar op de vloer, en energieker dan nodig raapte ze ze op en smeet ze uit zicht. De paneeldeur van de kast gleed moeiteloos open en daar hingen rokken en jurken, een winterjas boven schoenen. Op een rij planken daarnaast lagen Nicks overhemden. Allemaal in het plastic, de borst vooruit, de knoopjes dicht en met hun armen als knipmessende obers achter zich gevouwen. Lily pakte er eentje – het plastic was zo nieuw dat het schitterde – en terwijl ze ernaar keek, dacht ze aan het sinaasappelkistje met speelgoed in de hoek van de kamer bij Grae, de poppen en afgekloven teddyberen, de stukken Lego die erin waren gekwakt.

Lily stond op haar tenen haar kleren langs de rails te schuiven en bij elk kledingstuk schoot haar weer te binnen waarom ze het nooit had gedragen. Te strak, te kort, te lang. Te flodderig, te laag uitgesneden, maar allemaal net niet hopeloos genoeg om weg te doen en daarom hingen ze er al jaren. Uiteindelijk koos ze een zwartlinnen broek die kreukte zodra je ging zitten en een blouse die je om je middel strikte. Ze had de blouse al heel vaak aangepast. Op het hangertje zag hij er prachtig uit met die stippen en mouwloos, maar toen ze hem dichtstrikte liep ze al met haar vinger langs andere kleren. Ze ving een glimp op van iets wits en net toen ze zich uitrekte om dat eruit te lichten, ging de telefoon.

'Holly. Met Nick.'

Wie was Holly in vredesnaam? 'Nick, met mij.' Of was hij haar naam soms vergeten?

'Lily! Wat doe jij...?' Hij hapte naar adem, letterlijk, alsof het laatste bericht dat hij van haar had ontvangen luidde dat ze op zee was zoekgeraakt. 'Sorry, ik bedoel, ik ben gewoon...' Hij begon te lachen. 'Je bent er weer. Fijn. Welkom thuis.'

'Waar ben je?' vroeg Lily. 'Ik wilde juist naar je toe komen.'

'O... Doe maar niet.' Nick klonk afwezig. 'Zeg, is ene Holly bij jou? Die moet ik even hebben.'

'Best mogelijk.' Lily stak haar hoofd om de deur en riep.

'Ja. Ik kom,' kwam een stem terugdrijven, en Lily wachtte tot de kraan in de keuken was uitgedraaid, een kastdeurtje dichtklikte, en daarop verscheen zachtjes ruisend een meisje met lang blond haar in de gang. Ze glimlachte toen ze de telefoon aannam. 'Honderd glazen, ja,' zei ze terwijl ze doodstil stond. 'Nee, Pauline wacht ze beneden op. Natuurlijk, ik doe alleen de bagels.' Nick moest iets hebben gezegd, want er verscheen een glimlach op het gezicht van het meisje. Alles aan haar glimlachte, haar lichaam dat lichtjes zwaaide, haar heup die één kant op wiegde. Lily staarde – de stroopkleurige lokken in haar haar, de opbollende, gladde ronding van haar buik boven de band van haar spijkerbroek. 'Oké dan, verder nog iets?' Lily stak verwachtingsvol haar hand uit. 'Goed, zie ik je straks.' Holly drukte op de knop en nog altijd glimlachend overhandigde ze haar de zwijgende telefoon. 'Dankje,' zei ze en draaide zich toen om op de hakken van haar sandalen en liep weg.

Woedend draaide Lily snel het nummer. 'Nick?' Maar het was Tim. 'Ha die Lil,' zei hij. 'Waar ben je?'

'Ik... in Londen, thuis. Is Nick daar?'

'Nee, eens even kijken. Die is... zo'n halfuur geleden weggegaan. Zeg, wil je een mop horen?'

'Nou...?'

'Komt een vrouw in het ziekenhuis in Ipswich. Daar moet ze gelijk door naar de röntgenafdeling. Ze wordt onderzocht, aan wat testjes onderworpen en hup, in bed gestopt. Roept ze 's avonds naar de dokter: "Maar ik kwam alleen maar even zeggen dat mijn vriend niet kon komen."'

'Ha, ha.'

'Wat noteert een dokter in East Anglia na een patiënt te hebben gezien die niet kan lezen en schrijven?'

'Geen idee.'

'NVS.' Tim begon te lachen. 'Normaal Voor Suffolk. Is echt waar. Dat is een medische term.'

'Ik probeer z'n mobiele nummer wel.'

'Tot later dan,' en nog altijd grinnikend hing Tim op.

'Nick?' Lily had hem te pakken gekregen. Hij klonk buiten adem. 'Waar ben je?'

'Hier.'

'Wat bedoel je?'

'Nou, hier,' zei hij en op dat moment hoorde ze het slot rammelen. Lily liep door de gang met de telefoon tegen haar

oor gedrukt. 'Hoe is het met je?' vroeg ze toen hij zich binnen-
liet door met zijn schouder de deur open te duwen.

'Prima.'

Ze kon nu zijn glimlach zien, zijn mond de woorden zien
vormen, en in zijn gekromde linkerarm lag een grote bos bloemen. Donkerrode rozen, windsels van knoppen, een caleido-
scoop van spiralen, minstens honderd die tot één solide massa
waren samengepakt.

'Hallo,' zei ze terwijl ze haar telefoon uitschakelde en juist
toen ze op hem afliep om hem te omhelzen, zijn elleboog, het
gekreukte papier om de bloemen, kwam Holly aanglijden vanuit de keuken en rolde hij het hele pakket zo in haar armen. 'Ik
zal ze even in een vaas zetten,' zei ze en ze liet Nick en Lily alleen.

Nick keek haar aan. 'Hallo,' zei hij en keek even naar de stoffige tas die op de grond was achtergelaten en de gang versper-
de. Hij trok een wenkbrauw op. En dat laat je daar zo liggen?

Lily rekte zich glimlachend uit voor een zoen. 'Fijn je te
zien,' zei ze, maar haar zoen was kil. Ze pakte haar tas, griste
haar schoenen van de vloer en holde naar de slaapkamer, waar
ze de kast opentrok en de heleboel erin smeet. Eén schoen
landde tussen zijn overhemden, de andere kwam ondersteboven neer. Schuldbewust deed ze een stap naar achteren en keek
achterom, maar Nick was in de keuken, ze hoorde hem tegen
Holly praten en het geschraap van een stoel toen hij tot boven
op de kasten moest reiken om de vazen te pakken.

'Kan ik iets doen?' vroeg ze in de deuropening, controlerend
of alle knoopjes van haar blouse wel dichtzaten. Holly had het
papier opengevouwen en de groene, natte stelen van de rozen
rolden uit over het aanrecht.

'Lily,' nodigde Nick haar binnen. 'Ja. God. Ze zullen hier
met een halfuur zijn.'

'Ze?' Ze knikte naar Holly. 'Hoi, we hebben nog niet echt
kennisgemaakt.'

'We wilden iets van een feestje geven, om het contract te vieren, een paar mensen maar...'

Holly knipte de stelen bij, riste de bladeren eraf en zette ze in water. 'Hallo,' zei ze.

'Nick, ik heb morgen een belangrijke dag.'

Nick keek haar onbewogen aan. 'Tja,' zei hij. 'Het is nou te laat.'

Lily voelde haar maag samentrekken. 'Wat bedoel je?'

Maar hij had zich alweer omgedraaid naar Holly, en samen liepen ze het lijstje af van dingen die nog moesten gebeuren. 'Goed, Pauline komt met de wijn. Bloemen, eten, servetjes, asbakken? Ik denk dat we alle ramen maar open moeten zetten. Lily?' Maar ze was al bezig de kozijnen te ontgrendelen.

Een halfuur later was het rumoerig in de kamer. Er stonden her en der schalen met bagels met gerookte zalm en bakjes met groente-chips, pistachenootjes en gedroogde abrikoosjes. Waar het maar even kon waren de bloemen neergezet. Ze zagen er feestelijk uit met dat groen en rood, het had wel iets van Kerstmis.

Tim was nu al aangeschoten. 'Je ziet er fantastisch uit,' meldde hij Lily met stralende ogen en een slaphangende mond. 'Dat moet NVS zijn.'

'Het komt wel goed,' zei Nick om halftien, 'ze gaan zo weg, ze moeten toch eten.' Maar om halfelf begon Holly tosti's te maken. Ze kieperde de broodtrommel om en plunderde de koelkast, en allemaal liepen ze kirrend om haar heen en bleven hun bord maar ophouden.

Lily liep naar de slaapkamer en haalde haar tas weer te voorschijn. Mistroostig keek ze even naar wat erin zat, de map met tekeningen, haar aantekeningen en boeken en pennen. Het was nu toch al te laat, Nick had gelijk, maar met een laatste restje hoop stapelde ze alles op het nachtkastje, zo dicht mogelijk bij het bed. De kans was klein, maar misschien zou de inhoud haar doortrekken en in de loop van de nacht op ideeën brengen.

Uiteindelijk bleven ze met hun vieren over. Zij en Nick, Holly en Tim. 'Op ons.' Tim hief het glas. 'Op mij!' En nog altijd lachend vielen zijn ogen toen dicht.

'Ik ga maar eens,' zei Holly. 'Ik neem hem wel mee.'

'Je bent geweldig.' Nick stond op van de bank. 'Hoe hebben we ooit zonder je gekund?'

'Nou?' vroeg ze, en met een knikje in de richting van Lily hees ze Tims arm over haar schouder en manoeuvreerde hem naar buiten.

'Zo, hoe lang is zij al...? Ik wist niet dat je iemand had aangenomen.'

'Pas deze week.' Nick pakte haar hand. 'We konden niet langer wachten, we hadden iemand nodig, snap je?'

'Ja,' zei Lily. 'Je had echt iemand nodig.' Ze lag tegen hem aan wat te peinzen en wachtte, luisterde naar de muziek die Holly had opgezet, een lange en zuivere jazzy fluittoon. Uiteindelijk verloor ze alle gevoel in haar arm. 'Nick?' zei ze, maar toen ze zich omdraaide om naar hem te kijken, zag ze dat hij in slaap was gevallen.

23

Max stond met een groen koffertje naast zich op het centraal station van Hamburg. Diep weggeborgen in de zak van zijn jas zat een portemonnee met de toegestane tien mark. 'Zoek maar alvast een huis voor ons,' zei zijn vader. 'Wij komen binnenkort.' Overal fluisterden mensen hetzelfde. Binnenkort. Het woord leek langs de rails te glijden en tot over de rand van het grijze perron te klimmen. 'Binnenkort, binnenkort.' Max keek om zich heen naar de reisleiders die hun klembord ophielden en iedereen op hun lijst aankruisten.

'De oplichters van de beurs, slavendrijvers van de natie...' Het lied van de nazi-jeugd speelde door zijn hoofd toen de bleke, te dik ingepakte kinderen instapten. 'Als het bloed van de joden van het mes spat' – Max had de woorden zien opwellen in hun marcherende monden – 'dan zal alles beter worden.'

'We komen alleen als het echt niet anders kan.' Nee. Max schudde met zijn hoofd. Maar hij wist dat zijn moeder aan hun tuin dacht, het bos achter de vijver. De trap en de overloop, de zolderramen met uitzicht over de velden. 'We zullen er voor jou op passen.' Hij zag de ingehouden tranen een vlies over haar ogen trekken.

Max stapte in de trein. Hij zat nu op een kluitje met de oplichters en de slavendrijvers en stelde zich voor dat Helga naar hem keek, haar bitse gezicht tegen de ruit gedrukt, opgelucht.

Hij kwam bij een raampje en rekte zich uit om zijn moeders wang aan te raken en precies op dat moment schoof de wijzer van de klok aan het stationsdak schokkerig in positie.

'Doe Käthe de allerhartelijkste groeten van ons.' Ze strekten zich beiden naar hem op, en daarop moest het fluitje hebben geklonken. Max voelde het door zich heen snerpen en tegelijkertijd gingen alle monden op het perron van schrik open, als bij een enorme vogelmassa. Max zag het geluid, de uitgerekte halzen en de vingers, en toen zette de trein zich in beweging. De gezichten vervaagden, witte vlekken tegen het zwart van hoeden, en de kinderen in de coupé keken om zich heen alsof ze niet echt hadden verwacht dat de trein zou wegrijden.

Max strompelde naar zijn plek. Naast hem zat een jongen met een viool, zijn witte vingers op het canvas van de hoes. Hij was nog heel jong, hooguit twaalf, maar toen Max zijn blik ving, zag hij een flikkering van opwinding. 'Ik ben nog nooit in Groot-Brittannië geweest,' zei hij toen Max ging zitten, en hij haalde diep adem.

Max nam een slokje thee en vroeg zich af wat er van die jongen was geworden. Walter Lampl, onderweg naar Kent. Daar was een school speciaal voor vluchtelingen. 'Mijn ouders,' had Walter hem verteld, 'komen binnenkort ook. En als ze me niet...' – even werd hij overvallen door twijfel – 'niet mee naar huis kunnen nemen, dan kunnen ze op de school werken. Mijn moeder geeft pianoles en mijn vader...' Wat zou Walters vader kunnen doen? 'Mijn vader zou kok kunnen worden.' Walter Lampl was prettig gezelschap geweest in die trein en had af en toe wat verteld, vaak geglimlacht en maar één keer gehuild toen ze bij Hoek van Holland kwamen en daar een groot wit bord zagen waarop *Help de Duitse joden* stond. En Max had hem moeten vasthouden bij zijn arm toen ze het plankier van de boot opliepen.

'Goedemorgen. Ik kom me alleen even omkleden.' Vanochtend zou de tentoonstelling over lokale geschiedenis opengaan en Gertrude was al vanaf zes uur op.

'Thee?' Max kwam half overeind om een tweede kopje te pakken, maar Gertrude was al bijna bij de trap. 'Nee, daar heb ik geen tijd voor.'

Toen ze weer beneden kwam, droeg ze een fleurige, strakke zomerjurk – heel iets anders dan de grote pakken met knoop-sluiting waar ze anders in liep. Ze stond voor de spiegel in de gang. 'Nou...' Ze had haarspelden in haar mond en hield haar hoofd schuin. De woorden kwamen er scheef uitrollen, hij kon er onmogelijk wijs uit worden. 'We hebben zeventien Victoria Sandwich Cakes, ruim dertig vlindertaarten, een heel blad met kaasscones, nog een blad met cakejes en er komt nog meer aan!' Toen haar ogen zijn kant op dwaalden, zag ze dat hij in-gespannen stond te kijken, maar ze bruiste van opwinding en kon niet ophouden. 'En wij ons maar drukmaken dat er niet genoeg zou zijn! Maar goed, Mavis en Peter smeren broodjes, daar stonden ze op, en ik zet zo de theeketel op het vuur. Zeg, het is bijna tien uur.' Ze draaide zich om naar Max. 'Loop je mee?'

Max gebaarde hulpeloos naar zijn halfvolle kopje thee.

'O, alsjeblieft? In mijn eentje ga ik vast hollen. Stel dat ik mijn enkel verzwik?' Even was ze intens tevreden met haar sterke lichaam. 'Ik wil de komende drie dagen niet rondstrom-pelen.'

Max en Gertrude liepen naar de Gannon Room. Max leek op de een of andere manier kleiner, zo met lege handen, zonder rug-zak, zonder papierrol. 'Gaat het?' vroeg Gertrude glimlachend, in de hoop dat haar goede stemming aanstekelijk zou werken, maar Max boog zijn hoofd. Het was een bewolkte dag, de lucht was somber bleekgrijs en toen ze bij de meent kwamen, begon het te regenen. Dunne, warme druppels die ver uiteen als speren neervielen. Niet genoeg om mensen thuis te houden, hoopte Gertrude, maar wel genoeg om een paar verloren zielen binnen te krijgen.

Al behoorlijk wat mensen drentelden rond bij de Gannon Room, maakten een praatje en wachtten tot het halfelf was.

'Je kunt wel met mij mee naar binnen als je wilt,' fluisterde Gertrude. 'Daar zit niemand mee.' Waarom behandelde ze hem als een kind met die kleine attenties van haar, net als Käthe altijd gedaan had?

'Nee,' zei Max. 'Ik wacht wel.' Hij klopte op zijn zak om aan te geven dat hij kleingeld bij zich had.

Elsa en Klaus stonden onder een boom te schuilen. Max liep naar ze toe. 'Hoe is het in Londen?' Max dwong zichzelf iets te zeggen.

'Onmogelijk.' Klaus schudde zijn hoofd. 'Een dwaas van een voorman, werklui die twee uur schaften. Hoe kunnen we dan ooit opschieten?' Elsa keek naar de grond. Over haar schouders hing een beigegrijs vest met een geborduurde rand en onder de zachte, wollige plooien hing haar arm koel omlaag, vlakbij. 'Onmogelijk, onmogelijk.' Toen begon Klaus te lachen. 'Genoeg. Geen woord meer daarover. Heb ik beloofd. Nietwaar, El lief?' Elsa stak haar arm door de zijne en klemde hem even tegen zich aan.

'Nee, dan jij...' Hij had het tegen Max. 'Jij hebt het verstandig aangepakt. Jij hebt voor een actieve vakantie gekozen. Elsa vertelt me dat je het hele dorp schildert. Als het af is, wil ik het graag eens zien.'

Op dat moment gingen de deuren van de Gannon Room open en iedereen tastte naar de twee pence waarvoor je naar binnen mocht. 'Ja, natuurlijk,' zei hij terwijl ze naar voren liepen. Hij bedacht dat Elsa moest zijn vergeten te zeggen dat hij hun huis had weggelaten.

De zaal had een metamorfose ondergaan. Een lange rij tafels slingerde zich door de ruimte, en op ieder mogelijk plekje stonden voorwerpen, keurig gerangschikt en voorzien van een kaartje. Her en der waren piepkleine bosjes bloemen neergezet. Grasklokjes, brem, melkkruid en dopheide, tormentil, wilde roos en gaspeldoorn. Ze stonden allemaal apart in glazen bakjes, medicijnflesjes, sherryglazen en potjes.

Max strekte zijn hand uit naar een verzameling munten. Sommige waren puntgaaf, zonder een kras of deukje, andere daarentegen waren beschadigd, groen en wit uitgeslagen. *Niet aankomen a.u.b.* Er stond een bordje in het midden en Max week achteruit – hij moest het gewicht van elk voorwerp in zijn hand voelen om het te kunnen zien.

Op de volgende tafel stond een paar klompen. Van bleek hout, met rood versierd, maar de ene was net iets groter dan de andere. Max zag ze over het water dobberen met kleine mastjes die uit het voetbed omhoogstaken, maar het kon evengoed dat ze waren achtergelaten door een toeristenfamilie en een dag later in de branding waren gevonden.

Max liep een eindje door en kwam toevallig naast Elsa te staan. Ze las een kopie van een overeenkomst uit 1577 waarin de pont vergunning werd verleend om op pachtbasis de rivier te bevaren. Max tuurde naar de woorden. Hij zag wel dat het Engels was, maar met zoveel extra krullen, afkortingen en sierlijke halen dat hij maar doorliep naar waar Gertrude het bewind voerde over een tafel met een mollenval en een draaispit. Achter haar werd door een luik thee geserveerd. De grote cakes waren in plakken gesneden en op krijtgroene bordjes gelegd, op de scones en cakejes was boter gesmeerd. Er stonden vier kaarttafels met linnen tafelkleden en mevrouw Wrenwright van de pottenbakkerij drentelde die kant al op met in haar ene hand een sandwich met ei en waterkers, en in haar andere een kopje thee.

Klaus bekeek een kopie van het Doomsday Book. Hij stond het aandachtig te bestuderen terwijl allerlei mensen om hem heen drongen en doorliepen. Max stond voor een scherm met foto's en bijna alsof hij haar naar zich toe had gelokt, kwam Elsa weer naast hem staan. Samen keken ze naar een afdruk van de oude veerman voor zijn hut, met wat stijfjes naast hem zijn pezige kleinzoon, die nu de veerboot roeide. Beneden aan de haven stond een groep vissers, hun profielen prachtig in zwartwit, met wollen kleppetten waarop het gevlochten koordje haarscherp oplichtte.

Max ging aan een tafel zitten terwijl Elsa thee ging halen en tijdens het wachten sloot hij zijn ogen voor de beelden van Heiderose, het gezicht van de tuinman met zijn volle snor, de meisjes die op de boerderij werkten en hun haar in vlechten op het hoofd droegen. Wat zou er van Georg zijn geworden, vroeg hij zich af, de jongen die altijd uit Rissen kwam fietsen met de post, of van het jongetje van de timmerman die de boterham met jam die ze hem gaven altijd in het borststuk van zijn korte broek stopte? 'Ik heb voor jou een cakeje meegenomen.' Elsa zette de kopjes op tafel en Max, die elk plaatje weer opriep, herinnerde zichzelf eraan dat zelfs een kind met lederhosen nu symbool stond voor bederf en haat.

24

Op zondag stelde Nick voor naar Hyde Park te gaan. Lily lag op
bed te lezen om even niet meer aan de academie te hoeven denken. Al die heibel voor een plekje om haar tekeningen op te
hangen, de drommen mensen, de verwijtende blik van haar leraar toen ze hem op de trap tegenkwam. Waarom, had hij gevraagd, had ze nooit gereageerd op zijn e-mails?

'Nick.' Ze ging rechtop zitten. 'Gaat het wel?'

'Ja.' Hij klonk boos.

'Ik bedoel...' Lily glimlachte vastberaden. 'In al die jaren dat
ik je ken, heb je niet één keer voorgesteld naar het park te
gaan.'

Nick keek haar aan. 'En dat komt' – hij sprak langzaam, alsof hij er driftig op had zitten broeden – 'omdat nog voor ik de
kans krijg, jij het meestal al hebt voorgesteld.'

Ze keken elkaar koeltjes aan.

'Goed,' zei ze. 'Gaan we.'

Hyde Park was stoffig en droog. Er waren plekken waar de
aarde blootlag, ovale stukken harde, kale grond waar te veel
mensen bij een partijtje slagbal rond het eerste honk hadden
gehangen.

'Ik denk erover,' zei Lily terwijl de broze grasprieten onder
haar voeten knerpten en knakten, 'om het huisje aan te houden. Het is eigenlijk zonde om op te geven, nu ik bijna klaar

ben met mijn werk. We kunnen er de hele maand augustus zijn, of jij kunt langskomen als je vrij hebt?'

Nick bleef doorlopen, zijn ogen strak op het meer gericht. 'Hoe denk je dat te betalen?'

'Ja, ik weet het.' Lily wilde het hem niet vertellen. Maar ze had vorige maand al naar de bank geschreven en een lening afgesloten.

'Ik snap het niet.' Hij keek fronsend, alsof hij moeite deed om iets te zien dat Lily ontging. 'Je moet toch ervaring opdoen, we zouden je zelfs betalen. Niet veel, dat is waar.'

'Ja.' Lily voelde zich verdrietig. Ze waren nu bijna bij de grote vijver en nog altijd hoorde ze het razende verkeer op Park Lane. 'Misschien neem ik wel een zomerbaantje in Steerborough. Wie weet hebben ze iemand nodig in de winkel, of anders als serveerster, thee met iets lekkers rondbrengen. In Eastonknoll zoeken ze nog mensen.'

'Ik maakte een grapje hoor, toen ik dat schreef over The Ship. Wat is dat toch met jou en...'

'De bediening?' Ze klonk bits.

Ze drongen zich zwijgend langs mensen die wat liepen te slenteren, rondlummelden, de eendjes voerden. Bij het uiterste puntje van het meer, waar het onder de brug door zwiepte, was een café waar ze een keer iets hadden gedronken toen ze elkaar nog maar net kenden. Ze hadden allebei vruchtensap genomen, dat gruizig en warm was, er zaten geen ijsblokjes in, en toen ze de rekening kregen hadden ze verbijsterd naar het bedrag zitten staren. Nick had zijn arm om haar heen geslagen en in haar oor gefluisterd: 'Als je je niet netjes gedraagt, neem ik je hier mee naartoe op je verjaardag.' Dat was een standaard grapje van ze geworden, een onwaarschijnlijk liefdesnestje, maar deze keer liepen ze met gebogen hoofd snel door naar de weg.

'Wat nu?' Lily bleef staan op de brug en keek over de weg naar Kensington Gardens. 'Zullen we terug of nog een eindje door?' Maar geen van beiden leek te kunnen beslissen.

Lily had een gigantische tas met zomerkleren, handdoeken en boeken en sandalen, een strohoed met een lichte knik in de rand. Nick keek toe hoe ze meer en meer inpakte.

'Maar je komt het weekend hierna?' Ze probeerde het zo te laten klinken dat het net was of ze al die spullen voor hém inpakte.

'Ja,' beaamde hij geïrriteerd. 'Zeker.'

Lily's auto stond nog altijd op het parkeerterrein bij het station. Hij stond er moederziel alleen, de kap was stoffig geworden en de lange streep meeuwenstront op de voorruit was opgedroogd tot een harde, groene spetter. Toch was ze buitengewoon blij hem weer te zien en ze vouwde vol liefde haar armen rond het stuur toen ze over de planken van de spoorwegovergang de weg opreed. Ze herkende de heggen al, het veldje met varkens bij de bocht en daar aan de horizon de veel te grote kathedraal en de zware poten van de watertoren. Lily stopte in het dorp voor melk en brood en – ze kon de verleiding niet weerstaan – een chocolade-ei van de toonbank, één voor Em en één voor Arrie. Buiten zocht ze het hele raam af naar iets wat voor een baantje kon doorgaan. Er stonden huisjes te huur, een fiets en een wasmachine te koop, en op de deur hing een handgeschreven briefje:

Geld gevonden in Palmers lane.
Als het geld van u is,
neem dan ALSTUBLIEFT contact op met
mevrouw Townsend van Old Farm.

Lily las het briefje een tweede keer, ze had haar hand voor haar mond geslagen en keek om zich heen of er niemand was aan wie ze dit kon vertellen; maar ze zag alleen een broos oud dametje, dat best mevrouw Townsend zelf kon zijn. Ze bleef de woorden voor zich uit zeggen en moest steeds weer lachen bij dat 'alstublieft' terwijl ze langzaam de weg afreed.

Fern Cottage stonk. Het rook er muf, zelfs schimmelig, alsof al dat bruine meubilair niet gemaakt was voor deze hitte. Ze zette de waterkoker aan en liep de kamer in. De deken was van de bank gegleden en de gordijnen waren half dicht. Lily liet haar blik langs de boekenplank gaan. Breiplezier, Decoratief met schelpen, en haar lievelingsboek: Wijnen, siropen en versterkende dranken, een verzameling recepten van de vrouwenvereniging. Aanvankelijk had het boek vijf shilling gekost, maar in een grijs verleden was het op een zomerbraderie afgeprijsd tot two-and-six pence. Lily zette de ramen open en keek uit over de meent. Er was niemand die ze kende. Twee vrouwen die naast een rolstoel lagen en een man die achter een peuter de glijbaan opklom. Snel trok ze de deken recht, stopte hem stevig in, klopte de kussens op en pakte de kan met bloemen waar al het water uit was verdampt en waarin de stelen deels verslijmd waren.

De waterkoker in de keuken was vergeten hoe hij uit moest, de witte stoomwolken dampten op tegen de ramen en rolden als dikke mist door het vertrek. Lily zette een kop thee van het laatste geschroeide beetje water en liep daarmee de tuin in, terwijl ze de deur en alle ramen open liet staan om het huis door te tochten. De tuin was uitzonderlijk netjes. Geen was aan de lijn, geen fietsen, het schuurtje leeg en op slot. Lily ging tegen de muur zitten. De moed was haar opeens in de schoenen gezonken. Ze durfde het nauwelijks te bekennen, maar ze had gehoopt hier warm te zullen worden onthaald. De armen van de kinderen om haar heen, het gekwetter van hun verhalen, en achter hen Grae met die stille glimlach van hem.

Ze zat met haar benen in de zon, haar gezicht in de schaduw, er dreef een zoete geur van de klimrozen tegen de muur. Af en toe keek ze op naar het huis van Grae. Het was duidelijk dat er niemand thuis was, maar het zag er meer dan leeg uit. Afgesloten. Zo niet verlaten. Waar konden ze zijn? Haar hart maakte een slingering bij het idee dat ze er niet meer waren. En toen wist ze het zeker. Ze had niet terug moeten komen. Ze was eenzaam hier, ze hoorde hier niet, en voor wat steun en afleiding zocht ze in haar tas en trok er haar envelop met brieven uit.

Mijn allerliefste El,

Ik zit hier voor het allerlaatst in ons lege huis in onze lege slaapkamer. Morgen slaap ik bij Greenberg. Alles is gepakt. Alle meubels en dozen zijn gesorteerd en verpakt in van dat rode papier en ik zit hier nu alleen nog met mijn eigen koffer, moe maar voldaan. Het huisraad kan nu iedere dag verscheept worden, en ik wil er zeker bij zijn in Londen als alles arriveert, omdat ik dan jouw koffer en de mijne eruit kan halen voordat ze het pakhuis in gaan. Het zal je niet verbazen dat ik zo weinig heb geschreven. Dat inpakken was een enorme klus. Ik moest erbij blijven omdat anders alles overhoop zou zijn gehaald. Je prachtige spullen uit de linnenkast heb ik zo nog net kunnen redden, maar de sleutel van je bureau was nergens meer te vinden. Maar nu iets wat je voor me moet doen. Ik wil dat je me over je leven vertelt. Kun je het vinden met de mensen die je daar ontmoet? Waarover praat je met ze, en in welke taal? Zijn ze allemaal voor je charmes gevallen? Je roodbruine haren en het donzige kuiltje in je nek dat je gelukkig zelf niet kunt zien, anders zou het je naar het hoofd stijgen. Laat het me weten. Schrijf per kerende post.

Je (oprecht) liefhebbende L.

El lief,

Vandaag, op de vredigste zondag sinds je vertrek, heb ik niets van je mogen ontvangen. Mijnheer Field kwam langs om Engels met me te praten en we kregen zo'n interessant gesprek dat ik zeker weet dat hij me vergat te corrigeren. Gisteren ben ik weer bij de emigratiedienst langs geweest en ik durf je nauwelijks meer te vermoeien met de uitkomst, maar volgende week moet ik naar het ministerie van Handel. Het kan niet veel langer meer duren. Binnenkort zal het ongetwijfeld tot ons doordringen hoe weinig we hier hebben achtergelaten, en als ik eenmaal bij je ben en er wat tijd overheen is gegaan, hoeven we nooit meer mensen te zien die, zoals jij het zo netjes formuleerde, 'ons minder liggen'. Het is hier schitterend weer.

Alle liefs, je L.

Lily bracht de hele middag in de tuin door met lezen en nadenken, en liep af en toe het laantje af naar de winkel. Ze kocht een appel, wat spaghettisaus en vlak voor sluitingstijd een groot vanille-ijsje met een laag witte chocolade. Langzaam, heel langzaam liep ze terug naar de meent en elke keer dat ze de hoek omkwam, was ze hevig teleurgesteld daar niet Grae's auto te zien staan.

El lief,

Lees je de Engelse kranten? Je moet wel goed op de hoogte zijn van de terminologie in huizenadvertenties. We kunnen kiezen uit hotels met logies en ontbijt voor £6 per week, £9 per week voor vol pension, of een gemeubileerde flat waar we zelf kunnen koken of naar een restaurant gaan voor zo'n £5 per week. Als we eenmaal weten waar mijn kantoor is, kunnen we een ongemeubileerde flat nemen en daar ons eigen nestje bouwen. Misschien kun je iemand vinden die je een beetje wegwijs kan maken in Londen, wat ik zelf had willen doen, en binnenkort ook echt zal doen. Je moet weten wat de goede en slechte, de mooie en lelijke wijken zijn, de parken, de binnenstad, en waar het prettig wonen is. Ik geloof dat ik het einde hier zie naderen. Hooguit een dag of tien nog. Wees sterk, houd moed.

Je L.

Later liep Lily naar de molen. Ze volgde de zachte plankenpaden en af en toe zag ze links van haar nog iemand op de hoge wal van rolstenen staan, boven zeeniveau. Maar in het drasland was niemand en had ze het pad voor zich alleen. Stil luisterend naar de zwiepende, ruisende zegge, liep ze langzaam langs een hoge, holle meidoorn waarvan de bloemen waren neergedwarreld in het vennetje eronder, waarop nu als in een heksenbrouwsel bellen van witte bloemblaadjes dreven. Ze ging op de kiezelmuur naast de molen zitten en keek naar de zon die langzaam onderging achter de velden rechts en vanonder tegen de wolken scheen, die knalroze werden. Ze ging liggen toen in de hemel rondom haar het roze uiteenrafelde in pasteltinten en overging in de laatste strook blauw van die dag. En toen realiseerde ze zich met een schok dat ze niet bang was. Is dat wel goed? Doe ik iets stoms? En ze krabbelde overeind en ging boven op de muur staan. Tot kilometers in de omtrek was geen mens te bekennen. Vreemd toch. Het was een nieuwe gewaarwording. Je volkomen veilig te voelen, en ze bedacht dat ze zich eigenlijk al jarenlang elke keer dat ze in Londen de straat op ging of een park in liep, had schrap gezet voor een overval. Ze keek achterom en kon nog net een kreet onderdrukken. De lucht was van goud geworden. Fel opgloeiende vegen, krullen en patronen, op een ansicht zou je erom moeten lachen. Het licht weerkaatste in de waterplassen, in de rivier en zelfs in de zee, waarvan de golven onder een laagje koper het strand oprolden.

De lucht tussen haar vingers was anders geworden, korrelig, in het donker stollend, en ze kon op haar huid voelen hoe zacht hij was. Spijtig liet ze zich van de muur zakken en liep dezelfde weg terug. Ze sloeg links af bij een wegwijzer met een gele pijl en liep een verend pad op. Al snel werd het pad breder en kwam ze uit op een groene vlakte. Verderop lag een bos, een eiland van schaduw, en toen ze zich omdraaide omdat ze daar niet heen wilde, zag ze de achterkant van de bunker, de grijze muren die oprezen uit de aarde. Ze bleef staan en spitste haar oren, maar hoorde alleen de ruisende zegge. Heel langzaam liep ze eropaf en bukte zich bij een smal raampje om naar binnen te kijken. Ze week achteruit, en boog zich toen meteen weer naar voren.

Midden in de bunker zat een gedaante over een kaars gebogen. Zijn gezicht ging schuil onder een baard, zijn schouders waren gehuld in zwarte flarden en zijn vingers, waarmee hij onhandig een nieuwe lucifer probeerde te pakken, waren vettig en dik. Ze herkende hem. Het was de man uit de bremstruiken. De man die haar de stuipen op het lijf had gejaagd. Lily haalde diep adem en keek zijn kamer rond. Zijn zwarte plastic bed lag er nog steeds en overal lagen rollen van lange zwarte zakken met elastieken erom, alsof de vuilnisman ze zo naar binnen had gegooid. Bob de Bagger. Em en Arrie kenden hem ook. Misschien wist het hele dorp wel dat hij hier woonde. Er stonden bakjes en kopjes en half opgegeten pakken koek. Op dat moment keek de man op. Lily deed een stap naar achteren. Hij had haar gezien, kon niet anders, maar het was nu al te laat. Langzaam, als om hem niet al te hardvochtig in de steek te laten, liep ze naar de zee.

Ze klauterde de rolstenen van de wal op en liep door. In de verte werd net een vuurtje aangestoken en toen ze omkeek naar de kwelder meende ze een roerdomp te horen, een geluid als van een weergalmend geweerschot. Eindelijk verschenen de strandhuisjes van Steerborough, half verzonken in het zand, en ze draaide landinwaarts over de houten brug terug naar het dorp, waar nu achter vrijwel elk raam de lampen aan waren en een oranje gloed verspreidden. Ze opende de donkere deur van Fern Cottage, deed haar eigen lamp aan en trok de gordijnen dicht, terwijl ze zich haar raam voorstelde als een lichtend baken in het duister.

25

'Ik heb het gehuurd.' Max voelde de aanraking van Elsa's vingers. 'Het is van mij!'

Ze stonden op het uiterste landpuntje aan het eind van de riviermonding en keken achterom. Het was eb en de enorme zandvlakte was uiteengevallen in losse eilanden waar kinderen van plas naar plas holden. Max keek landinwaarts naar Sea House, waar de ramen openstonden en figuurtjes tevreden op het trapje zaten.

'De dominee huurt ieder jaar Little Haven voor een vakantie van twee weken.' Elsa's ogen glansden. 'Little Heaven, zeggen ze hier. Nou, dat goede voorbeeld ga ik volgen, vanaf de eerste van de maand huur ik Sea House. Ik had wel eerder gewild, maar het was al volgeboekt.'

Even viel er een stilte toen ze daar zij aan zij stonden.

'Mag ik je komen opzoeken?' vroeg Max.

'Als Gertrude je kan missen.'

'Ik bedoelde overdag.' Max boog zijn hoofd. Zijn hart bonkte. Had ze Sea House voor hem gehuurd? En om zich te verbergen bukte hij om een steen op te rapen.

'Laten we een eindje lopen,' zei Elsa, die daarop haar sandalen uittrok en haar voeten liet wegzakken in het zand. Het was net vla of cakebeslag, en wat verlegen trok Max de veters van zijn laarzen los en liet zijn voeten er ook in wegzakken. Ze liepen in zuidelijke richting over de verschuivende bodem, gleden eroverheen voordat het zand ze omsloot en keken om naar hun voetstappen die hobbelend uit het zicht verdwenen.

Vindt je man het niet vervelend, wilde Max vragen, dat je zijn droomhuis verruilt voor een of ander houten kot? Maar met Elsa was hij er langzaam maar zeker achtergekomen dat als hij maar lang genoeg zweeg, zij uiteindelijk uitkwam bij wat hem op het hart lag.

'Sea House is van ene mevrouw Bugg,' vertelde Elsa terwijl ze tot aan hun enkels door een inham waadden. 'Meestal is ze hier ook, maar van de zomer is haar man ziek geworden en nu moeten ze in Londen blijven, in de buurt van het ziekenhuis.' Het zand had zich opgehoopt tot een lange, smalle richel, en drie jongens uit het dorp speelden op blote voeten cricket. 'Vroeger was ze oorlogscorrespondente, maar tegenwoordig schrijft ze over het platteland. Haar grootste wens is dat dit dorp niet zal verdwijnen. Ze zet zich in voor huizen en werk voor mensen op het platteland. Vorige zomer heeft ze nog een toneelstuk over het dorp geschreven en we zijn er allemaal heen gegaan, dagjesmensen en wij van het dorp, en of we wilden of niet, we hebben allemaal zo om onszelf moeten lachen.' Elsa liep naar de zee, tilde haar rok op en probeerde even hoe diep het was. Max moest haar wel achterna om erachter te komen wat ze zei. 'Ik heb haar geschreven en ze vond het goed, ik was welkom. Ze vindt het een naar idee dat het huis leegstaat en niemand ervan geniet.'

Max was zich ervan bewust dat mensen naar hen keken. Keurig geklede dames die een wandelingetje maakten en een man die stokken gooide voor zijn hond. Elsa's rok was nat gespat en haar opgestoken haren raakten los. Ze bleef staan en keek naar de lucht. 'Ik kan er geen genoeg van krijgen,' zei ze en toen haar rug achteroverhelde en haar hoofd in haar nek viel, moest Max zich afwenden om niet zijn arm om haar middel te laten glijden.

Elsa, Elsa. Max drukte zich diep in het matras toen het samengebalde verlangen naar haar pijnlijk in hem openbrak. Hij sloot zijn ogen en net toen hij indommelde, besefte hij dat hij zijn eigen huis was vergeten. Hij zocht, worstelde en knokte zich niet langer door elke nacht heen. Hij zou weer gaan zoeken, beloofde hij zichzelf opgewonden en viel vastbesloten in slaap.

'Gertrude,' begon hij de volgende ochtend, 'weet jij een huis dat ik zou kunnen huren?'

'Huren?' Gertrude draaide zich naar hem om met grote ogen, een beledigd trekje om haar mond. 'Waarom zou je?'

'Nou...' Max aarzelde. 'Ik zou graag in Steerborough blijven en ik dacht... als ik te veel ben.'

'Maar je hebt mijn schilderij nog niet eens af!' Gertrudes hals leek extreem lang en haar hoofd had iets weg van een woeste vogelkop. 'Maak dat nou eerst af, zoals we hadden afgesproken, en daarna' – ze glimlachte om te laten zien dat zij ook best een grapje kon maken – 'daarna mag je doen wat je wilt.'

'Het spijt me vreselijk. Uiteraard.' Max had geen seconde meer aan het doek gedacht dat daar tegen de plint stoffig stond te worden. 'Ik begin er gelijk aan.'

'Doe niet zo gek. Als je klaar bent, als die papierrol van je af is.' Ze stond op en hij zag dat haar handen trilden. 'Ik heb Käthe beloofd dat ik je hier zou vragen. Dat heb ik beloofd, en ik zou graag mijn woord houden.'

'Ja... ik dacht alleen –'

'Nee,' zei Gertrude beslist en ze liep de kamer uit.

Gertrude merkte tot haar schrik dat ze stond te trillen op haar benen. Ze stond over de ketel gebogen, die ze gillend liet fluiten, misselijk bij het idee dat ze Käthes verzoek zo had verdraaid. Maar Max had haar overvallen. Ze had de tekening op zijn rol zien groeien en kunnen concluderen uit de hoeveelheid oningevuld wit en het aantal huisjes dat ze in haar hoofd nog niet had weggestreept, dat hij nog weken werk had. 'Sorry,' fluisterde ze in de stoom, en ze herinnnerde zich, toen Max net in Londen was en de hele dag thuiszat in dat piepkleine tweekamerflatje van haar en Käthe, hoe vreselijk ze zich aan hem geërgerd had. Käthe had druk lopen redderen en al haar tijd en liefde in hem gestoken om hem te laten wennen, en pas toen Max werd geïnterneerd en Käthe bij haar op de afdeling kwam werken, had haar vriendin weer tijd voor haar gevonden. Misschien had ze er geen goed aan gedaan dit jaar vrijaf te nemen, peinsde ze, en niet meer te worden afgeleid door de problemen van de kinderen, maar toen Käthe was overleden leek het haar verkeerd om gewoon door te gaan alsof er niets was veranderd. Gertrude goot het water roekeloos in de pot, zodat er een straal roodschroeiend op haar voet viel, en onderwijl sprak ze zichzelf op geroutineerde, gladde toon toe dat het heel natuurlijk was om mensen te willen koesteren, of ze daar nu van gediend waren of niet. Dat was heel natuurlijk, zij het niet noodzakelijkerwijs in hun voordeel, en toen pakte ze de theepot en liep naar de kamer.

'Mevrouw Wynwell?' riep ze terwijl ze doorliep tot onder aan de trap. 'Mevrouw Wynwell, bent u daar?'

Na een doffe bonk van een matras kwam de stem van mevrouw Wynwell aanzweven. 'Ik doe net de bedden,' zei ze, en even later kwam ze rood aangelopen binnen zetten.

'Kun je Alf zeggen dat hij vandaag niet hoeft te komen?' Gertrude glimlachte om aan te geven dat er verder niets aan de hand was, ze was niet boos, maar mevrouw Wynwell keek haar desondanks geschrokken aan.

'Niks ergs,' zei ze nadrukkelijk. 'Zeg maar gewoon dat hij niet hoeft te komen.'

Mevrouw Wynwell trok haar gezicht in de plooi. 'Wat u wilt,' zei ze en harder stampend dan noodzakelijk liep ze de trap weer op. Gertrude ging in haar stoel zitten. Wat zou ze eens gaan doen? Ze voelde zich hopeloos verloren en het liefst wilde ze dat de bramen nu rijp waren zodat ze zich tussen de prikbosjes kon wringen en haar vingers openhalen bij het plukken, een heel mandje vol, alles besmeurd met sap en bloed, totdat ze er genoeg van had. Op de tafel lag een kookboek. *Wijnen, siropen en versterkende dranken.* Gertrude bladerde er boos doorheen. Kruisbessenwijn, meidoornbessenwijn, spinazie-, pastinaak- en peulenschillenwijn. Sangria... brandnetelbier... paardebloemen – kan versterkend werken. *Pluk een driekwart emmer paardebloemen...* Ze moest glimlachen om de instructie, en haalde toen een grote mand van de plank en stapte naar buiten het laantje in.

Gertrude liep de hele ochtend paardebloemen te plukken. Ze zwierf het dorp door en plukte bossen tegelijk – de al wat oudere braken probleemloos af, de nieuwe dropen van de melk en glibberden door haar handen. Ze liep Mill Lane af, op en neer door de hoofdstraat, nam het ruiterpad en kwam uit bij de meent. Het was een prachtige Steerboroughse dag met veel blauw en geel en het was onmogelijk treurig te blijven. Je kon het wel proberen, door je kaken op elkaar te klemmen en je volledig af te sluiten, maar dan ruiste er fluitend een zuchtje gekwinkeleer langs of werden er paardenhoeven opgetild. Er hing een zoete, zilte geur in de lucht en Gertrude moest erkennen dat het niet meeviel om boos te blijven.

Ze was rond het middaguur weer thuis en schudde de bloemen, een zachte, grote dot geel, net een tobbe kuikentjes, in de grootste pot die ze had. 'Eén driekwart emmer,' mompelde ze, en ze liep weer naar buiten.

Deze keer liep ze richting de meent en struinde de veldjes achter de tennisbaan af, waadde tot bijna aan de duinen het drasland in, waar het vol stond met paardebloemen van een kleinere, stervormige soort, die zich vastklampten aan de oevers van stroompjes en zich tussen hoge pollen gras door slingerden op het weggetje onder Hoist Wood. Ditmaal wist ze zeker dat ze genoeg had. Ze schudde de mand met bloemen leeg in de pot en toen ze zich omdraaide om haar schort te pakken, zag ze Alf.

'Hallo.' Ze was belachelijk blij hem op zijn gebruikelijke plekje te zien zitten. 'Sorry dat ik zo laat ben.'

Heel langzaam trok Alf iets uit de zak van zijn korte broek. Gertrude hield haar hand op, en Alf liep naar haar toe en legde er een bloem in.

'Dankje.' De paardebloem was verwelkt, de bloemblaadjes hadden zich gesloten en de steel was rafelig en nat. 'Dankjewel, zeg.' En omdat ze niet wilde dat hij in de gaten kreeg wat dit voor haar betekende, legde ze hem heel voorzichtig bij de andere in de pot.

Zo bleven ze met hun tweeën tien minuten zitten terwijl Alf zijn voeten bekeek en Gertrude voor een keer eens nergens aan dacht, waarna ze zich vermande. 'Zullen we de wijn gaan maken?' Alf stond op en Gertrude vond de bladzijde met het recept. *Breng vierenhalve liter water aan de kook...* Ze zette twee ketels water op en vulde een steelpan, wat bij elkaar hopelijk genoeg zou zijn, en terwijl ze bleven wachtten, kortten ze gezamenlijk de stelen in. *Giet het kokende water over de bloemen,* luidde de volgende instructie, en heel voorzichtig plensde ze er de eerste ketel in. Er steeg een rijpe, groene geur uit op, die naar hitte en zomer rook en naar het bittere sap uit de stengels. De volgende pan veranderde de brei in soep. Gertrude goot nu iets voorzichtiger en duwde de bloemen onder met een pollepel. Ze vond voor Alf een spatel en samen begonnen ze te roeren en te stampen. Ze waren net twee alchemisten die goud maakten en de kleine flintertjes vuur omroerden en onderplonsden. Gertrude leunde opzij om op de volgende bladzij te kijken. *Laat dit drie dagen staan...* Drie dagen! Ze waren nog maar net begonnen, maar alsof toen een welgezind lid van de vrouwenvereniging haar wilde opbeuren: *...en roer af en toe om.*

'Over drie dagen,' zei ze tegen Alf – ze bedacht dat ze eigenlijk alleen maar deed of ze volwassen was – 'kom je me dan weer helpen? Dan moeten we het door een katoenen doek zeven, er suiker bij doen en citroenschil en...' – ze keek nog eens naar het recept – 'geplette gember.' Had ze deze instructies nou echt niet even vooraf kunnen lezen? Ze liet haar blik snel over de bladzij gaan en zag dat ze ook nog kurken nodig hadden en paraffine en flessen en een koele plek in een kelder die ze niet had. 'Nou ja,' zei ze hardop, 'wat zouden we ons ook haasten. Zaterdagmiddag, doen we het dan.' Alf keek naar haar op en glimlachte, en ze zag dat zijn eerste voortanden doorkwamen. Ze waren groot en vierkant, en Gertrude bedacht met pijn in het hart dat als de wijn af was, Alf een heel ander gezicht zou hebben.

Elsa en Max stonden op de brug als twee stropers hun prooi te bekijken. Er waren nieuwe mensen in Sea House getrokken. Een clubje aquarelschilders, twee mannen en twee vrouwen die elke dag met z'n allen hetzelfde uitzicht schilderden. Max vroeg zich af of ze elkaars werk beoordeelden, hun techniek vergeleken en commentaar gaven, of dat een van hen lesgaf en de anderen, de leerlingen, zich daarnaar richten. Elsa sloop dichterbij. Kom nou, zei ze met haar blik, maar Max bleef wat staan dralen. De vier keken in de richting van Eastonknoll, de buitenste rand ervan. Hij had geen enkele behoefte, hield hij zichzelf voor, vier replica's van de vuurtoren te zien. Het duurde niet lang voor Elsa zich vooroverboog en elke tekening bekeek, vragen stelde en luisterde naar onbegrijpelijke antwoorden. Max dacht aan zijn tekenrol. In Palmers Lane was een groene hordeur die hij wilde schilderen. Als je erheen liep en je gezicht ertegenaan drukte, had je, onbelemmerd door het gaas, zicht op een keurig onderhouden moestuin waar de kolen en spruiten netjes in aangeharkte rijen stonden. Hij was er vanochtend pal voor gaan zitten en had de kleuren voor die dag gemengd, met in zijn achterhoofd de vraag hoe hij het

dichte gaas kon weergeven en toch iets kon laten doorscheme-
ren van wat zich erachter bevond, toen Elsa was opgedoken.
'Alsjeblieft,' had ze gezegd. 'Ik ben zo alleen.'

'Natuurlijk.' Max stond op. 'Natuurlijk.' En hij begon zijn
spullen in te pakken.

26

Het werd vrijdag en Nick kwam niet opdagen. Lily was eerst kwaad en toen opgelucht, zich suf piekerend of ze hem nou wel of niet zou bellen, zodat het al tegen vijfen liep toen ze merkte dat de postbode een pakje voor haar bij de deur had neergelegd. De grote, gevoerde envelop, die gekomen moest zijn toen ze even weg was, stond verscholen achter een verwilderde tak van het kruiskruid dat naast de regenpijp was opgeschoten. Het was een oude, bruine envelop waar Nick een boodschap achterop had gekrabbeld: *Dit is voor jou gekomen, zag er belangrijk uit.* Lily draaide de envelop om en zag verrast dat hij in Suffolk op de post was gedaan. *Ik ken hier niemand,* en haar keel werd dichtgeschroefd, en ze dacht aan Grae. *Sorry, sorry,* stond er slingerend langs de rand in Nicks handschrift. *Het lukt niet van het weekend. De gebruikelijke redenen. Volgend weekend misschien? BEL ME.* Liefs, N.

Lily stond in de keuken en liet haar vinger onder de papieren flap glijden. Het pakje voelde slap en leeg aan, maar toen ze de flap opwipte, vielen er stapeltjes crèmekleurige enveloppen uit op de koelkast. Klein, beduimeld, met getypt adres. Mevrouw Elsa Lehmann. Het waren er twaalf, plus een briefje voor Lily op een gelinieerd vel ringbandpapier met afgescheurde gaatjes aan één kant.

Beste mevrouw Brannan,

Ik vond deze brieven nog ergens en dacht dat u ze misschien wilde inzien. Hopelijk hebt u er iets aan. Vriendelijke groeten, A. Lehmann.

Lily schudde alle brieven eruit en streek de verfrommelde randen glad. De eerste droeg het poststempel september 1953, de rest dateerde uit de herfst van datzelfde jaar. 'Mevrouw Elsa Lehmann. Sea House, Steerborough.' Lily bekeek de woorden van het adres en sprak ze hardop uit voor zichzelf. Steerborough. Haar hart maakte een sprongetje nu ze het daar zo zag staan, al wist ze al wel langer dat de Lehmanns hier gewoond hadden. Daarom was ze hierheen gegaan. Voorzichtig trok ze de eerste brief te voorschijn. Bovenaan stond 'Architect', ditmaal in het Engels, en daaronder een adres in Londen met de postcode NW3. Maar eerst moest ze het huis vinden, ze hield het geen minuut langer uit, en ze legde het pakje op de plank voor straks, trok haar schoenen aan en holde het huis uit.

Sea House. Ze had het zien staan. Ze zag het bordje zo voor zich. Ze rende naar het midden van de meent en draaide rond. Waar stond het? Bordjes en hekken en portieken flitsten door haar hoofd, en toen, hebbes, het witte huisje op palen. Het laatste huis van het dorp. Lily holde erheen. Langs The Ship, de heuvel af die naar de haven liep en toen weer omhoog en over de zeewering heen. Onder haar lag de parkeerplaats. Een vlak terrein met diepe plassen en stenen, afgescheiden van het drasland door een rivier die bij laag tij slibberig was van de donkere modder. Er stond een ijscowagen en her en der waren kinderen bezig krab te vangen, en even meende ze Em en Arrie over het uiteinde van de brug te zien hangen.

De rivier maakte een lus en stroomde terug naar de brede riviermonding, en daar in de bocht stond wit en stevig het huis. Het zag er lelijk uit vanaf dit punt, een verweerd gevaarte op dikke, groen uitgeslagen poten. Er was een boot onder vastgebonden en er lag een omgevallen fiets weg te roesten. Lily liep voorzichtig verder langs de rivier. Een houten trapje leidde naar de veranda, en daar op het raam hing een briefje: *Te huur.* Het portaal was net als de voordeur van glas en ze kon zo de keuken in kijken waar een lange tafel en een buffet vol borden stonden. Recht voor haar liep een steile ladder naar een zolderluik. Lily drukte haar gezicht tegen het glas en tuurde naar binnen, naar boven, nog verder naar de zijkant, en op dat moment zwaaide de deur open en viel ze struikelend naar binnen. Ze veerde overeind en draaide zich razendsnel om, maar er was niemand. 'Hallo?' riep ze alsof ze een bezoekje kwam brengen en met bonkend hart liep ze verder de kamer in. 'Hallo?' Ze stond nu onder het trapgat, en op haar lip bijtend klom ze omhoog.

De kamer boven haar was overweldigend – een ronde tafel en overal schilderijen van bloemen op de planken wanden. Met haar benen nog op de ladder draaide Lily zich rond en zag dat ze in een boot zat. Hout tot aan het plafond en water dat zich naar alle kanten uitstrekte. Er stond een bed, een kast, en ze bedacht dat ze in een klein, bruin wereldje had geleefd terwijl ze hier had kunnen wonen, varend over de woeste baren. Toen riep ze zichzelf tot de orde door zich te herinneren dat ze hier helemaal niet mocht zijn, en haastig klom ze de ladder af. Ze snelde de kamer door, glipte door de voordeur en pas buiten hield ze in om op adem te komen. Heel langzaam stak ze de parkeerplaats over. Ze bleef bij de brug staan kijken naar de kinderen, die veel te netjes waren om de twee te kunnen zijn die zij kende. 'Em?' riep ze, 'Arrie?' Ze keken niet naar haar op, maar zwiepten hun lange lijnen de rivier in, trokken hun aas van spek door het water en haalden identieke grijze krabben op.

Mijn lieve Elsa, las Lily in het licht van de zon die al tot het niveau van haar raam was gedaald. *Ik dacht dat je rond deze tijd al bij mij in Londen zou zijn, anders had ik nooit die afspraak met Kett gemaakt voor de verbouwing. Maar als we het deze zomer niet laten doen, moet het volgende zomer, en die heb ik voor ons beiden gereserveerd. En, lieverdje van me, hoe bevalt zo'n houten huisje? Ik zou graag bij je zijn, maar als altijd moet ik eerst nog goedkeuring zien te krijgen voor mijn plannen, een start maken met het project voor Bermanns en de stoelen ontwerpen die ik Jones heb beloofd. Zorg goed voor jezelf, schrijf me over ALLES wat je meemaakt. Ik wil weten dat je dit ene kostbare leven ten volle benut.*

Volgende zomer, dacht Lily, de volgende zomer die Lehmann voor hen beiden had gereserveerd, en in een uitbarsting van energie sprong ze overeind en holde de meent op. Ze trok de deur van de cel open en ramde haar kleingeld door de gleuf. 'Nick,' zei ze bijna nog voor hij had opgenomen, 'ik mis je wel, hoor.'

Het bleef even stil aan de andere kant. 'Mooi.' Hij klonk tevreden.

'Kom een paar dagen hierheen.' Ze bedacht dat ze eigenlijk al maanden bezig was hem hierheen te lokken. Het was zoveel makkelijker het hem recht op de man af te vragen. 'Hou die dagen vrij. Zet het desnoods in je agenda. Zie het als werk.'

'Staat genoteerd,' zei hij. 'Dankje, ik zal proberen er vrijdag te zijn... voor zessen.'

'Doe je best.' Lily praatte zachtjes onder in de hoorn. 'Het is zo'n prachtige avond... Als je hier was, konden we langs het strand lopen...'

'Lily,' zei hij, 'ik zit eigenlijk in een vergadering.'

'O. Zie ik je dan volgend weekend?'

'Bel even van tevoren.'

Waarom? dacht Lily. Zodat jij kunt vertellen dat er iets is gebeurd waardoor je onmogelijk weg kunt? 'Nou dag.' De ongebruikte munten klaterden in het bakje. Ze schepte ze eruit. *Bel 999. Wacht bij de muur...* Het briefje lag er nog steeds, en in een hoekje stond het merktekentje dat zij daar had neergezet. Ze voelde of ze een pen bij zich had en krabbelde er nog één, een kleine L, precies in het midden. Ze duwde de deur van de telefooncel open en kreeg toen het onaangename gevoel dat ze werd bekeken. Werd het briefje in de gaten gehouden? Kwam iemand elke avond kijken of het er nog lag? Ineens bleef ze doodstil staan. Het papier. Hetzelfde papier. Gelinieerd en uit een ringband gescheurd van exact hetzelfde formaat als het briefje dat ze vandaag van A.L. Lehmann had gekregen. Lily keek in de richting van het drasland. Haar haar stond recht overeind, voelde ze. Er waren natuurlijk duizenden blocnotes van dat formaat, elke sigarenhandel had er wel één in voorraad, en om te bewijzen dat ze niet bang was, wrong ze zich uit de cel en liep naar zee.

Het verraste haar telkens weer hoe ongelooflijk mooi de zee was. Zo ongekend vlak als je over de laatste heuvel kwam. Je blik verruimde zich, je hart ontspande en je moest even blijven staan. Het strand was vrijwel verlaten. Het was wat koeler vandaag, voor het eerst na een lange, warme week met veel zon, en de dagjesmensen leken opgelucht te zijn weggebleven, alsof ze hun buik meer dan vol hadden van al die pret.

Lily ging op het zand zitten. Het tij kwam opzetten en kabbelde rustig en hoog op tegen een gruislijn op het zand. Ze bouwde met steentjes een zouterig bergje en bedacht dat ze haar hele leven nog nooit zo lang alleen was geweest. Als kind was ze bijna altijd bij haar moeder geweest, tijden achtereen, speciaal bestemd voor hun tweetjes. Haar moeder leek haar hele leven te willen vullen, misschien ook om goed te maken dat er verder geen familie was.

'Ik beloof,' had ze een keer gezegd toen Lily naar haar vader had gevraagd, 'je lief te hebben, je te eren en bij te staan,' en had haar toen een ring van spaghetti op haar vork gegeven. Als Lily daaraan dacht zag ze zich altijd in een kinderstoel zitten, overkoepeld door de rabarber die tegen de ramen op groeide, maar ze wist dat ze ouder moest zijn geweest, in een van de stoeltjes met gele zitting die tegen de tafel stonden geschoven. Haar moeder hád haar liefgehad en hád elke minuut die ze vrij was met haar doorgebracht, waardoor ze sterk naar elkaar toe waren gegroeid en soms een heel weekend zaten te tekenen en te arceren en elkaar bibliotheekboeken voorlazen in het klamme hol van hun voorkamer. In de lange zomervakanties hadden ze de markt op Portobello Road afgestruind en lapjes stof van de kramen gevist of met hun handen in een stapel spijkerbroeken een stuk roze voeringstof opgeduikeld. Ze naaiden kleertjes voor Lily's poppen, lakens en dekentjes, breiden sjaals, en toen ze wat ouder was kochten ze pakken, jurken, te grote spijkerbroeken en holden naar huis om die te kunnen verscheuren en vermaken – ze gebruikten elkaar als model – en avonden lang zaten ze te tornen en te stikken, zochten de schaar terwijl er grappen en kabbelend gelach uit de tv rolden. Lily had overwogen zich aan te melden voor de modeacademie en een hele kledinglijn te creëren die volledig was samengesteld uit afdankertjes, maar was uiteindelijk op de kunstacademie beland, aan de andere kant van Londen, en toen haar een kamer werd aangeboden in een flat op het terrein achter de school, had ze besloten daar met drie vriendinnen in te trekken.

'Het komt wel goed.' Haar moeders gezicht was opgezwollen van het huilen. 'Natuurlijk moet je dat doen.' Waarna ze nogal onnodig de messen en vorken was gaan verdelen. Lily kon zich niet voorstellen hoe haar moeder zich zou redden en in het begin had ze haar een paar keer per dag gebeld, beloofd ieder weekend langs te komen, briefjes geschreven, maar het werd al snel duidelijk dat al die aandacht overbodig was. In plaats van het einde, betekende Lily's vertrek voor haar moeder een nieuw begin. Ze verkocht de kelder en kocht de flat op de bovenste verdieping, verfde die geel en binnen een paar weken, hoewel het ook een jaar kon zijn geweest, was ze Clive tegengekomen en getrouwd. Nu spraken ze elkaar nog maar zelden. Lily's moeder had beloofd haar lief te hebben en bij te staan, zij het blijkbaar niet tot de dood maar tot haar achttiende. Gênant vond Lily dat, en treurig ook, alsof zij het was die haar moeder al die jaren kort had gehouden. Inmiddels was haar moeder aan het reizen geslagen en met Clive naar India vertrokken.

'Ik had andere verantwoordelijkheden toen ik jong was,' had Lily haar droogjes horen zeggen op het feestje voor hun vertrek, en het laatste bericht van haar was een verbleekte ansicht, waar ze allebei hun naam op hadden gezet, van de heilige zeetempel bij Chivanundra.

Lily stond op en rekte zich uit. Het werd donker, alle licht boven zee was verdwenen, en vage etensgeuren kwamen haar kant op waaien. Ze had bewust geen inkopen gedaan in de hoop dat als ze zich er nu maar helemaal niet op instelde, Nick weleens langs zou kunnen komen, en voortstappend in de wind dacht ze aan de lege keukenkast, het halflege eierbakje in de koelkast, de slappe wortels. Ze kon een eitje bakken en iets van sla maken, en op dat moment kwam ze de bocht van de duinen om en zag ze de rook van een vuurtje opkringelen.

Het kwam van de rij strandhuisjes die voor het merendeel leegstonden gezien het feit dat het zand ertegenaan woei en de deuren blokkeerde. Sommige waren zo diep onder strandniveau gezakt dat mannen hun halve zomer doorbrachten met graven, enkel om binnen een kopje thee te kunnen zetten. Daar was het weer, de geur van worstjes, rijk aan vlees en kruiden, en als een dier, snuffelend, volgde ze het spoor. Ze stapte stevig door en bleef alleen staan om haar schoenen uit te kloppen, toen ze verderop een figuurtje met een stapel hout zag hollen. Lily liep er geruisloos door het zand achteraan en nadat ze een rijtje struiken had omzeild zag ze een vlakke, open plek en een vuur. Het meisje liet het hout vallen, draaide zich om, en Lily zag dat het Arrie was. Ze verdween meteen weer en toen ging de deur van het strandhuisje open en stond Grae daar in een streep van licht. De deur was van binnen blauw en achter hem kon ze net de rand van een bed zien.

'Em,' schreeuwde hij, 'Arrie,' en omdat ze niet wist wat ze anders moest, liep Lily naar het vuur.

Grae kwam turend in het donker aanlopen en toen werd ze ineens besprongen door de meisjes, die hun armen om haar heen sloegen, hun hoofden tegen haar middel drukten. 'Je bent er weer,' zeiden ze. 'Je bent er weer.'

Lily lachte. 'Ik ben amper weg geweest.'

'Blijf je bij ons eten?' Em hing aan haar arm. 'We roosteren marshmellows.'

'O.' Ze keek Grae's kant op, die zich over het vuur had gebogen. 'Als er genoeg is.'

Grae liep terug naar het huisje. Ze kon hem zien bukken, dozen opentrekken, een kopje pakken. Hij bewoog zich met een zekere loomheid, en ze herinnerde zich zijn stil schokkende schouders voordat hij begon te lachen. Ze bevrijdde zich van de meisjes en liep naar hem toe. Het was een heel klein huisje, krap vier vierkante meter, met twee ingebouwde stapelbedden tegen de muren. Er was een tafel, een eenpits gasstelletje, een ketel, boekenplanken en zelfs een kan met bloemen.

Lily stond in de deuropening. 'Wonen jullie hier?' Ze slikte om niet te laten merken dat ze geschokt was.

Grae kwam overeind met een bungelende sliert worstjes in zijn ene hand. 'Nee. We wonen hier niet. Gemeenteverordening. Mag niet.'

'Maar het zal toch wel bekend zijn?' De zwart-witte kat sprong van een stapelbed en streek behaaglijk langs haar been.

'Zolang er niemand klaagt.' Grae haalde zijn schouders op. 'We zien wel hoe lang het duurt.' Hij keek haar aan, en ze zag de dunne streep van een litteken op de plek waar zijn wond was geheeld. 'Het wordt nog leuk van de winter.'

'Dat meen je toch niet?' Het was eruit voor ze er erg in had.

'Ja, hoor,' zei hij, en hij gaf haar een theekopje.

Ze liepen terug naar het vuur en Grae gaf Lily, Em en Arrie ieder een worstje op een gepunte stok. 'Hou maar boven het vuur,' zei hij, 'en blijven draaien.' Ze wachtten tot hun eten geblakerd en verschroeid was. De rest van de worstjes aten ze tussen stukken brood, met appels en tot spookachtige vormen gesmolten marshmellows.

'Wat is het hierbuiten fijn,' zei Lily terwijl Grae het vuur opporde, en net als de meisjes pakte ze een bot mes en begon stokken te snijden, de dunne schors eraf te schillen en het uiteinde af te slijpen tot een scherpe punt. Is het leuk om in een strandhuisje te wonen? wilde ze vragen. Is het spannend? Maar stel dat de meisjes nee zeiden. Dat ze hun slaapkamer misten, de tuin en hun moeder. Dus zaten ze stilzwijgend naar de kristaldruppelende sterren te kijken tot Em en Arrie uiteindelijk een deken om zich heen wikkelden en zich opkrulden in het zand.

'Ik draag ze naar binnen.' Grae kwam overeind en tilde Em als een bundeltje op in zijn armen. Lily volgde met Arrie, die warm en zwaar in haar armen lag met haar wang zijdezacht tegen de hare. Ze schoven de meisjes in hun bed en bleven even dicht bij elkaar in de kleine ruimte staan, niet wetend waar ze, zonder kind, hun armen moesten laten. Lily liep terug en bleef staan kijken naar het duin, luisterend naar de vloed daarachter.

'Het is rustig vanavond,' zei ze, en toen boog Grae zich naar haar toe en raakte haar arm aan. Er joeg een vonk door haar heen, een pijnlijk, intens gevoel toen zijn hand even bleef liggen en weer losliet. 'Ik dacht dat je weg was uit het dorp,' zei ze.

'En jij' – Grae liet zijn hoofd hangen – 'jij was echt weg.'

'Maar een paar dagen.' Ze lachte, het kwam er wat bibberig uit.

'Maar...' Ze begonnen tegelijk, en zonder te weten wat ze van plan was, strekte ze haar hand uit. Grae boog zich naar voren en pakte haar hand vast. De aanraking zinderde door haar arm, en hij trok haar naar zich toe, vouwde haar op, vatte haar gezicht in zijn handen en zijn vingers streelden over haar wang, haar hals, haar oren.

'Waarom kon je me niet vinden?' vroeg hij, maar voor ze kon antwoorden had zijn mond de hare gevonden, zijn adem fris als de buitenlucht, zijn stoppels warm en ruw, kriebelend tegen haar kin. Hij drukte haar neer in het hoge zachte gras en de vonken joegen door haar lichaam toen zijn handen onder haar kleren gleden. Hij streelde haar, kneedde haar, fluisterde in haar oor, en ze bedacht dat niets op aarde ooit zo lekker voelde. Wie had dit uitgevonden? dacht ze. Wie had seks uitgevonden? De pure, onversneden geur van hem – hitte en zout en houtrook, alles doortrokken van begeerte. En toen hield hij op. Hij rechtte zijn armen en leunde over haar heen. 'Gaat het?'

'Ja,' zei ze lachend. 'Ja.'

Hij liet zijn ellebogen knikken en kwam naast haar liggen. Ze dwong zichzelf rustiger te ademen en stelde zich voor hoe de sterren tollend omlaag vielen en landden.

'Kalm aan,' zei hij alsof hij het tegen zichzelf had.

Ze lagen zij aan zij en keken in elkaars gezicht alsof dat eerder niet had gemogen, en uren, urenlang zoenden ze en zuchtten en mompelden tot hun lippen stuk waren.

'Ik kan maar beter gaan,' zei Lily toen de lucht sluipend lichter werd.

'Kruip er met mij in.' Hij hield haar dicht tegen zich aan, maar zij zag Em en Arrie voor zich, als die haar over een paar uur woedend zouden aanstaren. 'Neem dan het bovenste bed.' Hij had geraden wat ze dacht, en daarop stampten ze samen het nog smeulende vuur uit en strompelden naar binnen. Grae zette de deur vast, en na een laatste zoen, staand in de krappe ruimte tussen de bedden, klom Lily in het smalle bed en viel in een grauwe slaap.

Toen Lily wakker werd had ze geen idee waar ze was. Het zonlicht stroomde door een open deur naar binnen en de muur naast haar bed was van hout. Ze draaide zich om en viel bijna op de grond en toen herinnerde ze het zich weer, ze was in een strandhuisje. Ze liet zich weer achterover vallen. Ergens klonk een radio en gekletter van iemand die borden afwaste. Ze herkende Grae's fluitdeuntje van de keren dat ze hem had horen werken, en de kat sprong op het bed en keek haar met gele ogen aan. Ze strekte haar hand uit, maar hij kromde hooghar-

27

Alleen door iets telkens weer te tekenen, leer je het begrijpen, had Henry in een van zijn allereerste brieven geschreven, en Max vroeg zich na ruim een half dorp af of hij er niet wat mensen in moest zetten. *Als je zeker weet dat je iets kapot moet maken, maak het dan welgemoed en telkens weer kapot,* raadde Henry aan. *Ban elk conventioneel idee uit over wat een hoofd zou moeten zijn. Ziet het er als een aardappel met twee ogen uit, teken het dan ook zo. Probeer de stoel en het lichaam eens als een voorwerp te behandelen. Ik beschouw je ontzag voor het menselijk lichaam als een vorm van plankenkoorts. Hier heb je zo'n lichaam. Zie het als een brok klei. Maar, en nu heb ik het over je schets van 'Helga', vanwaar die iele lijnen, en waarom is haar haar weggelaten?* Maar Max had niet anders gekund. Haar haar had eruitgezien als een brok marmer, het rustte als een hoed op Helga's voorhoofd. Hij was er overheen blijven wrijven tot er alleen nog een schaduw van over was en toen hij haar later had gevraagd het nog eens te mogen proberen, was de situatie zo ongemakkelijk geworden dat hij niet verder had kunnen werken. 'Je vader...' wilde ze weten. 'Is hij nu echt officier geweest?'

'Ja. Hij heeft gevochten bij Loos, en daarna, toen hij weer beter was... toen heeft hij zijn leven gewaagd als verkenner.'

'Maar hij is echt tot officier benoemd?' Ze droeg het haar in een vlecht. Het hing als een touw aan één kant van zijn tekening. Max begreep wel wat ze vroeg, en onloyaal, al wist hij niet jegens wie, vertelde hij van zijn vaders bekering, zijn militaire dienst en het paard Appelsnoet. 'Hij is onderscheiden voor zijn moed.'

'Dat wist ik.' Ze keek hem aan alsof hij niet goed bij zijn hoofd was. 'Dat weten we allemaal. Hier op het eiland. Wat ik niet zo goed wist, was dat andere...' En afwezig wond ze haar vlecht boven op haar hoofd. 'De moeder,' zei ze langzamer nu, 'is je moeder een...' – ze huiverde bij het woord – 'want dan ben jij het ook.'

Max voelde zich loodzwaar worden. Hij legde zijn potlood neer en ging naast haar zitten. 'Mijn ouders zijn ruimdenkend, tolerant, die zullen echt geen bezwaar hebben. Onze kinderen...'

Helga trok haar hand terug. 'Ja,' zei ze. 'Ja.'

Na een ogenblik of wat stond Max op en begon weer te tekenen, maar het was hopeloos, haar haar leek een gordijnkoord, en uiteindelijk moest hij accepteren dat het geen zin had nog verder te gaan.

Wat voor een dag was het? Hoe zag de lucht eruit? vroeg Henry. Laat me dat zien, was het gras fris en groen? Of juist verschroeid en geel?

Een week later fietste Helga langs zijn raam. Onmiddellijk gevolgd door de zoon van een visser, Gottschalk, inmiddels zelf ook visser met een aandeel in een nieuwe boot. Hij haalde haar in, stuurde alleen met zijn knieën, en Max zag aan de manier waarop Helga haar hoofd opzij had geworpen, dat ze hem opjutte. Max sprong overeind en smeet de voordeur open, dook langs de perenboom en sprintte de weg op. Maar Helga en haar visser vlogen slippend de bocht om, de spaken van hun wielen flitsten als zonnewijzers, hun banden één zwarte veeg. Hij rende ze na tot op de hoek, voorbij de bakker, maar ze waren verdwenen.

Max verorberde het laatste stuk van zijn broodje ei, dat Gertrude voor hem had ingepakt en in zijn tas had laten glijden. Hij was nu bijna aan het eind van Palmers Lane, voor Teal House waarvan de gigantische, kerkachtige ramen uitkeken op een weiland. Hij was bijna aan het eind van zijn tweede rol papier gekomen. Rustig aan, maande hij zichzelf terwijl hij de schoorsteen monsterde, als hij niet rustiger aan deed zou hij naar huis moeten. De muren van Teal House waren donkerrood, het dak had de vorm van een bolhoed. Onwillekeurig moest hij denken aan de baas van het bedrijf waar hij vanaf het einde van de oorlog de boekhouding voor had gedaan. Hij had na Käthes overlijden een week vrijaf gekregen en hoewel hij het wel van plan was geweest, had hij nooit geschreven waarom hij niet meer terug was gekomen. Met enig beleid kon hij toe met wat Käthe en hij hadden gespaard, en misschien zou hij doen wat Käthe hem had verboden: teruggaan naar Heiderose en zien wat ervan over was.

Op 1 september begon het te regenen. Het begon al vroeg, juist toen Max zich aan het aankleden was. Hij stond voor het raam en dacht aan de sleutel van Sea House. Die werd altijd in bewaring gegeven bij mevrouw Cobbe van nummer zeventien op Church Lane. Zij zou 's ochtends langsgaan en het huisje een goede beurt geven, en 's middags zou dan Elsa's huurtermijn officieel ingaan. Mevrouw Cobbe kon de sleutel uiteraard ook voor haar achterlaten, maar ze stond erop dat Elsa even langsliep om hem op te halen, je moest dat soort dingen netjes afhandelen.

'Nou,' meldde Gertrude Max, 'Elsa Lehmann heeft een verbijsterende hoeveelheid spullen ingepakt. Boeken en borden, en twee enorme koffers met kleren. Ik zal haar met de auto moeten helpen verhuizen. Ze zegt dat ze zich wel redt en maar één ding tegelijk meeneemt, en ik neem aan dat als Kett daar aan het werk gaat hij de dozen natuurlijk ook op een kar kan zetten.'

Max keek haar niet-begrijpend aan.

'Kett. De aannemer van hier. Hij gaat Lehmanns huis verbouwen. De trap krijgt een nieuwe hellingsgraad, een idee van

Klaus om er iets meer stijl aan te geven.' Gertrude lachte en schudde haar hoofd. 'Waarom dacht jij dan dat ze in zo'n huis-je moesten?'

'Heb ik niet aan gedacht,' zei hij fronsend en hij draaide zich om.

Halverwege de ochtend was het nog niet opgeklaard en Max, die niet langer kon wachten, trok zijn hoed over zijn oren en liep naar buiten. Hij nam zijn rol niet mee uit angst voor beschadiging, en dus zwierf hij het dorp door om nog meer te weten te komen en zomerse kleuren te kiezen voor het laatste huis aan Palmers Lane. Het was zijn dorp geworden, dacht hij, zoals wel bleek toen de paar mensen die hij tegenkwam hem toeknikten en zwaaiden terwijl ze zich voortrepten om droog te blijven. Max sloot zijn ogen. Hij wilde een proef doen met zichzelf, bewijzen dat hij elke weg en heg, elke bocht en over-hangende boom kon dromen. Afgaand op de rest van zijn zin-tuigen, de structuur van de weg onder zijn voeten, de geur van een voortuin, liep hij langzaam door tot de grond vlak werd en hij wist dat hij bij zijn uitzicht was gekomen. Hij draaide zich erheen en deed zijn ogen open. Het gras was kortgeschoren, het tarweveld stoppelig, de zegge tot op de grond afgemaaid. In de afrastering van de tennisbaan hadden zich struiken vol bramen geslingerd en de geur van smeulend hout, opkringe-lend in de regen, was onontkoombaar.

Max schuifelde het pad op. De zee lag recht voor hem – een zilveren plaat, platgeslagen door een onverwachte straal zon-licht. Max volgde de akkerrand tot aan het bos, waar het pad een lus maakte en hem, over heuveltjes en begroeide hoogten ploeterend, weer landinwaarts voerde tot hij uitkwam op de kwelder, vlak boven de molen. Er waren drie mannen bezig het dak te reparen. Max dook een nog smaller pad in, dat bleek uit te komen bij de ingang van een grijsgranieten bunker die on-gemakkelijk in de oeroude grond rustte. Max kroop er met een draai in, als een slak die in zijn schelp kruipt, en toen hij bij een van de smalle ramen stilstond, vroeg hij zich af wie van de mannen uit het dorp hier dag en nacht om beurten op de uitkijk voor de vijand hadden gestaan. Niet één huis in Steerborough was gebombardeerd, en misschien was het aan dit bunkertje te danken dat de Duitsers zich hier niet hadden gewaagd. Max leunde tegen een muur. Vandaag had hij buiten Elsa nergens fut voor en hij keek op zijn horloge om te zien of het niet toch echt al één uur was. Uiteindelijk klom hij weer naar boven en liep hij, met zijn blik bewust afgewend van de bouwvakkers, verder langs de opgestuwde geulen, over de stugge modder van een pad dat evenwijdig aan zee liep.

Er zwommen drie grote witte zwanen op het water, de laatste nog met buine vlekken. Toen hij dichterbij kwam, sloegen ze met hun vleugels en met de grootste moeite verhieven ze zich boven het water en begonnen te vliegen. Max raapte een dikke zeggestengel op en baande zich daarmee een pad langs de rivier, dwars door slik en riet, tot hij uitkwam bij de brug waarop halverwege een veehek stond, het enige door mensenhand vervaardigde voorwerp tussen Sea House en de zee.

Het glas in de voordeur trilde toen hij aanklopte. Het was na enen, maar er was niemand thuis. Hij morrelde aan de kruk, maar de deur zat op slot. Max liep terug de duinen in. De zon scheen al feller, het regende niet meer, en hij ging op zijn rug in het ruige gras liggen kijken hoe de modder op zijn schoenen een harde korst werd en er donkere kringen in de zomen van zijn broek trokken.

'Mijn hemel.' Gertrude was bang op een lijk te zijn gestuit waarvan de benen half onder het zand lagen.

Max vouwde zich uit. 'Goeiedag.' Hij keek even naar de zon en constateerde geschokt dat deze al ver over het dorp boven de torenspits hing. Hij krabbelde overeind en kwam naast haar staan, bezaaid met venkelsterretjes die vastberaden aan zijn kleren klitten.

'Nou, ze zit er,' zuchtte Gertrude. 'Met haar hele hebben en houden.'

Max draaide zich om naar Sea House, maar Gertrude haakte haar arm door de zijne. 'Het is alweer dagen geleden,' zei ze, 'dat ik het strand heb gezien.' Was het een schaduw of Elsa zelf die achter het raam zijn kant op tuurde en zwaaide? 'Laten we een eindje lopen.' En Gertrude kon zich niet inhouden en begon de bloemschilfers van zijn mouw te kloppen.

Max liet zich meetronen. Over het strand en langs de kleine, ronde baaien. 'Je hebt hier een oude man, woont aan de meent,' vertelde Gertrude. 'Die is al vijftien jaar niet naar de zee geweest. "Geen tijd," zegt hij.' Max knikte, hoewel het bijna onmogelijk was om al lopend naar haar mond te kijken. 'Alleen wij uit Londen denken dat we de natuur dag en nacht moeten aanbidden,' vervolgde ze. 'We durven geen sering of wilde appelboom te passeren zonder bewonderend de geur te gaan staan opsnuiven. We zijn uitgehongerd, zo zit dat, en als stadsmensen hier na hun pensioen komen wonen, zijn ze de rest van hun leven bezig dat weer in te halen. Mijn tante, van wie ik het huis heb, maakte iedere dag een ommetje, tot haar eenennegentigste.'

Bijna struikelde Max toen ze het smalle pad opliepen voorbij de steiger waar de veerboot aanlegde. Gertrude hees hem sjorrend op en hun heupen stootten hard tegen elkaar aan. 'Sorry,' zei ze toen ze zijn arm losliet.

Max keek heimelijk even achterom. Sea House was uit het zicht verdwenen. Links van hem lag niets dan een groot, zompig weiland en er zat niets anders op dan nu maar door te gaan. Max zag de uren zonder hem verstrijken. Het dimmende licht, de muggen die uitgroeiden tot hele zwermen, en hij stelde zich voor dat Elsa zich erbij neerlegde dat hij niet meer zou komen.

Ze kwamen ten slotte uit bij de brug en liepen landinwaarts langs het spoor. Het pad liep over een rijtje heuvels door tot aan het dorp. Gertrude bleef af en toe wat staan plukken aan een braamstruik en glimlachte naar hem met zwarte tanden. Ze zeiden niets, en langzaam maar zeker, toen ze de zonsondergang tegemoet liepen, begon Max iets rustiger te ademen. Hij had zich nu onderworpen aan Gertrude en zich geschikt in het feit dat als ze zo weer in het dorp kwamen, het te laat was om nog ergens heen te gaan. Maar Gertrude bleef niet staan op de hoek bij haar huis. 'Mijn auto,' zei ze, 'die staat nog bij de haven,' en dus daalden ze weer af naar zee.

Het was raar om op de leren zitting te schuiven, tegen een kussen te leunen en te voelen, toen ze het laantje afreden, hoe alle regen, zout en zonneschijn van die dag oplosten. Ze maakten gezamenlijk wat te eten, stampten aardappels, bakten karbonades, plukten peterselie en zoete tomaatjes van een rank bij de achterdeur. Max dekte de tafel en Gertrude bracht de borden binnen en op datzelfde moment keken ze allebei op en knikten elkaar tevreden toe. Na het eten deden ze eerst één kaartspelletje en toen nog één en Gertrude, die helemaal gloeide omdat ze steeds won, stond erop hem iets voor te lezen uit een verzamelbundel gedichten uit Suffolk. Ze las een gedicht voor waar hij werkelijk geen woord van begreep.

> Vier glanzende pennen, zo glad en zo slank,
> In menig doorwaakte nacht zei ik u dank.

Het gedicht ging over breien, legde ze uit.

> U hebt me op sombere dagen bijgestaan
> die machtige vijand, Ennui, te verslaan,
> mij zwijgend en prettig weten te boeien
> zonder lichaam of geest al te zeer te vermoeien,
> opdat zij zich gezond en oprecht konden wijden
> aan bespiegeling, gebed en innerlijk verblijden.

Het was inmiddels na tienen en Max keek naar buiten, de donkere nacht in. 'Ik ga boven nog wat lezen,' zei hij terwijl hij opstond en zich uitrekte, en ook Gertrude stond op. 'Ja, je hebt gelijk,' en achter elkaar aan liepen ze de trap op naar bed.

Max zat rechtop in een wolk van licht. Hij was vergeten de gordijnen dicht te doen en de eerste zonnestralen wierpen vlekken op het glas. 'Kom je langs?' klonken Elsa's woorden in zijn oren, en hij kon nauwelijks geloven dat hij de eerste kans daartoe had laten schieten.

Hij schoot in zijn kleren, op de klok was het halfzes, en uiterst behoedzaam sloop hij de trap af. De zachte buitenlucht bracht hem meteen in een uitgelaten stemming. De ochtend was blauw, net niet zwart meer, en donkere zwermen trekvogels vulden de lucht. Hij holde de weg af tot aan de hoek van het verlaten huis van Lehmann en door over de meent. Het was hier nog nacht, maar de rivier was al tot leven gekomen. Bootjes voeren af en aan en schudden hun netten met vis uit onder hysterisch cirkelende meeuwen.

Max dook weg in de schaduw van de huisjes en stoof van paal naar paal zonder zijn blik af te wenden van het raam van Sea House waar een lichtje scheen. Hij wist zeker dat dat licht daar voor hem brandde. Happend naar lucht snelde hij erheen en pas op het houten trapje bleef hij even staan om op adem te komen. Hij stapte de veranda op en klopte aan en wachtte, en duwde toen de kruk omlaag en liep naar binnen. De kamer beneden was leeg. 'Elsa?' Het vierkante gat boven aan de trap was verlicht en misschien riep ze vandaar wel iets naar beneden. Een hand, een voet, eerst de een, dan de ander, hij was in zijn droom. Al klimmend voelde hij de warmte van elke sport onder zijn hand tot hij, knipperend, boven was.

Daar stond de kast, de ronde tafel met stoelen, het bed en de teruggeslagen sprei. Maar geen Elsa. Op bed lag een boek. Hij liep erheen en ging zitten. Het was een nieuw boek, ongelezen, met een nog gave kaft.

Anne Frank
Het dagboek van een jong meisje
Document van een jeugd

Max keek in het gezicht van het meisje. Donker haar naar één kant gekamd, ronde ogen in witte kringen en een brede, blijde lach die hem vaag deed denken aan een eend. Max sloeg het boek open. Op de binnenflap stond een foto van een huis met vier verdiepingen en ramen waartussen amper ruimte voor een baksteen was, en daarnaast een foto van een overloop en een boekenkast met ordners.

En toen rees Elsa op uit het trapgat. Hij zag haar gillen, haar hand voor haar mond slaan, en dat alles in die ene seconde voor ze besefte dat hij het was.

'Het spijt me vreselijk.' Hij sprong op. 'Ik kon niet eerder komen en ik had je hier graag...'

Ze droeg een nachtjapon met ruches langs de schouders, haar haar hing los. Ze liep naar hem toe. 'Hoe laat is het?'

'Het spijt me...' begon hij weer.

'Geeft niet.' Ze strekte een hand naar hem uit. 'Ik kon niet slapen.'

Max stond veel te dicht bij haar en omdat hij niet wist hoe hij anders weg kon komen, ging hij zitten. Elsa kwam naast hem zitten. Het bed zuchtte en schommelde, zodat ze tegen elkaar aan dreigden te vallen en Max spande elke spier in zijn lichaam om dat te voorkomen. Elsa pakte het boek, en allebei keken ze naar het vrolijke meisjesgezicht.

'Misschien is het wel beter geen kinderen te hebben gehad.' Ze huiverde onder de dunne stof van haar nachtjapon en Max zei: 'Ik moest maar weer gaan.'

'Ja. Dankje.' Haar hand lag op zijn arm. 'Wees gelukkig,'

fluisterde ze en alsof ze toen ineens een ingeving kreeg, boog ze naar voren en kuste hem. Max stond heel stil, haar lippen dwarrelden over zijn wang, en toen trok hij haar naar zich toe. Hij kuste haar op haar haar, haar wenkbrauwen zo recht en ernstig, en haar brede oogleden. Ze verzette zich niet, en hij zoende haar neus, haar kin, haar hals. Hij knielde voor haar neer, drukte zijn hoofd tegen haar buik en voelde haar warmte door de plooien van de stof. En toen zoende zij hem ook. Ze kuste zijn voorhoofd, de stoppels op zijn kin, zijn hals, zijn schouders, zijn armen, zijn oren. Hij tilde haar toen op en drukte haar neer, en hij begon driftig aan zijn kleren te sjorren. Rukkend aan de veters trapte hij zijn laarzen uit, doodsbenauwd, God en iedereen smekend dat hem dit vergund zou zijn. Hij voelde de tranen in zijn ogen opwellen en durfde niet naar haar te kijken uit angst dat al dit gehannes met kleren haar afschrok. Maar toen hij zich omdraaide zat ze naakt op haar knieën voor hem en haar lichaam was zo smal als dat van een meisje, en haar borsten, zo vol, vormden aan de onderkant een volmaakte halve cirkel. 'Zie je,' zei ze neerkijkend. 'Ik heb nooit kinderen gehad,' en Max pakte haar vast en met nog één bungelende sok en zijn overhemd half opengeknoopt leidde hij haar naar het bed. Ze vielen neer, precies zoals hij zich dat had gedroomd, en hij opende zijn mond en lachte gelukkig toen de grote sprei hen omsloot.

28

Sea House, Steerborough, Suffolk. Lily spreidde de brieven uit op tafel en streelde ze met haar vingers, die gevoelig waren omdat haar huid nog steeds papierachtig was van het gebrek aan slaap. Het duizelde haar, de gedachte aan Grae, zijn handen op haar lichaam, de zachte punt van zijn tong tegen haar tanden.

Mijn lieve vrouw Elsa, schreef Lehmann in 1951. Afgelopen nacht droomde ik dat ik met een parachute Duitsland in sprong, net zoals we dat in de laatste maanden van de oorlog deden. We dromden rond de deur, klaar voor de sprong, en toen ging het groene lichtje in het vliegtuig branden. Ik viel in het donker en mijn parachute klapte boven mijn hoofd open, onder mij hing mijn rugzak aan een touw, en in mijn droom bleef ik net als toen gewichtloos zweven, zeilend, zonder te weten waar ik zou neerkomen. Ik bungelde daar boven het Duitsland dat ik met zo veel moeite had weten te ontvluchten. En toen kreeg ik zo'n merkwaardig gevoel. Mijn geest maakte zich los van mijn lichaam en leek boven mij te komen hangen, alsof hij vroeg: Wie is die gek? Waar is die mee bezig? Ik heb die ervaring nooit meer gehad, tot ik vannacht wakker schrok met datzelfde gevoel. Gaat alles goed met je? Ik zie je nu zoals ik je toen zag en hoop boven alles dat je eindelijk gelukkig met jezelf leert zijn in je huisje boven het strand.

Mijn liefste,
Ik ben blij dat je je ook zonder mij redt en dat de muggen ten minste je linkerenkel konden weerstaan. Heb het nog altijd erg druk, zeker als ik denk aan

Hiervoor toen ik niet had gedacht ooit nog een mens bereid te vinden me een opdracht te geven. Dus laat ik nu maar dankbaar zijn. Sammel, Leibnitz en Koenig zijn intussen allemaal allang naar Amerika vertrokken, maar ik zou niet nog een keer ergens opnieuw kunnen beginnen. En ik weet jij evenmin. Ik hoop maar dat de stemming die uit je brief sprak oprecht is. Als je eenzaam bent, aarzel dan niet hierheen te komen, al is het niet eenvoudig om in Steerborough eenzaam te zijn, weet ik. Brieven krijgen is zoiets heerlijks, en zo snel als dat tegenwoordig gaat. Weet je nog dat ik je een standje moest geven omdat je te lang wachtte met een volgende brief, of zei dat je korter en dan vaker moest schrijven zodat je niet zo lang hoefde uit te rusten na een ellenlange brief. Sorry dat ik zo streng voor je was, El lief, maar van meet af aan heb ik het een ondraaglijke gedachte gevonden dat jij een leven zou hebben buiten mij, en nu, na twintig jaar huwelijk, kan ik het maar net een paar dagen verdragen. Als het even kan kom ik zaterdag met de trein naar je toe. Loop je naar de vissersboten en koop je dan wat bot voor me, om te pocheren? Ik heb er ineens zo'n trek in, net als in die pekel-bruine garnalen die ze aan de haven verkopen. Evenals de muggen heb ik een zwak voor je rechterenkel. En natuurlijk voor je kuiten, je ellebogen en je polsen. Doe er voorzichtig mee en houd ze goed bedekt voor me.

Je L.

Toen Lily de volgende brief wilde pakken, zag ze vanuit een ooghoek Ethel op de hoek van de meent. Ze stond te wankelen en de uiteinden van het koord om haar ochtendjas zwiepten heen en weer terwijl ze met één arm haar evenwicht probeerde te hervinden. Lily duwde het raam open. 'Gaat het?'

Ethel ging rechtop staan, gekalmeerd door haar stemgeluid. Ze deed een paar stijve pasjes haar kant op. 'Je wint er niets mee,' zei ze tegen haar. 'Met dat ouder worden.'

'Nee,' zei Lily, al hoopte ze van wel, ergens, ooit. 'Gaat u zwemmen?'

'Ik was het wel van plan.' Ethel keek bedenkelijk. 'Als ik eenmaal in het water ben gaat het wel weer, het is dat heen en weer... Die ellende komt altijd onverwacht, snap je, en dan verlies ik mijn evenwicht.'

'Wacht even...' Lily holde naar boven en graaide naar haar badpak. Het zand vloog als suikerstralen uit de elastische zomen. Ze rolde het badpak in een handdoek en repte zich door de zijdeur naar buiten.

Samen staken ze de meent over. Ethel hobbelde stijf rechtop en met stramme benen naast haar voort. Ze deed Lily aan een kuikentje denken met dat witte toefje haar, en de zachte, ovale overslag halverwege haar ochtendjas had de vorm van een ei. Toen ze dichter bij het strand kwamen, keek Lily zenuwachtig om zich heen of ze Grae zag. De strandhuisjes lagen rechts van haar, verscholen achter het rijtje duinen.

'Zien we je straks?' Grae had haar aangekeken, zijn vingers raakten nog net niet haar hand, en ze wisten allebei dat hij vanmiddag of vanavond bedoelde en niet met een halfuurtje, voor een van beiden zich had kunnen omkleden.

'Je gaat er ook in?' vroeg Ethel, die haar ochtendjas op het zand liet glijden.

Lily trok haar spijkerbroek uit. Haar blouse was kreukelig, ten dele dichtgeknoopt, en rook ruig naar smeulend hout en buitenlucht. Toen ze haar laatste kleren afstroopte, streken haar vingers over haar huid en heel even sloot ze haar ogen alsof hij haar aanraakte.

'Klaar?' Ethel kuchte, en blozend hees Lily zich in haar badpak. Verlegen pakten ze elkaars hand en liepen naar de branding. Het water was ijskoud. Het was vloed en al snel, veel te snel, waadden en zakten ze met hun armen uitgespreid in het water. Lily voelde het water brandend onder haar badpak kruipen – een koude bron bij haar navel, ijs in de punten van haar cups. 'Vanaf hier red ik het wel,' schreeuwde Ethel, die haar hand losmaakte en hoogst tevreden wegzwom naar de horizon. Lily werd door een golf overspoeld. Ze spartelde en proestte en worstelde en toen ze weer bovenkwam, was ze warm geworden. Ze kantelde op haar rug met uitgestrekte armen en benen, als een zeester, haar gezicht in de zon, en toen, uit het niets, doortrok haar een vlaag van puur gouden geluk. Het gevoel was zo sterk dat er een rilling over haar rug liep die doortintelde tot in de botten van haar tenen en vingers, ze werd er bang van. Ze draaide zich om en speurde naar het witte zeehondenkoppie van Ethel. Ze ontwaarde haar in het schuim van een golf en met slordige crawlslagen zwom ze daarheen, haar mond dicht, haar ogen samengeknepen tegen de zon. Ze haalde haar uiteindelijk in. Watertrappelend boven een onzichtbare scheidslijn liet Ethel zich met uitgespreide armen op een golf deinen. Het duurde even voor Lily besefte dat ze bloot was. Haar oranje badpak dreef aan een touwtje naast haar en even onder het wateroppervlak werd haar witte, gelukkige lichaam kabbelend verkwikt.

'Mijn zoutbad,' zei Ethel glimlachend, 'daar kan niets tegenop,' en Lily, die nu voor haar gevoel te veel aan had, liet haar schouderbandjes zakken en trok haar badpak uit. Het water kolkte om haar heen en ze kreeg zin om te duiken en dartelen nu duidelijk werd dat het dunne nylonlaagje dat ze had gedragen in feite een loodzwaar pantser was geweest.

'Dit houdt me jong,' zei Ethel tegen haar en ze liet zich onderuitzakken op het kussen van een golf.

'Hoe lang woont u nou hier?' vroeg Lily.

'Hoe lang? We zijn verhuisd... Even denken, ik ben vierentachtig, moet twintig jaar geleden zijn geweest. Toen mijn man z'n pensioen kreeg.'

'En... Is hij...?'

'Nee, zeg. Die is niet lang daarna overleden. We konden het ook niet zo goed vinden, om eerlijk te zijn. Ik heb een schat van een vriend. Woont in Stowminster. Hij komt dit weekend.'

Later zwommen ze terug met hun zware, volgezogen badpakken achter zich aan en poedelend in de ondiepe golven lieten ze zich het strand op trekken. Lily stak haar arm uit toen ze opkrabbelden en samen stapten ze op het droge.

Mijn El,

Ik weet dat je woedend zult zijn. Ik kan niet komen, en het spijt me. Lily zat in een roestrood bad een geroosterd broodje te eten en ontcijferde met moeite het grijze lettertje van Lehmanns brief die ze tussen de kranen rechtop had gezet. *Zie mijn afwezigheid alsjeblieft niet als een Teken. Ik kreeg het dringende verzoek naar een paar arbeidershuisjes in Sussex te komen kijken en ga door naar Hambledon om een muur te controleren die daar op de verkeerde plek is gebouwd. Als dat achter de rug is, stap ik op de eerste de beste trein. Ben je al eens in ons huis wezen kijken? Is Kett al begonnen? Is alles afgedekt en goed beschermd? Hoe gaat het met die vreemde figuur Meyer en zijn papierrol? Ik vind het buitengewoon vriendelijk van je dat je nog altijd met hem praat, ook al heeft hij ons huis weggelaten. Vergeef me alsjeblieft. Ik geef je vijf minuten om boos te zijn en dan wil ik dat je me schrijft en zand erover zegt.*

Lily leunde achterover in haar bad. Ze werd overspoeld met gedachten aan Nick. 'Klootzak,' mompelde ze alsof niet zij, maar hij was vreemdgegaan en vloekend probeerde ze zijn gezicht weg te duwen. Maar in haar hoofd herhaalde ze al de manieren waarop hij haar had gekwetst, genegeerd, haar had laten gissen en hopen en altijd had geweigerd te zeggen wat ze toch zo duidelijk als wat het liefst wilde horen. Ze zag ineens haar gezicht in de rij spiegeltegels, verknipt tot armetierige, treurige vierkantjes, en bij wijze van boetedoening goot ze wat shampoo over haar haar en gaf haar oren er stevig van langs. Later, toen ze zich goed gestraft en bekaf voelde, liep ze de trap op en stapte met de brieven in het eenpersoonsbed.

Mijn lieve El, las ze. *Het is alsof ik alle hoogtepunten van mijn bestaan herleef. Vannacht droomde ik dat ik aan een enorme ronde tafel zat met een groep legerbureaucraten. Ik was daar als afgezant van het Britse leger met het verzoek dat het vliegveld aan mij zou worden overgedragen, en terwijl zij druk zaten te delibereren en niets durfden beslissen, werd ik op mijn schouder getikt. 'Luitenant Lehmann...' Het was een hooggeplaatste nazi die vroeg of we iets onder vier ogen konden bespreken. 'Luitenant Lehmann,' zei hij, 'ik ben dol op joden. Ik had een achterneef die joods was die ik de hele oorlog door heb be-*

schermd. Alstublieft, kan dat worden meegewogen als dit voorbij is?' 'Ja,' zei ik tegen hem, 'alles zal tegen elkaar worden afgewogen.' En ik ging terug naar mijn plaats. Vijf minuten later werd ik weer op mijn schouder getikt. 'Kan ik u onder vier ogen spreken?' Het was een andere nazi en ook hij nam me apart. 'De zuster van de vrouw van mijn beste vriend was getrouwd met een jood,' zei hij. 'Ik heb gedaan wat ik kon voor haar.' En zo ging het maar door. 'Ja,' zei ik tegen ze, 'alles wat u hebt gedaan zal tegen elkaar afgewogen worden.' Deze mannen wisten dat het oorlogstribunaal eraan zat te komen, en ik schepte er een boosaardig genoegen in de angst op hun gezicht te lezen. Ik keek naar ze in hun fraaie uniformen met koorden en onderscheidingen, wat schamel lachend en naarstig hun best doend om beschaafd te zijn, en dat terwijl beschaving voor hen had gestaan voor de onderwerping en uitroeiing van iemand als ik. Als ze de moed hadden gehad, – de woorden zwommen nu voor Lily's vermoeide ogen – hadden ze me laten neerschieten.

'Lily. Lily!'

Werd ze geroepen? Het voelde alsof ze even had geslapen, maar het was al laat in de middag. *Als ze de moed hadden gehad, hadden ze me laten neerschieten.* De woorden lagen naast haar op het kussen, de brief nog steeds in haar hand. Ze spitste haar oren, maar nee. Alleen het lage gekoer van houtduiven die in de bomen gniffelden. 'Lily?' Iemand riep haar van bij de achterdeur, binnen. Haar hart sprong op en hield zich toen stil. Nick? Ze durfde nauwelijks te ademen, en toen werd er een deur dichtgesmeten en was wie het ook was weer verdwenen. Heel langzaam kroop ze uit bed en sloop naar het raam. Drie kindjes met emmers en schepjes strooiden houtsnippers op het laatste stukje glijbaan. Ze holde naar de achterkamer en keek in de tuin. Maar er was niemand. Wie was het? Ze moest het weten. Ze trok een spijkerbroek en een T-shirt aan en rende naar beneden. Er stond geen auto naast de hare. Lily? Ze probeerde de stem terug te halen. Grae? Misschien was het Grae, ze hoopte dat hij de moed had gehad, de trap op was gelopen en haar in haar bed zou hebben gevonden. Ze sprintte terug naar de keuken en zag in het voorbijgaan zichzelf in de spiegel. Haar haar was aan één kant plat, maar stond aan de andere kant in plukken overeind, zoals bij een koalabeer. Ze bleef staan, moest lachen en merkte toen dat ze een ongelooflijke trek had en in plaats van de meent op te hollen, zette ze water op en maakte iets te eten. Die kinderen op de glijbaan, daarvan kon er zomaar eentje, of meer zelfs, Lily heten. Ze nam haar omelet en een salade mee de tuin in en probeerde rustig te eten, hoogstens één keer per minuut naar het tuinhek te kijken, maar met elke hap was ze minder zeker dat Grae terug zou komen. Hoe zouden ze elkaar begroeten? vroeg ze zich af, zouden ze een hele avond moeten wachten voor ze elkaar konden aanraken? Ze had buikpijn, een dichtgesnoerde keel en raakte licht bedwelmd door het zoete, verzengende zonlicht en het gedruis van de golven in de verte.

Om zeven uur pakte ze een jasje en een fles wijn en alsof ze serieus een avondje uitging, draaide ze de deur op slot. Langzaam liep ze langs de rivier, over de houten brug en het pad af naar de strandhuisjes. Grae's deur stond open, een helderblauwe kier die schril afstak tegen het vaalgrijze hout. Buiten was een tafeltje neergezet met drie stoelen en al stonden er een half opgedronken beker thee en een schaal kruimels, er was niemand. Lily keek door de deuropening zijn huisje binnen. Een plank met boeken, vooral kinderboeken, een handleiding voor de auto en een boek over de geschiedenis van de kust van East Anglia. Onder ieder bed lagen koffers met kleren en de oranje kist met speelgoed die, stelde Lily zich voor, de meisjes gesmeekt hadden mee te mogen nemen. Er lag een exemplaar van de *Village News* op de grond, alsof die bezorgd was. Er zou een millenniumtentoonstelling worden georganiseerd – foto's van Steerborough. Te bezichtigen voor 20 pence op de drie officiële vakantiedagen in augustus. 'Hulp en suggesties altijd welkom. Neem contact op met Alf en Cassie Wynwell.' Daaronder in dikke zwarte letters:

Verrassingstentoonstelling
Tombola. Thee en gebak.

Een hand greep Lily bij haar schouder. Ze schrok zo dat ze de *Village News* liet vallen, al wist ze toen al dat het Grae was. Ze draaide zich om en keek in zijn gezicht. Hij stond zo dichtbij dat ze hem bijna niet kon zien.

'Waar zijn ze?' fluisterde ze, en hij begreep wat ze bedoelde, grijnsde en trok haar op het onderste bed.

'Ze zijn er niet.' Zijn ogen schitterden. 'Ze zijn bij hun moeder. Ze komen vanavond niet terug.'

'Maar...' Lily zwalkte tussen nieuwsgierigheid en lust. 'Ik dacht...'

Maar Grae zoende haar, stroopte haar kleren af en stond alleen even op om de deur dicht te doen. Lily keek toe hoe hij zijn overhemd losknoopte, zijn T-shirt over zijn hoofd trok en toen lag hij halfnaakt tegen haar aan gedrukt in het belachelijk smalle bedje. Zijn lichaam had dezelfde getaande kleur als zijn haar, en hij glimlachte naar haar toen hij zijn laarzen uitschopte.

'Ja,' zei ze voor hij kon ophouden om te vragen wat er goed of niet goed was, en ze hield haar ogen open en keek hem uitzinnig en stralend aan.

Later lagen ze zwijgend en bewonderend te kijken naar de grote kleurvlakken op hun ledematen en volgden elkaars contouren met hun vingertoppen, die stralend wit afstaken tegen hun huid.

Het was donker toen ze weer buiten kwamen. 'We kunnen ergens wat gaan drinken,' stelde Lily voor toen Grae om zich heen keek naar een plek voor een vuurtje.

'Ik heb geen geld.'

'Ik...'

'Nee,' zei hij beslist, en toen: 'Ik maak wel vuur.' Ze zwegen toen hij op zijn hurken de vlam afschermde en de vonk erin blies. Hij stapelde er drijfhout op zodat ze al snel in een heldere kring van licht zaten.

'Luister, ik hoor niet bij het dorp,' zei hij. 'Ze laten me de kroeg niet binnen.'

'Nou, is dat... je...'

'In Steerborough' – hij klonk boos – 'ben je ofwel de zoveelste generatie van hier of je brengt geld mee, genoeg om een tweede huis te kopen. Jij zult het hier allemaal wel idyllisch vinden. Maar dat is het niet voor gewone mensen. Voor mensen die moeten werken.'

'Ik moet ook werken.' Lily zag de lening waar ze van moest leven ineens als een bergje dat almaar kleiner werd hoe dichter ze bij de top kwam.

'Weet je dat Guinness niet meer in de doe-het-zelfzaak mag komen?'

'Guinness?'

'Onze kat...' Grae schudde zijn hoofd. 'Hij liep achter me aan en stootte een kan om.'

Lily knipte in haar vingers om de kat te roepen. 'Guinness.' Een donkere schaduw met boven op een witte veeg sloop naderbij. 'Mag jij niet meer naar binnen, griezelig beest?' Ze lokte het dier op haar schoot en voelde het natte puntje van zijn neus en de uitwaaierende snorharen toen hij zijn kop in haar hand duwde. 'Zeg,' – het was meer kuchen dan slikken wat ze deed – 'hoe zit dat met jullie huis? Moesten jullie daar weg?'

'We zitten in ons vakantiehuisje.' Ze voelde dat Grae zijn stekels opzette. 'Iedereen heeft er één, dus waarom wij niet?'

Lily leunde tegen zijn zij. Ik ben het toch, wilde ze zeggen, maar hij wist natuurlijk niet echt wie ze was.

'We konden de huur niet meer betalen,' zei hij uiteindelijk. 'Toen Sue was vertrokken en ik een nieuwe auto moest hebben. Ik had mijn baan bij de energiecentrale wel kunnen terugkrijgen, maar... Ze werken daar in ploegendienst, en wie moet er dan voor de meisjes zorgen?'

'Wat rot.' Jezus, waarom stelde ze ook altijd zoveel vragen terwijl ze daar net zo gelukkig in het donker zomaar wat hadden liggen fluisteren. Om nu ook echt op te houden, stond ze op en ging de wijn halen.

'Hoe komt het dat jij Duits spreekt?' vroeg Grae. Bij gebrek aan een kurkentrekker duwde ze de kurk met haar duim omlaag. 'Je vertaalt brieven? Volgens Emerald tenminste zat je dat de hele dag thuis te doen.'

'Nou...' Hij had haar dus wel degelijk in de gaten gehouden. 'Ik heb Duits op school gehad en ik was er wel goed in. Mijn vader komt uit Duitsland oorspronkelijk...' Ze had niet gedacht dat ze hem dat zou vertellen. 'Hij is op zijn twaalfde hierheen gekomen. Zijn ouders hebben hem vooruitgestuurd... Het zal dus wel in mijn genen zitten.' Grae naast haar hield zich stil. Wachtte op meer. 'Hij was violist. Walter Lampl.'

Walter Lampl. Vroeger had ze die naam vaak herhaald tegen mensen die ze niet kende om te zien of ze hem niet toevallig hadden horen spelen, maar nee, ze lachten en zeiden dat ze maar bofte dat ze haar moeders naam had gekregen.

'Hij speelde in een orkest, en toen mijn moeder... Toen ze elkaar wat vaker zagen... hij was al getrouwd.' Hij was op zijn achttiende getrouwd met een meisje dat hij nog van school kende. Hij kon niet bij haar weg, dat was uitgesloten. Zij was alles wat hij aan familie had, en dat gold omgekeerd ook.'

'Maar heb je... zag je hem vaak?'

Lily probeerde opgewekt te klinken. 'Nee. We hebben elkaar nooit ontmoet.'

'Hm.' Grae knikte. 'Hm.'

'Hij reisde veel... De hele wereld over.'

'En je hebt nooit de drang gehad hem te gaan zoeken?'

Ze schudde haar hoofd. 'Ik weet niet waarom niet.' Ze keken naar het vuur. 'Al ben ik wel een keer naar Duitsland geweest. Met een uitwisselingsproject, een heel schooljaar. Ik zat in Ulm. Ik geloof dat mijn vader uit Hamburg kwam, dus het

sloeg eigenlijk nergens op, en in Ulm, dat had ik me niet gere-
aliseerd, spraken ze een soort dialect. Schwäbisch. Alsof je Engels wilt leren in... weet ik het... Newcastle.'

In het gezin waar ze terechtkwam hadden ze acht kinderen,
zeven meisjes en als laatste nog een jongen, en de vader had een
gigantische buik, zo hard als een voetbal, alsof hij er zelf nog
één probeerde te krijgen. Ze waren haar komen ophalen in een
auto met drie rijen stoelen, met hun allen, alleen de moeder
die ziek was niet, en terwijl de kinderen druk zaten te kletsen
en te kibbelen, moest zij steeds denken aan Sabine met wie ze
geruild had, die nu in haar eentje met haar moeder in de metro
naar huis zat.

'Ik was twaalf. Ik was verschrikkelijk eenzaam. Zelfs met al
die kinderen. Zelfs toen ik vloeiend Schwäbisch sprak. Ik
schreef mijn moeder elke dag. Ik schreef iedereen die ik maar
een beetje kende.' Grae strekte zich uit naast het vuur. 'Ik zou
jou ook hebben geschreven als ik je ook maar één keer was tegengekomen. En toen vroeg een meisje van school, Astrid, of ik
bij haar wilde logeren. We hadden een schoolreisje, een dagje
de stad uit met de trein, en haar moeder zou ons na afloop van
het station komen halen. Ik weet nog dat ik tot boven aan de
trappen van het station liep waar ik iedereen uit mijn klas bij
ouders in de auto zag springen en het werd steeds leger en ik
verwachtte ieder moment op mijn rug te worden getikt door
Astrid. En toen opeens was iedereen weg. Ik bleef wachten. Ze
moest het zich toch herinneren en dan terugkomen. Dus ik
bleef wachten. En wachten. Mijn eigen familie verwachtte me
niet thuis. Pas de volgende dag. Maar zij moest het zich toch
herinneren. Of anders zou haar moeder wel vragen waarom ik
niet was meegekomen. Ik moet daar uren hebben gestaan. Ertegenover was een busstation, en af en toe holde ik daarheen,
maar geen van de namen of nummers zeiden me iets. Mijn familie woonde in een buitenwijk, allemaal bakstenen huizen,
en ik wist de naam wel, maar je kent dat wel, toch, dat je de

naam wel herkent, maar niet uit jezelf kunt herinneren? Ik ging bijna elke dag na school met de bus naar huis, maar altijd samen met andere kinderen, en ik had de bestemming wel voor op de bus gelezen, maar die nooit hardop gezegd. Het begon al donker te worden. Mensen bleven staan en keken dan naar me, dus toen ben ik gaan lopen. Ik wist niet of ik wel de goede kant op liep en ik kwam uit op de autobahn. Er was geen stoep en de auto's raasden langs me heen. Ineens wist ik zeker dat Astrid het zich zou herinneren en ik draaide me weer om en probeerde het station terug te vinden, maar tegen die tijd was ik al hopeloos verdwaald. En toen gebeurde er een wonder. Ik zag mijn bus rijden. Donaurieden. Dat was het natuurlijk. Ik hield de bus aan en sprong erin op het moment dat de deuren dichtgingen. Maar ik had niet genoeg geld bij me.

"Kan iemand mij alsjeblieft helpen?" Ik hoefde maar zes pfennig te hebben. Maar niemand wilde helpen. Er zaten een heleboel mensen in de bus allemaal naar de vloer te staren. Het was net zo'n droom waarin je het zou willen uitschreeuwen of iemand met een mes aanvliegen, maar je staat als aan de grond genageld. En toen herinnerde ik mij dat ik voor half geld reisde. "Halve prijs," zei ik, "alstublieft," en de buschauffeur haalde z'n schouders op en stempelde een kaartje voor half geld af, en ik was binnen.

Mijn familie wilde net naar bed gaan toen ik binnenkwam. Eerst merkte niemand iets. Ik deed de gangdeur open en ging op een stoel zitten en toen zag de vader mij. "Wat is er gebeurd?" Hij sloeg zijn armen om me heen en ik kon er niks aan doen, maar ik moest zo huilen. Ik bleef maar huilen. Ik kon niet meer ophouden. Zijn buik drukte tegen mij aan en ik voelde de klamme huid van zijn wang en toen begon ik te lachen omdat hij de liefste man was die ik kende. "Meine kleine Mädlie..." Hij gaf me een glaasje melk en toen vroeg hij of ik joods was.

"Ik weet het niet." Ik lachte en huilde tegelijk. "Mijn vader wel."

Hij knikte alsof hij dat al wel gedacht had, en daarna waren ze zo aardig voor me. Mijn kleine meid, noemden ze me, allemaal, zelfs de vrouw die kwam koken als de moeder te ziek was. Ze zoenden en knuffelden me, gaven me allerlei cadeautjes en de dag voor ik weer naar huis zou gaan, namen ze me mee uit winkelen en kochten een heleboel kleren voor me.'

Grae hield zijn ogen dicht, maar strekte zijn hand uit. Lily ging naast hem liggen.

'Sorry. Zo lang heb ik nog nooit gepraat, echt nog nooit. Nou ja, al maanden niet.'

Grae schoof een arm om haar heen. 'Nog één woord en ik stuur je terug naar Duitsland met zes pfennig in je portemonnee.'

'Goed.' Ze drukte zich tegen hem aan. 'Maar ik wil nog één ding zeggen.'

'Jezus.' Hij rolde met zijn ogen. 'Wat?'

'Ik voel me er nog altijd schuldig om, maar ik heb die kleren nooit gedragen.'

Ze sliepen in de buitenlucht. Grae sleepte alle drie de dekbedden naar buiten, en ze maakten een drassig zacht bedje. Ze hoorden de zee achter hen en boven hun hoofd aanrollen, en in het donker flikkerden de lichten van het dorp aan de overkant van de rivier. Boven hen dropen de sterren omlaag en telkens als ze keken werden dat er wel honderd meer, zodat Lily zich uiteindelijk gedwongen zag op haar zij te gaan liggen met haar armen om Grae, wilde ze kunnen slapen.

Er hing een briefje op de deur van Fern Cottage. *Waar was je nou, VERDOMME?* Het was Nicks handschrift met woedend knallende hoofdletters. *Ik was hier vanmiddag al. Je was er niet. 's Avonds ben ik teruggekomen. JE WAS ER NIET. Ik heb de hele nacht gewacht. Het is nu halftien en ik GEEF HET OP.* Lily keek op haar horloge. Het was tien over tien, en ze had Grae bijna overgehaald om bij haar een bad te komen nemen. Ze liep naar binnen en ging op de bank zitten. Ze kon Nick bellen, maar stel dat hij zou remmen en omkeren? Ze zou hem over een uur bellen. Dan was hij bijna thuis. Ze liet haar hoofd in haar handen zakken om te bedenken wat een bedriegster ze was geworden. Ze zat daar als vastgenageld aan de bank en om de zoveel tijd bedacht ze dat Grae, die voor het ontbijt zorgde, zich ongetwijfeld afvroeg hoe ze zo lang kon doen over tandenpoetsen. Uiteindelijk liep ze naar de telefooncel. Er stond al iemand in, een vrouw die stampei maakte over een lekkend dak, en toen ze verontschuldigend opkeek, schudde Lily haar hoofd en zei geluidloos dat het niet erg was. 'Het heeft geen haast,' zei ze, en ze huiverde toen ze in haar zakken naar kleingeld zocht.

29

Max duwde drie keer met zijn volle gewicht op het gladde metaal van de deurkruk voor hij wilde accepteren dat Gertrudes voordeur op slot zat. Ze moest in alle vroegte zijn opgestaan om de deur te controleren, of had ze hem bewust buitengesloten? Geschrokken rende hij achterom. De tuin was bezaaid met dauwdruppels die als diamanten in elk grassprietje zaten, en in alle perken hadden de laatste zomerbloemen zich tegen de kou gesloten. Hij rammelde aan de tuindeuren en het zijdeurtje, zag toen dat het keukenraam niet vergrendeld was en begon zich daar doorheen te wurmen. Hij was er bijna, zijn tenen raakten al zowat de vloer, toen een punt van zijn jasje achter een pocheerpannetje bleef haken. De drie tinnen delen vielen uit elkaar en kletterden en tolden rond op de tegels. Hij hield zich doodstil en de minutenwijzer op de keukenklok schoof van zevenentwintig naar achtentwintig toen de pannen eindelijk stilvielen.

Max vatte moed en sloop de trap op. Hij ging op bed zitten en toen hij zijn broek uittrok, stroomde het zand uit de gekreukte zomen van zijn broekspijpen. Hij knoopte zijn overhemd los en zag dat er een knoopje miste, en de passie waarin dat was zoekgeraakt laaide in alle hevigheid weer in hem op. Hij kromp ineen van pijn en genot en uit zijn keel kwam hortend een zacht gekreun. Elsa, gehurkt boven hem. Wat vroeg ze? Het was niet te zien. 'Sst nu.' Hij schudde zijn hoofd en begon weer met haar te vrijen. Het was alsof er uit de kennis van een heel mensenleven kon worden geput nu het erop aankwam en hij zoende en streelde haar tot ze danste en lachte in zijn armen.

Gertrude had een onbestendig gevoel. Herfst. Het kreeg haar wel vaker te pakken. Er zat iets snijdends in de lucht dat er zelfs gisteren nog niet was geweest en haar het gevoel gaf aan iets nieuws te moeten beginnen. Ze bande Londen uit haar gedachten, waar nu de drukste tijd van het jaar aanbrak, en kapte daarmee onverbiddelijk de twijfel af die haar zou kunnen overvallen. En waar hing Max uit? Hij zou toch niet nog liggen slapen, het was bijna tien uur, en ineens bang om hem ziek aan te treffen, stapte ze met vastberaden tred naar boven en meteen na aankloppen wierp ze zijn deur open.

Max' kleren lagen verspreid over de vloer. Zijn laken was verkreukeld, de sprei tot een bal opgerold, en in een woeste warreling van dekens lag hij daar open en bloot op bed. Gertrude trok de deur dicht. Haar gezicht voelde strak en grijs. Zodra hij wakker werd, zou ze hem vragen zijn boeltje te pakken, en toen dacht ze aan haar reputatie als psychologe die alles zo ongekend frank en vrij tegemoet trad. Jarenlang had ze zich onbevreesd gekscherend uitgelaten over masturbatie, penisnijd, anale en orale seks. Maar ze had niet gedacht ooit een blote man in haar eigen huis te zien. Max' penis danste voor haar ogen. De top, en dan dat deukje in het ovale oog.

Ze pakte haar rieten mand van de kast en toog naar de winkels waar ze, vrijwel verblind door de verrassende aanblik van haar en testikels, liever naar het prikbord achter de winkelruit bleef staren dan naar binnen te gaan. Er werd een goed tehuis voor drie jonge katjes gezocht. Er stond een fiets te koop, en een kinderwagen in vrijwel perfecte staat, merk Silver Cross. Voor iedereen die het mocht interesseren was er een half afgebreide damestrui waar nog drie bollen wol in bijpassend turquoise voor nodig waren. Er hing een advertentie voor een cursus aquarelleren. *Beginners welkom* stond er en daaronder een tekeningetje van een jongedame die in opperste concentratie naar een boomstronk staarde. Voor het eerst in een halfuur verdween de formatie penissen naar de achtergrond. Ze bekeek het papiertje wat beter. *Beperkt aantal plaatsen. Vraag naar T. Everson. Fern Cottage, aan de meent.*

Had ze eigenlijk wel boodschappen nodig? Ze kon het zich niet meer herinneren. En dus liep ze maar door. Eerst zag ze Fern Cottage niet staan, maar toen vond ze het: een piepklein huisje op de hoek van het laantje. Ze klopte aan bij de zijdeur en terwijl ze bleef wachten, vroeg ze zich af of 'geen ervaring vereist' ook echt helemaal geen betekende.

'Ja?' Het was een slonzige jongeman met een groot gat in de ribstof van zijn ene mouw.

'Ik kom voor de aquarelcursus... Als eh... als er nog plaats is.' Gertrude werd verlegen daar zo op straat te staan. 'Ik ben echt een beginner.' Ze keek bij deze woorden even om zich heen in de hoop dat hij haar zou binnenlaten.

'O ja.' Hij voelde in zijn jaszak en trok een uitermate gekreukt formulier te voorschijn. Hij drukte het papier tegen de deurpost, besefte toen dat hij geen pen bij de hand had en verdween naar binnen. Gertrude bleef staan wachten en toen de eerwaarde langszoefde op zijn fiets keek ze de andere kant op en hoopte maar dat hij haar niet had gezien.

'Zo.' De jongeman was terug. 'Mag ik uw naam weten?'

'Jilks,' zei ze. 'Is er nog plek?'

Hij bladerde in zijn aantekenboekje, waar allerlei papiertjes en schetsjes uit dwarrelden met vlekkerige grijs-zwarte vormen. 'Dat moet wel kunnen.' Hij sprak met haar af dat ze elkaar de volgende ochtend om tien uur op de brug zouden treffen.

'Moet ik u vooruitbetalen...?' vroeg Gertrude, die nog wel

wat meer wilde weten, maar hij keek zo verstoord dat ze snel haar portemonnee wegborg. 'Moet ik nog iets meenemen? Materiaal?'

'Nee,' zei hij alsof hij dat heel zeker wist en hij krabbelde snel even iets in zijn boekje.

Max had zich een doel gesteld. Hij mocht niet bij Elsa langs voor hij Old Farm af had. Met Old Farm en Old Farm Cottage zou hij in het midden van zijn rol papier zijn gekomen. Hij was inmiddels aan zijn derde rol bezig en als hij ze allemaal aan elkaar zou plakken, zouden ze vier keer zijn kamer omspannen. Max werkte snel door. Zijn angst om het werk af te krijgen was weg. Ineens een zwierige stijl tussen al die uiterste precisie. Zijn bakstenen waren roze, rood en bruin, de glas-in-loodramen fijne metalen lijntjes in de nieuwe rechthoekige kozijnen. Daarnaast de bouwval van het huis van de knecht. Een laag dak, de voordeur die naar de zijkant was gedrukt. *Als je een komiek schildert*, liet hij zich door Henry zeggen, *moet je niet het schilderij grappig willen maken*. En geconcentreerd op het zware rieten dak schilderde hij verder. Het was na zessen toen hij klaar was en hij bleef nog even zitten wachten tot de kleuren waren opgedroogd. Het was kil en terwijl hij zijn jasje om zich heen trok, vroeg hij zich af of Gertrude vanavond eindelijk de haard zou aansteken. En toen herinnerde hij zich dat Elsa op hem wachtte. Hij zou er niet zijn.

'Elsa Lehmann,' zei hij tegen Gertrude, 'wil graag Henry's brieven zien. Ze denkt dat ik ze misschien moet publiceren.'

'Zo.'

Max had zich gewassen en schone, gestreken kleren aangetrokken. Zijn haar was plat gekamd, zijn wenkbrauwen gladgestreken. '"Is het beter,"' hij trok een brief te voorschijn, '"om te denken dat je een genie bent, ook als je dat misschien helemaal niet bent?"'

Gertrude durfde zich niet echt aan een antwoord te wagen. 'Zou kunnen,' zei ze knikkend. 'Dat is afhankelijk van of je aan waanbeelden leidt of alleen maar wat opgevrolijkt moet worden.'

'Vanavond,' zei hij, 'ben ik er niet met eten.'

'Ja, ja.' Hij bleef wachten op haar goedkeuring. 'Nou, ik zal niet voor je opblijven. Maar Max,' – hij stond op het punt de deur uit te gaan – 'kun je die brieven zomaar publiceren? Ik bedoel, zijn brieven niet eigenlijk van degene die ze verstuurt?'

Max fronste zijn wenkbrauwen. 'Ook als die dood is?'

'"Veelbelovende onderwerpen vallen in de praktijk vaak tegen omdat je er tijdens het werken al genoeg van krijgt."' Max voelde zich gedwongen Elsa ten minste één brief van Henry voor te lezen, anders zou hij van begin tot eind hebben gelogen. '"Als je iemand al te zeer bewondert, is het knap lastig diegene redelijk op papier te krijgen. Vergeet dat je onderwerp je boeit."'

'Maar waarom zou je zo iemand dan nog willen tekenen?' Elsa keek bedenkelijk. 'En welk onderwerp was dan zo veelbelovend?' Ze liep om naar zijn kant van de tafel en kwam tegen zijn arm staan. 'Wanneer was je het allergelukkigst?' Ze gaf hem zachte zoentjes in zijn nek.

Max drukte zijn vingers tegen de botten in haar gezicht, langs haar kaaklijn en rond haar oogkas. 'Vannacht. Vanochtend. Nu.'

'Nee.' Elsa lachte. Hij gleed met een vinger langs haar tandvlees en scheerde zo over haar tanden. 'Vertel nou.'

'Goed.' Hij trok een vel papier naar zich toe. Hij zou zijn kaart voor haar tekenen. Hij zou haar rondleiden door zijn huis. 'Kijk.' Hij trok haar op de punt van zijn stoel. 'Je neemt bij Rissen het bospad dat langs de moestuin en door het bos loopt.'

'Wat zeg je nou?'

'Er is een houten brug over de beek, en daar, in de schaduw

233

van drie gigantische bomen zie je dan het huis staan. Heiderose. Gebouwd door een Duitse dichteres, en boven de deur de
regels:

> "Huilen of lachen, dat is ons lot.
> Het leven is te kort, de dood is te lang."'

Elsa liet een arm om zijn middel glijden. 'Dat mag je onder
geen beding ontgaan,' zei ze. Ze schudde haar hoofd.

'Aan beide kanten van de voordeur liggen twee terrassen,
één om te zonnebaden en naar de beek te kijken, en een terras
waar de kok zijn groente schilt als het warm is. Daarachter liggen de velden, en daar weer achter "het grote bos". Als je daar
in loopt, kom je eigenlijk via elk pad uit op een open plek met
een vijver.' Max kon het donkere water tussen zijn tenen voelen, koud, en hoorde met volmaakte oren het geluid van de
scharrelkippen. 'Maar welk pad je ook naar huis neemt, je
komt bijna nooit uit waar je wilt.'

Max leidde Elsa binnen in het huis rond. Hij voerde haar
door de groene kamer met het frêle meubilair, de kaarttafel en
de Renoir nog in de lijst boven de haard. Hij pakte een nieuw
vel papier voor de eetkamer, die blauw was en bijna geheel
werd gevuld door een ronde tafel. Er zat een zwaluwnest in de
muur boven de hoge ramen, en als je zat te eten kon je de vogels naar beneden zien duiken om hun jongen te voeden. De
bibliotheek was gelambriseerd, en daarachter lag de leerkamer.
Vanachter het raam in die kamer had hij voor het eerst de
kerstman gezien. Hij was opgeschrikt door een luide bons op
het raam, waarna een barse stem had gevraagd of hij nog stout
was geweest. De kerstman had het over zoet zijn en een pak
slaag, maar was gelukkig even snel vertrokken als hij gekomen
was.

Max holde naar boven, langs de linnenkast van zijn moeder,
die altijd zo netjes en mooi was en waar om elk laken en elke

234

sloop een roze lint zat gestrikt, langs haar slaapkamer, ook al zo onberispelijk netjes, en daarachter die van zijn vader met bergen kleren en boeken en papieren. Ergens in de muren van deze kamer had zijn vader een geheime bergplaats gemaakt. Hij had Max die een keer laten zien toen hij klein was, maar toen hij een paar maanden later naar binnen sloop om weer even te kijken, had hij de plek met geen mogelijkheid terug kunnen vinden.

'Max?' Elsa's hand lag op zijn schouder. Ze keek hem angstig aan. 'Gaat het wel?'

'Ja, maar...' Hij kon niet zeggen of hij nu had gedroomd of hardop tegen haar had zitten praten.

'En jij,' zei hij zich vermannend, 'wanneer was jij het gelukkigst?'

'Ik?' Hij zag haar ogen terug in de tijd reizen. 'Toen ik pas getrouwd was, denk ik. In 1931 had Klaus een huis ontworpen voor de directeur van de Deutsche Bank, het allermooiste gebouw dat men ooit had gezien. Ik was nog maar net getrouwd, achttien was ik, en ik twijfelde er niet aan dat ons een grootse toekomst wachtte.'

'Maar hier, hij maakt hier toch naam? Je bent op tijd weggekomen. Je hebt gedaan wat je kon.'

'Ja, je hebt gelijk. Ik heb geen reden om treurig te zijn.' Elsa staarde naar de horizon, draaide zich toen om en leidde hem naar het bed.

30

Nick reed op de M25 toen Lily hem te pakken kreeg. 'Wel verdomme!' zei hij. 'Ik dacht dat je dood was.'

'Sorry, nee. Dat ben ik niet.'

'Waar had je wel niet kunnen zijn, in de rivier, in een put, jezus... Ik ging zelfs denken dat die buurman met z'n losse handjes je te pakken had gekregen, ik heb daar nota bene nog aangeklopt.' Nick lachte woedend en Lily voelde dat ze kippenvel op haar arm kreeg.

'Ik was kamperen.' Ze moest toch iets zeggen. 'Er is een campinkje aan het strand, en ik dacht, eens iets anders...'

'Aan het strand? Maar ik heb op het strand gekeken!'

'Nou, het is een eindje verderop, in een duinpan. Het is nauwelijks te zien, tenzij je weet waar het is...'

Er viel een stilte. Alleen het gesuis van voorbijrazende auto's. 'Het spijt me vreselijk...' probeerde ze het goed te maken. 'Nick? Ik had je niet verwacht... We hadden komende vrijdag afgesproken... Als ik het had geweten' – de wroeging sloop in haar stem en schroefde die een toon of wat hoger – 'dan was ik natuurlijk thuis gebleven.'

'Ik had je willen verrassen.' Hij klonk verdrietig. 'Nou ja, dat is wel gelukt.'

'Je hebt in elk geval de postbode verrast,' zei ze, 'met dat briefje.'

Ze lachten allebei even. 'Nou... volgend weekend... als je tenminste nog zin hebt...?'

'We zien wel.' Er klonk een diepe, vermoeide zucht. 'Eigenlijk is de rit niet eens zo erg, nu ik eraan gewend ben, en weet je... toen ik daar gisteravond rondliep en in greppels keek om te zien of je daar lag, begreep ik wel... Het heeft iets... het dorp, misschien alleen omdat het er zo donker is, zonder straatlantaarns... en dan dat geluid van de golven, het heeft wel iets...'

Lily huiverde. 'Ja.'

'Misschien heb je gelijk. Misschien zou ik wat vaker vrij moeten nemen. Misschien... Ahhh. TERING.' Er viel een stilte waarin de lucht leek te worden samengeperst. 'Shit, ik ben net geflitst. Kost me weer zes punten op m'n rijbewijs.'

'Sorry.'

'Dat kan jij niet helpen.'

'Komende vrijdag?' zei ze lief. 'En zal ik je van tevoren nog bellen?'

'Dat is goed. Maar Lily...' Hij zat ergens mee, ze hoorde het aan zijn stem. 'Ik wist niet dat je een tent had.'

'Ik heb er één gekocht. Op een braderie in het dorpshuis waar ze geld inzamelden voor de missie nota bene, en ik... het was maar drie pond.'

'Allejezus, hoe ziet hij eruit?'

'Nou...' Lily keek uit het raam en rolde met haar ogen, al was er niemand. 'Hij is... Ken je die groene padvindertenten die je van voren dicht moet strikken? Het grondzeil zit er niet eens aan vast, dus vanochtend lagen al mijn kleren her en der buiten.' God, waar haalde ze het vandaan? 'Maar Nick,' – ze zag ineens het knipperende rijtje nullen – 'sorry, maar ik ben bijna door mijn geld heen...' Ze begon te grabbelen. 'Hij kan nu ieder...' De lijn viel dood.

Het telefoontje had meer gekost dan de tent. Ze slenterde naar de winkel en keek in de etalage. Maar in geen van de advertenties werd een tent aangeboden. Er stond alleen een rijtje vakantiehuisjes te huur – allemaal met een schattige veranda, overgroeid door klimplanten.

Lily bleef haar mandje bijvullen toen ze in de rij stond in het smalle gangpad. Koekjes en theezakjes en een krant met een foto van een jonge, rustig uitziende Palestijn met donkere ogen, en één van het bloedbad in een straat in Jeruzalem waar hij zichzelf en zeven voorbijgangers had opgeblazen. IS ER NOG HOOP OP VREDE? luidde de kop in dikke zwarte letters, en daaronder stond in een kleiner, grijzer lettertype beschreven wat het Israëlische leger bij wijze van vergelding dacht te gaan doen. Wat moest ze nu met Nick? vroeg ze zich af, maar in plaats van iets te beslissen sloeg ze de dunne bladzijden om. Binnenlands nieuws en buitenlands. Genoeg ziekte en droogte en geweld om vrijwel een heel continent mee uit te roeien, ook zonder een wereldoorlog.

Grae had zijn werkbank opgezet voor het huisje en werkte aan een trapje. Hij was klaar met de losstaande ombouw van driehoekige zijpanelen en stond die nu af te schuren.

'Sorry,' zei Lily. 'Ik werd opgehouden.' Ze vouwde de krant open op tafel en dekte voor het middageten. Brood, ham, olijven, kaas. Rode en gele tomaten in een plastic doosje met een beslagen deksel.

Grae hield op met zagen. 'Dankje.' Hij keek haar aan alsof niemand ooit eerder iets aardigs voor hem had gedaan.

Lily glimlachte. Ze zou niet over Nick beginnen. 'Wanneer komen de meisjes terug?' vroeg ze dus, en hij scheurde een stuk brood af.

'Eind van de middag, Sue heeft ze vanaf nu om het weekend.'

Instinctief keek Lily op haar horloge. Het was pas één uur.

'Ze heeft een baan. Als assistent van de varkenshouder verderop in Uggleswade.' Grae snoof. 'Dat betekent dat ze om vijf uur op moet en ze niet naar school kan brengen.' Hij glimlachte, alsof dat op zich wel goed was.

'Komt ze oorspronkelijk uit de buurt?'

'Ja, ze is opgegroeid op een boerderij, die er niet meer is natuurlijk. Verkocht.'

Lily smeerde een boterham voor zichzelf. Ze had zo'n trek dat haar maag samentrok bij het vooruitzicht op eten. Zou het niet geweldig zijn als er geen vragen meer beantwoord hoefden te worden en er nooit meer iets hoefde te worden gevraagd? Ze aten in stilte. Ze braken de korst met hun handen, scheurden ham en kaas af.

'Is hier ergens een camping?' Ze veegde met haar arm wat pitjes weg.

'Ja, pal aan de andere kant van de rivier. Hoezo, wordt alle comfort je wat te veel?'

'Nee, gewoon... Ik vroeg het me af.' Er stond water op tafel en ze nam een grote, warme slok.

Grae keek naar haar. 'De beheerster is een oude vrouw, Dolly, die... Tja... Sinds ze tachtig is geworden, krijg je daar niet zo gemakkelijk meer een plek. Ze is overgegaan op een andere munt, de oude. Als je geluk hebt, kun je er een hele week staan voor two-and-six pence.' Hij stond op om weer aan het werk te gaan en sloeg met korte droge tikjes spijkers in het hout. Lily sloot haar ogen. Door de rode gloed van haar oogleden kon ze zijn omtrek zien. 'Soms mag ze je gewoon niet.' Hij had het tegen zichzelf. 'Sue heeft haar eens tien shilling geboden, maar nee, zei ze, de camping was vol.'

Nadat Grae het hout van een laagje helderblauwe verf had voorzien, liepen ze over het strand in de richting van de kerncentrale. De witte, parelmoerdunne koepel van het gebouw glansde ze tegemoet in de kromming van de kust.

'Hoe is het daarbinnen?' vroeg ze. 'Draag je een masker en beschermende kleding?'

'Nee.' Hij aarzelde. 'Maar ik heb een geheimhoudingsplicht. Daar heb ik voor moeten tekenen, voor ik naar binnen mocht.'

'Echt?' Ze keek hem ontzet aan.

'Nee. Doe niet zo gek. Ik werkte trouwens alleen maar in de kantine.'

Ze sloegen hun armen om elkaar heen en liepen weer door, ploegden door mul zand en over losse kiezels, klauterden tegen de steile wal van rolstenen op en kregen weer stevige grond onder de voeten. Het woei hier flink en met het hoofd tussen de schouders getrokken, moesten ze nu achter elkaar lopen met de weilanden onder hen en aan de andere kant de aanstormende zee. 'Hier.' Grae pakte haar hand en ze holden omlaag naar de rivier en over de brug naar de molen. Het water in de molen stond laag. Het pad eromheen zat vol barstjes. Vlak boven de varens dwarrelden witte vlinders, zo dichtbij dat het leek of je je hand maar hoefde uit te steken om er een te kunnen vangen. Lily ging languit op het granieten muurtje liggen. De ene na de andere vraag kwam in haar op en elke keer wist ze zich nog net in te houden en de vraag te onderdrukken. Grae kwam naast haar zitten. Hij kamde haar zoute lokken uit.

'We moeten eigenlijk terug,' zei hij, 'als ik nog naar de boerderij wil.'

'O, ik dacht dat zij ze kwam brengen.'

'Nee.' Hij stond op. 'Daarom heb ik een auto gekocht.'

'Ja...' Stroef zwijgend liepen ze dezelfde weg terug.

Lily plukte een grashalm en zwiepte ermee tegen de stelen langs het pad. 'Sorry.' Grae stak een hand naar achteren en pakte haar vast.

'Sorry,' zei hij, 'ik vind het nog steeds... ik vind het... moeilijk.' Hij zoende haar en zijn ogen smolten in de hare. 'Hier,' zei hij met een knikje opzij, 'wat vind je?' Want daar, iets opzij van het pad, lag een open plek, een hol onder laag overhangende boomtakken.

Lily keek om zich heen. 'Nee,' zei ze, al wist ze niet precies waarom. Grae schoof een hand onder haar T-shirt en met zachte druk op elke holling bij een rib gleed zijn duim langs haar zij omhoog en over de gladde ronding van haar borst.

'Kom,' zei hij en diep gebukt leidde hij haar mee onder het gewelf van takken, knoestige boomarmen en knisperende bladeren. Daarbinnen was het donker en koel. Ze kusten elkaar weer en ditmaal ademde ze de hitte van zijn adem in en hield haar eigen ogen open, terwijl zijn oogleden dichtvielen en zijn gezicht verkreukelde in diepe concentratie toen hij haar dicht tegen zich aan drukte, haar staande hield en zijn riem losgespte.

Lieve Cathy en Clare... De Lieve Lita-brief schoot haar te binnen toen ze haar kleren recht trok. Haar benen trilden, haar ene bil was ingedeukt door stukken schors en haar arm geschaafd en verdoofd. *Kun je zwanger worden als je het staand doet?*

JAZEKER, zei het tijdschrift en ze had zich destijds op haar veertiende al verwonderd over de unieke zwaartekracht van sperma.

'Gaat het?' riep Grae. Hij was achteruit de grot uit geschuifeld en klopte zich nu af.

'Ja.' Ze kroop naar buiten en ging naast hem staan. Hij nam haar arm en met zorgeloze losse ledematen liepen ze door, hun heupen verkleefd door de stroop van hun saamhorigheid. Ze kwamen bij nog een brug en aarzelden – zouden ze afdalen naar zee of het pad landinwaarts nemen waar het gras zo hoog stond dat het zich boven hun hoofden sloot. Ze bukten en renden over de witte bedding van de tunnel, totdat ze op een ruiterpad tuimelden waar de modder was opgedroogd tot brokkelige, zandbruine hopen. Ze strompelden eroverheen, af en toe wegglijdend in hoefijzervormige kraters waar ze elkaar lachend weer uit trokken.

'Je kunt in dit bos nachtegalen horen zingen, zij het maar in één week ergens eind mei,' vertelde Grae haar toen ze onder een groepje bomen door liepen en vol bewondering bleven staan kijken naar de knoestige stammen, de enorme horizontale takken en de diepe kleur van de bladeren die het licht tegenhielden. 'Sst.' Ze luisterden, al waren ze maanden te laat voor de nachtegaal, en daar, iets verderop, klonk het akelige geronk van een auto. Grae keek haar aan. 'Er zit iemand vast,' zei hij en hij holde naar het begin van het pad, waar hij over een hek sprong. Lily ging hem achterna. De auto sputterde, sloeg aan en jankte toen als een dier in nood. Lily sprong van het hek af en voor haar stond een oude, grijze Morris.

'Alles goed, beste man?' riep Grae, en Lily was net bij hem toen hij begon te duwen. 'Draaien, draaien, naar rechts,' riep Grae, en de bestuurder, van wie alleen de benen te zien waren, gooide het stuur om. Ze zetten hun volle gewicht achter de auto, die ineens naar voren schoot en de weg op hipte.

'Danku.' De man kwam uit de auto gekropen. Hij was van middelbare leeftijd, vijftig, en had stevig grijs haar en wenkbrauwen die hoognodig gladgestreken moesten worden.

'Mijn hemel,' zei Lily geschrokken, 'dat is hem.'

'Wie?' Grae draaide zich naar haar om, maar de man kwam al naar ze toe lopen. 'Mijnheer Lehmann?' zei ze. 'Ik wist niet dat u hier was. Sorry, u herinnert zich mij niet meer.' Ze stak haar hand uit, 'Lily Brannan, ik doe een afstudeerproject... U hebt me de brieven gestuurd?'

Mijnheer Lehmann keek haar knikkend aan. 'U pakt het buitengewoon grondig aan door hier naartoe te komen.'

'Ja, nou ja...' Ze lachte omdat ze hem niet wilde laten weten dat het tegendeel waar was. 'Ik wilde het huis zien dat... Lehmann... Het huis dat hij heeft ontworpen. En toen, nou ja' – ze keek even naar Grae – 'er kwam even iets tussen.' Ze zweeg in de hoop dat hij nog iets te berde zou brengen, maar hij keek slechts zwijgend achterom naar zijn auto. 'Nog erg bedankt dat u me die laatste brieven hebt gestuurd,' ging ze verder. 'Daar was ik erg mee geholpen. Het huis. Het is prachtig. Ik heb er zelfs binnen gekeken.'

Lehmann zuchtte. 'Ik heb er een foto van, van toen het net af was.'

Grae wipte van zijn ene voet op de andere. 'Ik moet weg,' zei hij. 'Als ik nog op tijd wil zijn.'

'Zie ik je dan nog?' Lily raakte zijn arm aan. 'Morgen?'

Grae draaide zich om. 'Best.'

'Ik bedoel... Als de meisjes...' Maar hij beende weg tussen de volkstuintjes door in de richting van het dorpshuis.

Mijnheer Lehmann hield het portier van zijn auto open. 'Als u die wilt zien?'

'Ja,' zei ze en ze stapte in.

Lehmann reed ongelooflijk voorzichtig over de uitgesleten weg. Iemand die acht kilometer per uur reed, hield ze zichzelf voor, kon onmogelijk een bedreiging voor vrouwen zijn. Uiteindelijk reden ze de hoofdstraat in en vervolgens, Lily wist het wel, de grindweg op. Het nieuwe huis op de hoek was een flink eind opgeschoten sinds zij er die keer was langsgelopen. De muren waren opgeschoten tot de tweede verdieping en nu werden de houten dakspanten erop geplaatst. Een verweerde, gespierde man met een stevige hoed knikte naar hun auto. 'Alf.' A.L. Lehmann remde. 'Hoe is het?' Hij leunde uit het raampje en zijn hele gezicht veranderde.

'Met mij goed.' Alf hield zijn hoofd schuin, en de twee mannen keken bijna rouwig naar het nieuwe huis. 'Ach, mijn vriend,' – Alf sprak langzaam – 'echt lelijk wordt het niet. Je hebt er goed aan gedaan de grond te verkopen.' Er verscheen een lach op zijn gezicht. 'Maar je raadt nooit wat die verdomde vent ons er nu weer in wil laten zetten. Moet je horen, Bert. Een verwarmingssysteem dat je kunt regelen vanuit Londen. Als hij het weekend hierheen komt, draait hij de knop om en tegen de tijd dat hij hier is, is het hele huis loeiwarm.' De twee mannen keken elkaar gruwend aan, en Lily moest aan Nick denken en wat een lumineus idee hij dat zou vinden.

Bert! dacht Lily, Albert Lehmann, en ze reden in stilte verder over de weg, namen aan het eind de bocht en parkeerden naast Marsh End. 'Hoe lang woont u hier al?' vroeg ze hem.

'Ik ben hier geboren, en toen, tja, toen had ik het geluk dat dit huis me werd nagelaten.'

'Ja,' zei ze instemmend. 'Geweldig, zeg. En u rijdt in deze auto op en neer naar Londen?'

Hij draaide zich naar haar toe en scheen te overwegen in hoeverre die vraag beledigend was.

'Nee,' zei hij. 'Ik ga met de trein.'

'Ah.' Lily stapte uit en liet schijnbaar toevallig haar vingers rusten op de warme grijze motorkap van de auto.

'Mevrouw Brannan?' Hij hield de deur open.

'Zeg maar Lily.' En ze liep achter hem aan naar binnen.

In het portiek rook het muf. En ook in het huis zelf, waar Albert Lehmann een ogenblik verloren in het midden van de kamer bleef staan. Wat had hij daar überhaupt te zoeken? dacht Lily ineens. Met zijn auto op de kwelder?

'De foto,' zei hij. 'Ach ja.' Langzaam draaide hij zich om. Er stond een buffet met veel planken en laden. Lily stond achter hem toen hij de kast opendeed. Koekjestrommels, oude opgevouwen servetten, placemats en linten en wat cocktailprikkers en oude rietjes. De man bukte zich en tuurde in een kastje en toen, in haar ogen volkomen willekeurig, liep hij door naar de keuken en trok de provisiekast open. Er stond een pot jam op een plank en twee gekurkte flessen met daarin iets flokkerigs bruins. Lily keek achterom de kamer in. Boven de haard hing een schilderij van een jonge, magere man in slobberige kleren tegen een met waterige verf ingekleurde achtergrond. Onder het schilderij, op de schoorsteenmantel, stond een kistje. Lehmann moest dat net als zij ook hebben gezien, want hij liep er ineens enthousiast op af. Hij zette het kistje op de ovale tafel en al rommelend trok hij er kreukelige stapeltjes foto's uit. Lily ving af en toe een glimp op – vrouwen met hoed, voorovergebogen in de wind, en gedaanten in militair uniform, het ging te vlug om te zien van welke kant. Er was een knappe man in sepiagrijze tinten, in zijn ene hand bungelde trots een paling, en een donkerharige vrouw met twee baby's en een diepbedroefd gezicht, in beide armen een hulpeloos bundeltje. 'Dat is het,' zei hij en Lily stak gretig haar hand uit. Maar het huis op de foto was niet Sea House. Dit huis had een dak met een hek eromheen en de steile glazen wand naast de deur was donker door de bladeren die erin weerspiegelden.

'Waar staat dit huis?'

Lehmann stond bij de tuindeuren alsof hij frisse lucht moest hebben, en ze kon hem van achteren aan de grendel zien morrelen. 'Hoe kan ik dit over het hoofd hebben gezien?' De grendel schoot omhoog, en hij wierp de deuren open. 'Het is er niet meer,' zei hij. 'Het huis is verwoest, vijf jaar geleden.'

'Nee!' Lily voelde de tranen opwellen. 'Hoe dan?'

'Het was... er was een crisis. Mijn broer en ik...'

Lily onderbrak hem. 'Maar zijn er tekeningen van?'

'Die zijn verloren gegaan.'

'Hoe kan dat?' Ze hoorde dat ze schreeuwde. Ze keerde de foto om en las in een haar vertrouwd, blauwzwart handschrift: 1959. *Hidden House*. 'Maar hoe is het dan verwoest?'

A.L. Lehmann schudde zijn hoofd. 'Het spijt me,' zei hij. 'Ik had u hier nooit moeten uitnodigen.'

'Maar er is maar zo weinig van hem bekend. Bij de Architectural Association, bij het Royal Institute of British Architects hadden ze toen ik daar in de archieven zocht, alleen maar foto's van stoelen en boekenkasten. Een paar tekeningen voor de verbouwing van een zolderetage en van de Heath Height Flats. Verder niets. Ik heb naar Duitsland geschreven, naar Hamburg, naar het historisch én het landelijk archief, en afgezien van wat gegevens over een spectaculair huis dat allang niet meer bestond, kwam zijn naam daar niet eens voor.'

'Alle joodse architecten zijn uit de dossiers geschrapt,' en toen, bijna ondanks zichzelf, zei hij: 'Zal ik dit voor u kopiëren?' Hij reikte over de tafel naar pen en papier en begon toen heel secuur te tekenen. Hij hield de foto bij de hand, maar schetste toch vrijwel uit het blote hoofd het torentje, de trap, met de treden als een rimpeling door het glas. 'Zo,' zei hij toen hij klaar was. 'Ik hoop dat dit helpt.'

Lily hield het papier voorzichtig voor zich uit toen hij met haar naar de deur liep. 'U hebt uw vaders talent,' zei ze met een blik op de vloeiende lijnen van Hidden House.

'Ja, ja.' Maar het klonk bijna bozig toen hij de deur open wrikte.

'Zie ik u nog eens?'

Albert Lehmann trok zijn schouders op, en pas toen dacht Lily aan de brieven en herinnerde zich dat Lehmann nooit kinderen had gehad.

31

Het regende de volgende ochtend, maar Gertrude liet zich niet uit het veld slaan. Ze had slecht geslapen omdat ze op Max had liggen wachten, maar moest toen toch zijn weggedoezeld want opeens was het ochtend en lag Max' hoed op het tafeltje in het portiek. De eerste druppels tikten op het dak en terwijl ze daar zo stond in haar nachtjapon voelde ze ineens een vreemde, verzengende angst dat haar les weleens niet door kon gaan. Tegen kwart voor tien stond haar besluit vast. Ze trok haar plastic regenjas met de bijpassende sjaal aan en pakte een enorme paraplu die bedoeld was tegen de zon. De paraplu wierp schaduwen van meer dan een meter om haar heen en belemmerde het zicht, zodat ze Alf, die over de brugleuning hing, niet meteen zag staan.

'Wat ben jij aan het doen?' vroeg ze terwijl ze op hem af liep om hem bij haar te laten schuilen, en bij wijze van antwoord trok hij het touw op waarmee hij stond te vissen en toonde een complete familie krabben. De krabben klampten zich vast aan een vissenkop van rafelig, grijs vlees en ze voelde hoe haar maag zich omkeerde toen hij heel voorzichtig de krabben in een pot schudde. Ze bleef nog even kijken hoe ze tegen de zijkant omhoogklauwden. Alf liet zijn aas weer zakken. Ditmaal kwam er een gigantische krab omhoog met harige poten en een rode rug. Behoedzaam trok hij het beest op tot aan de brug, maar deze krab was oud en slim en na een laatste hap liet hij zich terugvallen in zijn bed.

'Ik had niet gedacht dat je zou komen.' De jongeman liet haar schrikken. Hij had geen paraplu bij zich en zijn hoed en jas waren al donker van de regen.

'Goedemorgen,' zei Gertrude opgewekt en in de droge cirkel om haar heen verscheen zijn arm.

'Thomas... Thomas Everson.'

'Tja...' Hij keek in de richting van de zee, maar zag toen zeker haar tartende blik, want hij voegde er snel aan toe: 'Dan moesten we maar eens gaan.'

Overal was het grijs. Platgeslagen gras, natte zandblubber. Gertrude probeerde hem beschutting te bieden met de paraplu, maar hij was langer dan zij en al snel begon haar arm zeer te doen. Ze liepen heen en weer met stijve lichamen om elkaar vooral niet aan te raken. 'Misschien,' opperde Thomas, 'kunnen we binnenshuis aan de slag. Ik kan een stilleven opzetten en we zouden een kopje thee kunnen drinken.'

'Ja,' zei Gertrude instemmend en met de paraplu voor hen uit gestoken haastten ze zich de heuvel op.

Fern Cottage was opvallend rommelig. Overal stonden borden met verf, kopjes, kwijnende bloemstelen, half opgegeten boterhammen.

'Het spijt me,' zei hij. 'Toen mevrouw Wynwell kwam kon ik haar niet binnenlaten.'

Gertrude zocht een plek om te zitten. Er stond een oude rieten stoel vol papieren en een mottig krukje. Ze begon boeken op de vloer te stapelen en stuitte op een oude gescheurde brief en een tabakszak.

'Dus daar was-ie.' Thomas keek verrast.

En toen ging Gertrude bijna op een smal stanleymesje zitten dat in de plooien van de zitting was weggezakt.

'Je bent druipnat,' zei ze tegen hem toen ze de afgesleten boorden van zijn trui en de natte voetsporen van zijn sokken zag en een kwartier lang hoorde ze hem scharrelen in de kamer boven haar en lades opentrekken, tegen kasten slaan en af en toe vloeken. Even later hoorde ze wieltjes rollen toen hij zijn bed wegschoof.

Uiteindelijk kwam hij weer beneden. 'Maar één sok,' zei hij verontschuldigend, 'en ik bedacht net, ik heb geen melk.'

Gertrude keek naar de smalle botten van zijn voet, de hoge wreef, zijn tenen, knokig, lang en wit. 'Zo krijg je het ijskoud,' zei ze. 'Heb je geen pantoffels?'

'Jawel.' Zijn ogen lichtten op en toen scheen hij zich iets te herinneren. 'Ik weet niet zeker...' Daarop stak hij de haard maar aan. Houtblokken en papier en aanmaakhout lagen gelukkig naast het haardscherm opgestapeld. Laagje na laagje bouwde hij een volmaakte piramide. 'Dan nu nog de lucifers,' zei hij, maar tot Gertrudes opluchting vond hij ze in de haard. Thomas ging zitten en keek in de vlammen. Uit de zomen van zijn broek kringelde stoom op.

'Zo,' zei hij even later, 'wat zullen we doen?' Hij verzamelde de vazen en schudde de bloemen op. Uit elke bos zocht hij de beste en schikte deze alsof hij ze met zijn handen weer tot leven wilde wekken. Een verlepte chrysant met verschroeide bloemblaadjes en een doorgeschoten takje munt.

Gertrude durfde zich nauwelijks te verroeren. Ze kreeg een potlood in de hand geduwd, een vel papier op een karton op haar knie, en toen ze de vormen begon te schetsen, ontdekte ze hoe definitief elke lijn was die ze trok en hoe elke foute haal in het oog sprong.

Thomas ging tegenover haar zitten tekenen. Het geluid van zijn krassende potlood klonk haar prettig in de oren. Het vuur spatte, buiten siste de regen en ze kreeg plezier in de kleuterschoolachtige tierelantijntjes van de blaadjes van haar bloem. Ze stelde zich een voorleesboek voor met in de kantlijn hand in hand madeliefjes en viooltjes en al snel ging ze geheel op in een herinnering aan een andere tijd en keek ze niet eens meer op.

'Zo dan,' zei Thomas Everson toen ze stilviel. Hij stond op en kwam naast haar stoel staan. 'Wilde je nog iets vragen?'

Gertrude bloosde. Haar tekening had door een kind gemaakt kunnen zijn. 'Tot volgende week dan maar?' stelde ze voor en toen ze de kartelige lijnen van zijn tekening zag, boog ze voorover om te zien wat hij had gedaan. Maar hij was er meteen bij. Hij keek er even snel naar, frommelde het papier tot een bal en wierp het in het vuur.

'We moeten iets vinden wat je echt interesseert,' zei hij voordat Gertrude iets kon zeggen en hij liep naar de deur. 'Is een shilling te veel?'

'Natuurlijk.' Gertrude frummelde met haar portemonnee. 'Volgende week dinsdag weer, en zal ik dan melk meenemen?'

Max keek door de ramen van Sea House naar de lucht en vroeg zich af hoe hij zijn rol nu moest afmaken. Aan de meent stonden nog drie kleine huisjes, telkens een treetje lager in de helling, die hij in één lang lint van blauwe lucht hoopte te kunnen toevoegen aan de al bestaande huizen. Hij had een tent opgezet van windschermen en paraplu's, maar het water was in een wijde boog van de overkapping gelopen en naar binnen gewaaid.

'Het heeft geen haast.' Elsa stond naast hem en hield zijn hand iets onder vensterbankhoogte vast. 'Misschien dat het morgen niet meer regent.'

Ze gingen op bed liggen, hun lichamen noodgedwongen tegen elkaar door de kuil in het slappe matras. 'Vertel eens,' zei ze, 'waar werd je heen gestuurd? Waar heb je geïnterneerd gezeten?' Drie dagen leefden ze nu al elkaars leven, vertelden elkaar hun geschiedenis en maakten zich elkaars verleden eigen.

'Waar? Ik ben naar Australië gestuurd.' Hij werd er steeds beter in. In praten. Hij kon de woorden bijna gelukkig van zijn lippen voelen rollen. 'Ik deed een cursus boekhouden. Dat had Käthe geregeld, zodat ik bij een advocatenkantoor of een bank terecht zou kunnen. Ik zat in een kamer met drie andere mannen toen er een agent binnenkwam om me te arresteren. "Ik ben geen misdadiger," zei ik tegen hem, maar hij zei dat er in oorlogstijd wel ergere misdadigers rondliepen dan moordenaars en dieven. Eerst werd ik naar een gevangenis gebracht en in een cel gestopt, toen overgeplaatst naar een barakkenkamp en daarna naar het eiland Man gebracht. Een paar dagen later al moest ik naar Liverpool en werd ik aan boord van een schip gebracht. We waren met ongeveer tweeduizend man, allemaal Australiërs en Duitsers, emigranten en vluchtelingen. We werden in het ruim gestouwd en moesten in drie lagen boven elkaar slapen. Sommigen lagen op de vloer, anderen op tafels en als je bofte, sliep je in een hangmat daar weer boven.'

Zou Elsa willen horen, vroeg hij zich af, hoe snel de vloer overspoeld raakte met kots en hoe de ondernemende types onder hen geheel in Pruisische stijl een wc-politie in het leven riepen? Er waren tien wc's voor tweeduizend man en een rekensommetje leerde dus dat iedere gevangene zeven minuten per dag kreeg toebedeeld. De wc-politie kwam met een streng rouleersysteem en als er iets vrijkwam, werd er geroepen. 'Drei Männer rechts ran zum pinkeln.' Drie man kunnen rechts gaan plassen. Het verraste Max dat deze woorden nog steeds in zijn geheugen gegrift stonden.

'We wisten niet waar we heen gingen,' vertelde hij. 'En hoe ouder de mannen waren, des te meer ze klaagden. Eentje overleed, en toen nog één, en ik lag 's nachts vaak wakker en bedacht dan onder hoeveel zwaardere omstandigheden de slaven uit Afrika waren aangevoerd. Op elke reis stierf minstens een derde van hen. Ik had geluk. Ik had een hangmat en vrijwel niets bij me. Sommigen hadden nog iets van waarde kunnen meenemen, maar de ellende die het gaf als dat zoekraakte, was niet te overzien. We legden drie keer ergens aan. Een keer in Takoradi, een naargeestige sloppenwijk naar wat ik ervan zag, een keer in Kaapstad, waar ik dolgraag van boord had willen gaan, en toen nog in Freemantle in West-Australië, waar ik te veel last had van een oorinfectie om aan dek te kunnen gaan kijken.

Na negen weken kwamen we uiteindelijk in Sydney aan. Ik besef nu dat we geluk hadden te zijn weggestuurd. Ons leven daar was in alle opzichten beter dan wanneer we zouden zijn gebleven. De zon scheen, er was genoeg te eten en het was er veilig, in ons kamp bij Hay aan de rivier de Murrumbidgee. Het enige was dat we nooit iets hoorden van het thuisfront. Er werden geen brieven geschreven of ontvangen, en die stilte was een marteling.'

Max herinnerde zich de Australische kranten, die hoogst summier over de oorlog berichtten. Ze stonden bol van de uitslagen van paardenraces en ranzige beschrijvingen van echtscheidingen. Seks werd in Australische kranten gecensureerd, maar echtscheiding viel onder rechtspraak. En daar maakten de redacteuren volop gebruik van. Broeken, panty's, deuren die ineens opengingen en mannen die thuiskwamen. De mannen lazen elkaar voor, en het dunne canvas van hun bed had erbij gekraakt. Soms viel uit de laatste pagina's nog wat oorlogsnieuws bijeen te sprokkelen. De bombardementen op Londen, de gruweldaden in Frankrijk. Maar nergens viel te lezen of Käthe nog leefde en of zijn ouders erin waren geslaagd hun huis te houden. En toen werd het verbod opgeheven en mochten ze brieven schrijven. Max' brief deed er drie maanden over om Käthe te bereiken, en de hare drie maanden om hem weer te bereiken. Ze leefde nog, en de week daarop schreef ze weer, en de week daarna nogmaals. Ze was zijn reddingsboei, zijn anker, zijn moeder, vader, zus en de enige schakel met zichzelf.

'Zing Hay voor hoera,' zei hij het liedje na dat ze altijd zongen.

'En je denkt tralala
En je wilt niet meer dood.
Al verkoop je je jak

Voor een blik op een plak
Van dat overheerlijke Butterbrot...'

'Dus je was daar gelukkig,' onderbrak Elsa hem.

'Ja.' Niet dat het er veel toe deed, maar nu hij er aan terugdacht was het wel zo.

'We richtten een school op,' vertelde hij Elsa terwijl hem een gevoel van opluchting doorstroomde, een blije herinnering. 'Je kon er alle talen leren, en ik oefende elke dag op mijn Engels en beloofde mezelf dat ik nooit meer Duits zou spreken.' Hij keek naar Elsa en glimlachte. 'Ik volgde een cursus hogere wiskunde. Er waren lessen in astronomie, kalligrafie, de klassieken. Onder de geïnterneerden zaten verschillende hoogopgeleide artsen die allemaal mijn oren onderzochten. Een van hen dacht dat zich oorsmeer had opgehoopt, wat gemakkelijk te verhelpen zou zijn met een spuit, en een ander dat het om een aandoening ging die de ziekte van Ménière heette. Ik zou binnen niet al te lange tijd mijn evenwicht verliezen, hard achteruitgaan en doodgaan. Een andere arts, die ook in Wenen had gestudeerd, zei dat er niets mis was met mij. Een koppige drang niet te communiceren, luidde zijn conclusie. En dus heb ik hem daarna koppig genegeerd.

Het duurde lang voor de Britten wilden erkennen dat we geen vijanden of spionnen waren, maar toen het zover was, stuurden ze een majoor, een joodse Engelsman, die moest beslissen wie van ons terug kon. Ik zat op het eerste schip met nog tientallen anderen, voor het merendeel getrouwde mannen. Ditmaal had ik een hut voor mij alleen en werd ik bediend door een heel stel Chinese stewards. Ze lieten het bad voor me vollopen, verwenden me met ijsjes en toen we in Cristobal in het Caribisch gebied kwamen, kreeg ik een pasje van de kapitein waarmee ik aan wal kon.'

Max herinnerde zich nog dat de hele stad een bordeel was geworden voor de Amerikanen die het Panama-kanaal bewaakten. Achter elke winkelruit stond een vrouw, het bovenlijf ontbloot, haar borsten in de zon en haar gezicht in de schaduw erachter. Heen en weer slenterend kozen mannen een boezempartij uit, en als hun keus was gemaakt, verdwenen ze naar binnen.

'En had jij daar geld uit te geven?' vroeg Elsa aan hem. 'In Cristobal? Koos jij er één uit?' Ze schoof dichter bij hem aan tafel.

'Ik had genoeg om bananen te kopen.' Bananen, had hij gehoord, waren in Londen niet te krijgen en hij had Käthe willen verrassen met dit cadeautje. Maar de bananen rijpten in zijn hut en toen ze de Mercey opvoeren, at hij het laatste bruine, soppige exemplaar op en gooide de schil in de haven van Liverpool.

Käthe stond hem daar op te wachten, maar aanvankelijk leken de autoriteiten niet bereid hem met haar mee te laten gaan naar huis. De reis had hem in verwarring gebracht en hem de indruk gegeven dat hij welkom zou zijn, dat hem zelfs excuses zouden worden aangeboden, maar dat was niet het geval. Waar waren zijn papieren? Wat kwam hij hier eigenlijk doen? Was hij gezond genoeg voor het leger? Zo niet, dan zou hij opnieuw worden geïnterneerd. Hij bedacht dat hij in Australië had moeten blijven, zich had moeten aansluiten bij de Hay Association, met de belofte elkaar eens per jaar te zien, maar Käthe deed vreselijk haar best ze te overreden.

'Hij is ongevaarlijk,' hield ze hen voor. 'Ongevaarlijk!' schreeuwde ze in zijn oor en toen hij geen krimp gaf, gingen ze overstag en lieten hem gaan.

Die nacht lag Max eenzaam in zijn bed in het nieuwe huis in Muswell Hill. Käthe had tijdens zijn afwezigheid de Renoir in zijn la gevonden. Ze had het doek meegenomen naar een galerie in Cork Street en verkocht voor driehonderd pond. De handelaar zei dat het een werkje om den brode was van Renoir, en niet echt veel waard. Maar het was genoeg geweest om een driekamerwoning van te kopen, en Käthe had trots zijn schilderij van haar in de hal gehangen.

Elsa sloeg haar armen om hem heen. 'Max...' Ze lispelde woorden die hij niet kon verstaan. 'Max.' Hij draaide zich om en zag haar lachen. 'Kijk.' Ze wees naar de kast tegenover hen met een plakkertje op de deur. *Extra lakens, dekens, slopen en reddingsvesten.*

Max zoende haar. 'Zing Hay voor hoera...' Hij probeerde een melodie te kwelen.

'Heb je nooit gebarentaal geleerd?'

'Nee.' Hij keek ontzet. 'Mijn vader zei dat je er dan aan toegaf.'

'Er nooit aan toegeven.' Elsa plaagde hem met haar vingers die tussen de knoopjes van zijn hemd gleden. 'Er nooit aan toegeven.' En ze kroop in de warme holling van zijn lichaam zodat hij haar met zijn handen kon horen ademen.

32

Elsa, ik eis dat je naar Londen komt. Ik heb je hier nodig en ik begrijp niet wat je daar zo bezighoudt. Kett heeft je toch zeker niet élke dag nodig om op het huis te letten. Ik kreeg een briefje van hem waarin hij zegt dat het werk op-schiet, alles gaat naar wens, en hij heeft me uitgebreide tekeningen gestuurd. De Mendels doen vreselijk moeilijk over hun zolder, en de Greenbergs – of 'Greens' moet ik eigenlijk zeggen – willen praktisch alles anders hebben dan besloten, de keuken aan de voorkant, een woonruimte boven... Mevrouw Bensons is in elk geval wel blij met haar stoelen en heeft gevraagd of ik een kast voor de dokter wil ontwerpen. Ik dacht erover een stel schuiflades te ma-ken om de wat griezeliger instrumenten uit het zicht te houden, en met een uitschuifbare plank die breed en sterk genoeg is om er baby's op te onderzoe-ken bij een eerste controle. Ik stuur een ruwe schets mee, waar je iets over kunt zeggen als je *HIER* bent.

Zonder jou, je L.

Lily voelde in de envelop in de hoop in de omslag de opgevou-wen tekening te zullen vinden, maar er zat niets in.

Elsa, ik probeer je *NIET* overstuur te maken. Ik kan toch wel het woord 'kind' noemen zonder dat je meteen op je achterste benen gaat staan, en ik had een brullend kleintje getekend opdat je dan juist opgelucht zou zijn dat dat aan je voorbij is gegaan. En nu moet ik dus snel naar je toe komen om je te troosten, is dat het idee? Je bent nog slimmer en geslepener dan ik al dacht, hoewel mijn moeder me natuurlijk al jaren geleden had gewaarschuwd. 'Zo'n mooi meisje...' Goed, jij je zin. Als je te somber bent om te reizen, kom ik naar jou toe. Tot vrijdag dan, en wacht maar eens af wat ik zal doen om je op te vrolijken.

Ik zie ernaar uit, je L.

Mijn liefste, natuurlijk ben ik voorzichtig met die overstromingen. Of wil je zeggen dat ik beter niet kan komen? Ik zal niet de trein nemen, maar zaterdagmorgen vroeg vertrekken, zodat ik in elk geval kan zien wat er gebeurt als de auto wordt meegesleurd door een tyfoon. Dan zal ik, zoals je zei, de auto bij The Ship zetten en kun jij eventueel naar me toe roeien en me daar ophalen. Ligt er een boot onder het huis gemeerd? Is het echt zo nat daar? Hier is het hooguit bewolkt geweest, en we weten dat het in ons kleine strookje Ostsee altijd beter weer is dan elders. Ik kan niet wachten om het huisje te zien. Heeft mevrouw Bugg je nog steeds niets laten weten over haar man? Wil je het de rest van het jaar aanhouden? Kett zou toch rond de kerst klaar moeten zijn en dan zouden we weer in Hidden House kunnen. Als de zee de rivier binnenstroomt zou je op de onderste tree van het trapje wat botten voor me kunnen vangen. Of anders wat baarsjes kunnen opvissen en die met bloem in boter bakken. Zorg goed voor jezelf, en niet te ongelukkig worden, hoor. Ik dacht net dat je het oude leed achter je had gelaten, en in mijn hart was ik daar blij om voor jou. Ik had die gedachte hardop moeten uitspreken.

Als altijd veel liefs, L.

Lily schoof de brieven terug in hun envelop, de envelop waarop in A.L. Lehmanns handschrift haar adres keurig aan de kant stond geschreven. *Sorry, sorry,* had Nick langs de rand gekrabbeld, *het lukt niet van het weekend.* Maar vandaag kwam hij naar haar toe geraced en hij zou nu al wel de grens met Suffolk zijn gepasseerd. Dan vloog hij tegen de hobbel van de Orwell Bridge op en eroverheen, en heel even bleef hij dan zweven met alleen maar lucht om zich heen. Zou het hem opvallen dat de brug op een dinosaurus leek, met die grijze, plompe poten, die deemoedige smalle kop en die gekamde ruggengraat zo gebogen dat het een weg werd?

Lily schudde kruimels uit de broodtrommel, spoelde de gootsteen schoon. Ze deed de achterdeur open en keek de tuin in. Het onkruid slingerde zich door de bloembedden en het gras stond hoog. Moest zij daar iets aan doen? vroeg ze zich af, en ze trok aan de uitloper van een winde en hoorde een scheurend geluid toen die niet wilde loslaten. Ze plukte twee gele rozen en legde ze in een schaal en liep toen met maagkramp naar boven. Daar stonden, zedig en los van elkaar, de twee eenpersoonsbedden en ze zette de rozen neer op het tafeltje ertussen. Er stond al een lamp op met een bonte kap vol caramelkleurige bloemen – het hoofd van een al wat oudere tante met haar badmuts nog op, die de twee bedden toch vooral uit elkaar wilde houden. Lily klopte beide kussens op, trok de lakens recht en onder het mom nog wat op te ruimen, gooide ze een jurk over de kastdeur en onttrok zo de spiegel aan het zicht.

Toen er verder niets meer te doen viel, liep ze met haar aantekeningen en brieven de tuin in. Ze bracht een deken naar buiten en een stapel kussens, een kop thee, zodat Nick haar kon verrassen als ze druk aan het werk was.

Mijn liefste, ja, we moesten dat etentje bij Jilks maar aannemen. Is Meyer daar NOG ALTIJD? En wat komisch nou toch dat Gertrude een vriend heeft. Is Meyer niet beledigd? En is hij klaar met zijn aquarelproject? Ik kom maar een paar uur later dan deze brief en je kunt me dan wel antwoord geven.

Ik keek net in de Times en zag het overlijdensbericht van Ronald Wilberforce (Sir!), mijn vroegere baas bij de Special Operations. Dat deed me eraan denken dat het inmiddels acht jaar geleden is en ik nog altijd niet ben gehoord. Als ook maar iemand bij de Special Forces enige interesse had getoond, wat zou dat een verschil hebben gemaakt. Wie weet had dat het leven van onze goede vriend Joseph Feuer gered. Nooit gehoord, nooit gevraagd naar zijn ervaringen na zes maanden eenzame opsluiting, het blijft aan me knagen, het gevoel dat hij zo is afgedankt. Zou het hem, denk je, ervan hebben kunnen weerhouden om zelfmoord te plegen? Mijn meisje, als jij een weduwe van vijfentachtig bent, geef ik je hierbij toestemming een medaille voor mij te aan-

vaarden. Niet voor mijn huizen, die allemaal onder de voet zijn gelopen en verwoest door degenen die ze als hun eigendom beschouwden, maar voor het moment dat mijn parachute openklapte en ik achter de vijandelijke linie neerdaalde.

El lief, lieve, lieve vrouw van mij, wacht op me, ik ben snel bij je, L x

Lily schrok op van een toeterende claxon. Ze sprong op van haar kussens en rende om het huis heen naar het hek.

'Ik kan niet parkeren.' Nick leunde uit het opengedraaide raampje en keek naar de plek die zij voor hem had opengehouden. 'Van wie is die auto?'

Lily staarde naar de stoffig zwarte motorkap van Grae's Renault 5. De twee Renaults stonden zo dicht naast elkaar en in dezelfde hoek geparkeerd dat ze wel een tweeling leken.

'Je auto is gekloond,' zei Nick droogjes en Lily keek wild om zich heen naar een andere plek.

'Je kunt beneden bij de veerboot parkeren,' stelde ze voor. 'Je rijdt langs het café en dan zie je recht voor je een parkeerplaats. Het spijt me,' riep ze hem na toen hij de bocht al maakte. 'Gewoon rechtdoor rijden.'

'O God, o God, o God,' mompelde ze en ze werd bijna overreden toen een familie op de fiets de bocht om peddelde.

Ze bleef op een bankje op de meent op Nick zitten wachten met het idee dat hij nu elk moment kon komen. Waar bleef hij? Ze keek ongemakkelijk achterom en omdat ze niet langer stil kon zitten, liep ze naar de haven, hem tegemoet. Ze kwam langs The Ship en zocht inmiddels zowel angstig als geïrriteerd met haar ogen het parkeerterrein af. Hoe kon hij nou verdwalen? En toen zag ze hem bij het Mister Whippy-busje de plaatjes van ijslollies en hoorntjes, wafels en ijsco's staan bekijken. Vlak voor hem in de rij stonden Em en Arrie. Lily stond in de schaduw bij de muur en zag de meisjes bestellen, betalen en zich toen omdraaien, likkend aan hun oranje staafijs.

'Lily.' Hij zwaaide naar haar met een fles water in zijn hand.

'Twee uur en zevenentwintig minuten. Is dat een record of niet?' Hij liep op haar af en gaf haar een zoen. Onwillekeurig keek ze om of ze waren gezien. Maar Em en Arrie hadden hun rug naar hen toegekeerd en waren niet meer dan twee felgekleurde stipjes die de witte helling van het duin opklauterden.

Lily nam Nick de tuin mee in.

'Fijn hier.' Hij bleef verrast staan, en ze legde uit dat nu het andere huisje leegstond zij de tuin voor zich alleen had.

'Er zal wel snel een nieuwe huurder gevonden worden,' zei ze en om niet te blijven hangen bij het onderwerp van 'de buurman met losse handjes' vroeg ze hoe het met z'n werk ging.

'Niet slecht,' zuchtte hij. 'Maar wat er allemaal niet mis kan gaan. Blijkt de balk ineens niet meer plat tegen het plafond te passen, dus nu willen de klanten...' Hij zweeg en schudde zijn hoofd. 'Weet je wat?' Hij ging op haar berg kussens zitten. 'Het is wel best. We hebben ten minste werk.'

'En Holly?'

'Holly?' Een ogenblik keken ze elkaar geschokt aan.

'Met haar gaat het prima, ja...' Hij plukte en rukte aan het gras. 'We boffen met haar.' En toen hij opkeek, stond zijn gezicht neutraal.

'Dus je bent nog altijd bezig?' vroeg hij met een knikje naar de stapel papieren. 'Had dat niet allemaal al ingeleverd moeten zijn?'

'Klopt, maar ze zeiden dat als ik echt meer tijd nodig had, ik het ook aan het begin van het volgend semester kon inleveren.'

Nick ging liggen met zijn hoofd op een kussen en bestudeerde zijn mobiele telefoon. Hij zwaaide het ding heen en weer door de lucht. 'Heb je hier geen ontvangst?'

'Ik weet het niet. Misschien binnen?'

'Lijkt me stug.' Nick stond op en liep door de tuin, de keuken door en het laantje op.

'Je kunt de telefooncel proberen,' zei ze, hem achterna lopend, en ze beet op haar lip om niet te grinniken.

Nick stond midden op de meent nog altijd ingespannen zijn telefoon te bekijken.

'Was het een belangrijk telefoontje?'

Nick keek haar met samengeknepen ogen aan. 'Oké, jij hebt gewonnen,' zei hij. 'Ik probeer de telefooncel wel. Heb je kleingeld?'

Lily holde het huis in. Ze moest zo hard grijnzen, dat ze er zelf van schrok. Ze had niet doorgehad hoe verbeten ze strijd had geleverd. Ze griste overal muntjes vandaan, voelde in de voering van haar tas, keerde haar portemonnee om, tot haar handen rinkelden van de muntstukken van tien en twintig pence en de zilveren visschubben van vijf die niets wogen. Toen ze terugkwam, stond Nick al te bellen.

'Tuurlijk, tuurlijk.' Hij trok de echte wereld naar zich toe. 'Zeg maar dat we dat doen.' Ze stapelde haar kleingeld naast hem op het randje terwijl Nicks arm om haar heen gleed en hij het briefje oppakte. 'Ja, dat weet ik, tuurlijk,' zei hij iets zachter en ze zag hem lezen. *Bel 999. Wacht bij de muur...* Ze stond naast hem toen hij het briefje probeerde te ontcijferen en ze zag dat er iets was veranderd, er was iets bijgeschreven sinds ze het de laatste keer had gezien. Het kruisje dat ze erop had gezet was omcirkeld, voor de L stond nu een R. Lily pakte een pen uit haar zak en schreef bovenaan 'Hallo' en Nick, die was blijven doorpraten, keek haar met opgetrokken wenkbrauwen aan toen ze het briefje weer terugschoof onder de steen. 'Zeg maar dat we een contractuele overeenkomst hebben.' Nick draaide zich weg. 'Dan moeten ze dat nog eens overlezen als het niet duidelijk is. Maar, Tim, jezus nog aan toe,' – de muntjes van vijf werden even snel doorgeslikt als hij ze erin stopte – 'ik ben maandagochtend weer op kantoor en je kunt me altijd bellen... Als ik niet opneem, laat je een bericht achter, dan rij ik het dorp wel uit om het te kunnen oppikken. Ja... Er is nogal wat storing hier, waarschijnlijk door die kerncentrale... Nee, Lily zegt er nooit wat over, maar er staat hier aan de kust een allejezus grote kernreactor... Zij ontkent dat en ziet overal om zich heen alleen maar "schitterende natuur".' Hij begon te lachen, zijn schouders schudden van de pret, en ze stelde zich de rest van hun weekend voor, op en neer rijdend naar de A12 om de boodschappen van Tim te kunnen ontvangen.

'Weet je waar ik nou al tijden zin in heb?' Nick schoof een arm om haar middel.

'Nou?' Lily slikte toen hij in haar oor fluisterde. 'Mijn bezoek zou niet compleet zijn zonder een biertje in die fantastische kroeg.'

Ze namen hun glas mee de tuin in, waar zelfs de honden zich languit in het laatste beetje zonlicht koesterden. Er werd een spelletje gespeeld in een hoek met grind waar mannen en vrouwen stonden te juichen en te lachen achter een vierkant hekwerk.

'Wat doen ze daar?' vroeg Lily.

De kroegbaas, in korset, leunde tegen het hek voor de baan en achter hem op het muurtje stond een rij glazen donker bier.

'Jeu de boules.'

Het werd stil toen een lange man door zijn knieën zakte om te gaan gooien. Hij zwaaide zijn arm driemaal laag langs de grond en liet toen de zilveren bal met een boogje neerkomen en doorrollen. Er werd tevreden gemompeld en geroepen: 'Goed gedaan, Alf.'

'Dat is Alf.'

Lily rekte zich uit om hem te kunnen zien. Zonder hoed zag Alf er opvallend goed uit met zijn vrolijke bos spierwit haar.

'Wie is Alf?' vroeg Nick, maar de barman liet snerend van zich horen. 'Die ballen zien er een tikje roestig uit, lijkt me,' zei hij, en Alf dook er als een klein jongetje gelijk op. 'Roestige ballen?' Hij ging rechtop staan. 'Daar heb ik nou mijn hele leven al last van.' En de anderen begonnen joelend te lachen.

Lily en Nick zaten aan een houten tafel waar de haag zo terug was gesnoeid dat ze konden uitkijken over zee. Ze glimlachten naar elkaar en keken toen weer naar het spel. 'Kan die niet verder?' Alf gaf instructies voor het meetkoord, maar meteen wendde een andere man zich tot de vrouw naast hem. 'Dat zul je wel vaker hebben moeten zeggen, hè, Cassie?'

'Zeker weten.' Cassie keek naar Alf en er klonk een laag gekreun en gefluit terwijl het spel werd hervat.

'Je ziet er goed uit.' Nick pakte Lily's hand.

'Ja,' zei ze, 'waarschijnlijk door die warme straling van de kerncentrale.' Ze keek hem met een kil, strak lachje aan en Nick hield haar blik vast.

'Lily, zeg eens eerlijk, gaat het wel?'

'Ja, hoor,' zei ze, maar tot haar verbijstering welden er hete tranen op in haar ogen. 'Het gaat best.' Maar ze voelde zich steigeren van woede, hoewel ze wist dat wroeging meer op zijn plaats zou zijn. 'Het gaat prima, heus.' Het was alsof al het leed, al haar grieven ineens in haar wakker waren geworden, alle teleurstelling van de afgelopen drie jaar. 'Waarom,' zei ze terwijl ze rood aanliep, 'zeg je nou nooit dat je van me houdt?'

Nicks hand schrok in de hare. 'Hoe bedoel je?'

Lily keek naar de tafel. Ze ging het niet nog een keer vragen.

'Nou...' Nick zat te hakkelen. 'Dat leek me wel duidelijk. Toen ik je smeekte om bij ons te komen werken? Toen ik je vroeg bij me in te trekken?'

Lily, diep ongelukkig, streed met haar mondhoeken en wilde alleen nog maar huilen.

'Was dat niet...' – hij was nu ook kwaad – 'was dat dan niet duidelijk?'

'Nee. Dat was niet duidelijk. Sinds wanneer betekent: "Je kunt je kleren netjes opgevouwen in deze kast kwijt" dat... dat... wat betekent dat meer dan wat het zegt?'

'Gaat het daar om? Ben je daarom vertrokken? Heb je je daarom in dit gat begraven? Ben je in ballingschap gegaan om niet bij mij te hoeven blijven?'

'Nee,' zei ze defensief. 'Néé. Ik ben alleen dat wachten zo moe. Dat is alles.'

'Pardon?' Ze besefte ineens dat hij er echt niets van begreep. 'Wachten waarop??'

'Dat ik mag... Ik weet niet...' Ze veegde haar tranen weg. 'Dat ik mag...'

Nick stak haar zijn beide handen toe. 'Ik weet niet waar je het over hebt...' Zijn stem was gedaald tot een fluistering en zijn gezicht was bleek. Met een schok herinnerde Lily zich dat ze van hem hield.

'Ik zou zo graag...' – ze slikte – 'een beetje dromen, vooruit-kijken, een besef hebben van een toekomst. Maar dat mag niet. Ik kon niet eens over de kerst beginnen tot, nou ja, tot zo onge-veer de avond ervoor.'

'Oké.' Nick rilde even alsof hij gedwongen werd iets te zeg-gen. 'Als ik aan romantiek denk... aan passie, dan denk ik aan wat er op dit moment gebeurt. Aan nu. Ik heb op je zitten wachten, Lily, tot jij eens in je leven zou stappen en het leven niet langer langs je heen zou laten dobberen.'

'Maar hoe dan?' Ze probeerde haar hand weg te trekken. 'Als ik nooit goed wist of ik wel mocht...' Ze wilde het niet hoeven zeggen.

'Of je wat wel mocht?'

'Al duizenden jaren, weet ik het, nog wel langer, zijn er vrou-wen die trouwen, kinderen krijgen, een nestje bouwen. En op-eens mag ik dat niet meer willen. Ik moet me schamen als ik er zelfs maar over begin. En vooral doen alsof dat wel het laatste is waar ik aan denk.' Lily voelde haar hoofd gloeien. Ze rukte haar hand los. Dit had ze nooit willen hoeven zeggen. 'Ik weet niet eens of ik wel kinderen wil, of ik wel wil trouwen, maar ik zou zo graag iets te kiezen hebben. Want wat is er anders? Hard werken, nog harder werken, en misschien met een beetje geluk de kans krijgen zo hard te werken dat je bijna stikt!'

Nick leunde achterover en keek haar aan. 'Je bent pas zevenentwintig. Jezus, vanwaar die haast? Tegenwoordig krijgen vrouwen pas kinderen als ze minstens tweeënveertig zijn.'

'Ik heb het niet over wat "in" is.' Ze keek hem woest aan. 'Je bent niet de enige die Hello! leest. Ik probeer gewoon eerlijk te zijn. God' – ze was nu razend – 'ik wist wel dat je me belachelijk zou maken.' Ze ademde briesend uit. 'Ik haat het, dat leven van ons, het is allemaal zo kil. Je hebt elkaar nergens voor nodig.' Er klonk een bulderend gelach op van het spel. Lily keek verschrikt om bij het idee dat iemand hen gehoord kon hebben.

'Tja, als je het haat...' Nick ademde hoorbaar en schoof toen met een zucht uit de bank om nog iets te drinken te halen. Een man boog zich voorover en richtte de bal terwijl hij zijn aandacht bij zijn schouders hield.

'Beste kerel.' De kroegbaas leunde naar voren om het resultaat te zien. 'Hoe ver was dat?' Iedereen rekte z'n hals om het te kunnen zien. Cassie hield haar duim en wijsvinger op, zo'n centimeter van elkaar. 'Wel twintig centimeter,' zei ze, en de mannen klapten dubbel van het lachen.

Ze lachten nog steeds toen Nick terugkwam. 'Wat valt er te lachen?' Hij had nog een glas donker bier besteld en een glas witte wijn voor haar.

'Niks, zo dom, niet eens grappig,' maar ze moest toch lachen toen ze haar glas pakte.

Ze dronken in stilte. De volle maan hing wolkenwit boven hen en terwijl ze daar zo in de tuin zaten, werden gebeten door hordes muggen en de glazen zich opstapelden, viel langzaam de duisternis in. Niemand kwam de tafel leegruimen en telkens als een van hen met nog een rondje terugkwam, werden de lege glazen weggeschoven naar het midden van de tafel totdat ze elkaar over een zee van glazen ringen heen aankeken. Het spel ging door op de baan die door de ramen van het café werd verlicht, tot uiteindelijk één team als winnaar uit de bus kwam en de spelers wegslenterden, elkaar amicaal op de rug kloppend, of ze nu hadden gewonnen of verloren. Nick en Lily hesen zich overeind. Nick pakte haar bij haar arm en dankbaar leunde ze tegen hem aan, dronken en hol, alsof met die paar tranen ook alle kracht uit haar was weggevloeid.

Op de weg, uit het licht van het café, was het gitzwart. Er scheen een gigantische maan. 'Wat een nacht,' zei Nick, en hij hield stevig haar hand vast toen ze langs de rand van de meent strompelden. Zonder iets te zeggen wasten ze zich samen in de badkamer en klommen elk in hun eigen bed. 'Slaap lekker,' zei ze glimlachend over de kap van de lamp heen en ze viel tollend in slaap. Ze werd heel vroeg wakker en slokte een glas water naar binnen, en onder het drinken hoorde ze de regen. Het klonk koel, vriendelijk, zoals het tegen de ramen spetterde, en ze goot het laatste restje water naar binnen en ging weer liggen.

'O, jezus,' wekte Nick haar.

'Wat is er?' Hij greep naar zijn hoofd.

'Tim,' kreunde hij. 'Ik ben vergeten naar mijn mobieltje te kijken. Dat is jouw schuld,' zei hij met een flauwe glimlach, 'met je revolutionaire praatjes. Zomaar het feminisme opdoeken. Demonstreren voor het recht de afwas te mogen doen...'

'Hou op, dat heb ik niet gezegd.' Maar opgewekt schoof ze de gordijnen weg voor een fijne, grijze mist van regen.

'Je lekt,' zei Nick met zijn hoofd nog in zijn handen, en ze draaide zich half om en zag de bloedvlekken in haar nachtjapon. 'Ik wilde net zeggen kom hier...' – hij ging weer liggen – 'maar misschien maar niet.'

Lily liet het bad vollopen. Ze ging erin liggen en stelde zich Grae voor in zijn strandhuisje daarbuiten en de meisjes, wapperend met eindjes wol die ze voor Guinness' neus heen en weer zwaaiden om hem van het ene bed op het andere te laten springen. Ze liet haar hoofd onder water zakken en voelde haar gedachten tot rust komen. Weer een hele onbekommerde maand voor haar. Opgelucht. Teleurgesteld, opgelucht. Ze kon nog een heel leven beter opletten. 'Maar ze kunnen daar toch moeilijk de hele winter blijven...' Ze probeerde er iets op te verzinnen en toen ze weer bovenkwam, keek Nick in zijn blootje op haar neer, met één been omhoog om te voelen hoe warm het water was. 'Wat zei je?'

'Zomaar iets,' en ze trok haar knieën in om ruimte voor hem te maken toen hij erbij klauterde.

Er lag een paraplu in de kast. *Paraplu*. Er hing een kaartje aan. *Niet gebruiken*. Lily was te bijgelovig om het ding binnen open te klappen. Ze stak de punt ervan naar buiten. 'Beter dan niets,' riep ze Nick toe met een blik op de rafelige gaten en samen stapten ze de regen in. 'We kunnen ook mijn auto nemen naar de grote weg,' zei ze terwijl het haar opviel dat Grae's Renault er niet meer stond. 'Wie weet vang je al iets op bij de kerk.'

'Het is wel goed.' Nick bezag keurend het zachte leer van zijn schoenen. 'Ik kan wel lopen. Mijn tas ligt trouwens nog achterin.'

Nog voor ze bij het parkeerterrein waren, begrepen ze al dat er iets mis was. Een groepje mannen, dezelfden die gisteravond jeu de boules hadden gespeeld, had zich om de auto van Nick geschaard. Het was de enige auto op het parkeerterrein, en Grae stond ernaast door een raampje naar binnen te gluren. Lily voelde een siddering toen ze hem zag.

'Wat is er aan de hand?' riep Nick en alle mannen draaiden zich om.

'Uw auto?'

'Inderdaad.' Nick beende voor haar uit. 'Is er iets mee?'

Lily ving Grae's blik en keek weg.

'Gisteravond was het springtij.' Het was de winnaar van het spelletje jeu de boules, Alf, die iets apart van de anderen stond. 'Kwam na middernacht opzetten. We zijn bij iedereen langsgegaan, dat ze hun auto moesten wegzetten, maar we wisten niet van wie deze was.' Hij richtte zich glimlachend tot Lily. 'We zagen die van jou veilig en wel boven staan, maar wisten niet dat je vriend hier met z'n eigen auto was gekomen.'

Nick keek in de auto. Er hing zeewier aan het stuur en de zijvakken van alle deuren zaten vol zandkorrels. Er lag een modderig plasje water in het kuiltje van de stoelen.

'Daar kun je niet meer in rijden,' zei Alf en de mannen wendden zich al knikkend en pratend weer naar elkaar toe.

Nick stak de sleutel in het slot van de kofferbak en wrikte die met een luide krak open. Zijn leren tas stond midden in de prut en op waterhoogte vormde zich al een witte, korstige lijn.

'Het gebeurt om de paar jaar,' vervolgde Alf, 'het tij komt opzetten en de rivier stroomt over. Daarom hebben we ook al die dijken en waterkeringen, dat het niet verder komt dan nu.'

Lily voelde een klamme hand in de hare. 'Hallo.' Het was Emerald in een knalblauwe regenjas.

'Alles goed met jullie?' Lily boog zich naar haar toe. 'Zijn jullie niet weggespoeld? Hoe hebben jullie je gered in dat huisje?'

'Met ons gaat het goed,' zei ze. 'En papa wist ervan, hoor. Hij heeft de auto veilig weggezet en de deur gebarricadeerd.'

Lily keek naar Grae die een eindje verderop stond te kijken hoe Arrie door een modderpoel waadde.

'Het is alleen bij volle maan,' ging Em verder. 'Pappa zegt dat als je goed oplet en het tij in de gaten houdt...' en ze liet haar hand los en holde de plas water in, zodat er een golf van modder over haar zusjes laarzen spoelde.

Nick sloot met de druipende tas in zijn hand de auto af. 'Dan moest ik de wegenwacht maar eens bellen,' zei hij met een ondoorgrondelijk gezicht en een knikje naar de mannen.

'Daar valt niet meer in te rijden,' riep een van hen hun kant op, 'een hele tijd niet meer.' En bijna vrolijk bij het idee schudden de mannen het hoofd.

'Godvergeten, klote teringdorp,' vloekte Nick zodra ze buiten gehoorsafstand waren.

'Maar je bent toch verzekerd...' probeerde Lily. 'Ik bedoel, is dat zo, bij calamiteiten?'

'Ze zullen me goddomme naar huis moeten slepen.'

Lily bleef naast de telefooncel staan toen hij belde. De lucht was opgeklaard en het regende niet meer. Het was of er een deken bij de punten werd opgetild waardoor het blauw naar binnen stroomde.

'Ze komen eraan,' zei Nick, 'binnen nu en twee uur.'

Ze gingen samen op de bank zitten. 'Anders neem je de trein naar huis?' suggereerde ze. 'Of mijn auto?' Maar hij keek haar zo vernietigend aan dat ze verder haar mond hield.

Ze bleven een uur op het bankje zitten wachten op de sleepwagen. Lily kwam aanzetten met thee, water, paracetamol, een bord met geroosterde broodjes. Nick rommelde door de puinhoop in zijn tas.

'Vergat ik bijna nog,' zei hij terwijl hij zijn hand in een binnenzak liet glijden, 'ik heb iets voor je meegenomen.' Hij gaf haar een opgevouwen velletje papier. 'Dat kreeg ik toegemaild, en ik vond dat jij het ook moest zien.'

Lily vouwde het papier open. *VEILIGHEIDSTIPS VOOR VROUWEN*, en tijdens het lezen brak de zon door de wolk en kleurde het gras helgroen. *ALS JE OOIT IN EEN KOFFERBAK WORDT GEGOOID, TRAP DAN DE ACHTERLICHTEN ERUIT EN STEEK JE ARM NAAR BUITEN OM TE ZWAAIEN. DIT HEEFT VELE LEVENS GERED.*

Lily keek even op naar Nick.

'Komt uit Amerika,' zei hij. Hij bleef naar de weg zitten kijken.

VROUWEN WORDEN OM DRIE REDENEN AANGEVALLEN.

1. ONOPLETTENDHEID. Je moet weten waar je heen gaat en wat er om je heen gebeurt.

2. LICHAAMSTAAL. Altijd kin omhoog. Zwaai met je armen. Loop rechtop.

3. FOUTE PLEK, FOUTE STAD. Loop 's nachts nooit alleen.

'Dankjewel.' Ze kon het nauwelijks geloven. Ze durfde niet te vragen of dit een grapje was.

HOE VOORKOM JE DAT JE HET SLACHTOFFER VAN EEN GEWELDSDELICT WORDT:

Neem altijd de lift in plaats van de trap. Een trappenhuis is een uitgelezen *plek voor een misdaad. Als de aanvaller een pistool heeft en je niet door hem wordt vastgehouden, ren dan hard weg. De aanvaller schiet slechts 4 van de 100 keer raak en zelfs dan misschien niet eens levensbedreigend. REN WEG.*

Als je naast een grote bestelbus staat geparkeerd, stap dan in aan de passagierskant. De meeste seriemoordenaars grijpen hun slachtoffer door haar in een busje te trekken op het moment dat zij in de auto wil stappen.

Kijk naar je geparkeerde auto. Zit er een man, alleen, in de auto aan de bestuurderskant, loop dan het winkelcentrum weer in.

Ik zou dit eerst alleen aan de dames sturen: maar jongens, als jullie iets om je moeder, vrouw, zus of dochter geven, dan kun je dit beter aan ze doorgeven. In alle gevallen geldt: beter voorkomen dan genezen. LIEVER PARANOÏDE DAN DOOD.

Lily begon te lachen. 'Het is toch...' en ze las de e-mail nog eens door.

'Dat' – Nick klonk gekwetst – 'heb ik speciaal voor jou uit-gedraaid.'

'Een bosje bloemen was misschien leuker geweest...'

'Moet je horen.' Nick draaide zich naar haar toe. 'Ik wilde je niet bang maken, maar die avond dat ik je wilde verrassen, toen je was kamperen... Of wat dan ook... Toen zag ik...' Nick rilde. 'Ik zag een man de meent oversteken. Ik denk dat hij uit de te-lefooncel kwam. Ik dacht even dat ik droomde, maar toen bleef hij vlak bij de auto staan. Het was een of andere zwerver. In van die smerige kleren die aan hem vastgeplakt zaten, en hij keek naar mij... Ik weet niet, ik vond het doodeng, en dan te beden-ken dat jij maar zelden je deur op slot doet.'

'Goed.' Lily knikte. 'Goed.'

Maar juist op dat moment verscheen de sleepwagen om de hoek en Nick sprong op en holde er druk wijzend en gebarend heen, schreeuwend tegen de bestuurder dat hij richting zee moest.

Maar is het wel zo? dacht ze. Kun je beter paranoïde zijn dan dood? Toch vouwde ze de e-mail voorzichtig op en stopte het papiertje diep in haar broekzak.

33

Max stond in de plenzende regen op de meent. Het was zo nat dat hij zelfs geen aantekeningen kon maken. Hij keek aandachtig naar de lage muur die in strepen blauw en bruin met steentjes was versierd, en prentte zich in dat hij ook vooral de steentjes die er zo keurig schuin bovenop waren gezet niet mocht vergeten. Achter de muur zagen de huizen met hun donkere, kille ramen er spookachtig uit. Hij zou ze in het zonlicht moeten zetten en vastplakken aan de andere, wilden ze nog op de rol passen. Hij nam een kortere weg terug naar Gertrudes huis via een smal, zompig paadje waar het riet en het gras precies ter hoogte van zijn middel overhingen. Hij was druipnat toen hij aankwam en was verrast Gertrude aan te treffen die aan tafel haar voet zat te tekenen. Ze had haar kous uitgetrokken en één been op een stoel gelegd.

'Hallo,' zei ze blozend, maar ze liet haar voet wel liggen.

'Stoor ik?' Max vouwde zijn rol papier open.

'Nee hoor, ik zie je hier alleen niet zo vaak rond deze tijd.' Ze trok haar andere kous uit en wisselde van voet.

Snel, voor het beeld van haar tenen alles zou uitwissen, pakte Max een potlood en schetste de muur, de schoorstenen, het rijtje zolderramen en het paadje. Hij schilderde de lucht, een veeg oplichtend blauw, in weerwil van zijn laatste indruk toen de huisjes kil en treurig afstaken tegen een strook zwart.

'Ben je er zaterdag?' vroeg ze. 'Met eten, bedoel ik?'

'Ja,' zei hij. Wist ze dat hij handig gebruik had gemaakt van het luidruchtige weer om elke avond het huis uit te glippen? 'Natuurlijk ben ik er dan.'

'Eten waar je lekker warm van wordt...' Ze had het nu tegen zichzelf. 'Soep, lijkt me. Paddestoelen of minestrone. En kippenpastei. Iets van een kruimeltaart misschien... zouden we de laatste appels voor kunnen gebruiken...'

Max knikte. Hij wilde verder met kleuren mengen. Zonlicht en het geelgroen van gras voor de regen.

'Dan kun je Thomas Everson ook ontmoeten. Het is belachelijk...'

Maar Max was al bezig een voor een de steentjes te schilderen en hoewel hij wel voelde dat ze praatte en het gebrom en de echo van haar stem kon horen, ontging hem de inhoud van elk woord zolang hij doorwerkte.

Toen hij uiteindelijk opkeek, was ze klaar met haar voeten. Ze had haar kousen weer aangetrokken en zat haar tekening te bekijken. De voeten waren elkaars spiegelbeeld, hoog oprijzende rotsblokken, de tenen een bergketen. Max streek het laatste stuk van zijn rol glad en zag dat het zachte papier maar amper tot de rand van de tafel kwam.

'Je bent er bijna.' Gertrude draaide zich naar hem toe. 'Nog maar zes, zeven huizen?'

Hij keek haar aan. Ze had dus geteld en zitten wachten tot hij klaar was, en hij zag op haar gezicht en hals de kleur van een hele zomer met zon. 'Ik ben onze afspraak niet vergeten...'

Gertrude schudde haar hoofd. 'Maak je daar maar niet druk om.'

'Maar ik heb beloofd...'

'Het is al goed.' Ze strekte haar hand naar hem uit. 'Ik ben degene die iets had beloofd. Ik had Käthe beloofd te zorgen dat je iets om handen zou hebben.'

'Ja.'

'Nou, dat is gelukt.' Er school een lachje in haar ogen, en hij keek vlug een andere kant op.

'Dankje,' zei hij, en het bleef even stil.

'Mijn jonge kunstenaarsvriend,' hervatte ze. 'Hij geeft me al een tijdje tekenles, en ik...' Ze keek onbedwingbaar gelukkig, gelukkiger dan ze ooit had gedaan sinds Käthes ziekte zich had gemanifesteerd. 'Ik heb hem zijn spullen helpen opruimen. De boel uitzoeken, schoonmaken, kaartje eraan. Ik geloof zelfs dat hij de dorpspassie voor kaartjes al te pakken heeft. Als dat zo doorgaat, zal ik nog hulp van een heel andere orde voor hem moeten vinden.' Gertrude giechelde als een meisje. 'Vanochtend droeg hij voor het eerst in weken twee dezelfde sokken!'

Het was stil in huis toen Max de nacht in stapte. Het regende minder hard, maar er stond een woeste wind die aan de takken rukte en bladeren, vogels en kleine, hulpeloze insectjes door het donker joeg. Hij dook uit de beschutting van het portaal en vocht zich vooruit over de weg. Een forse tegenwind probeerde hem vlaag na vlaag terug te dringen. Het kostte hem twintig minuten om de haven te bereiken, zich vastklampend aan muren en heggen en zijwaarts tegen de storm in stappend, en toen draaide de wind en sleurde hem mee richting zee. Hij had het gevoel zijn armen te kunnen uitstrekken om zich verder te laten blazen, maar in plaats daarvan klemde hij zich vast aan de brugreling. De huizen rondom waren dichtgetimmerd en verlaten. De Tea Room was gesloten voor de winter en de appartementen hadden de luiken dicht tot het volgende voorjaar. Vanuit Sea House flikkerde hem een bleekgele lichtstraal tegemoet – de uitgestoken arm van een kaars. Max zette het op een hollen, opboksend tegen de hevige storm, de grond waar het water uit opwelde en plassen als meren die van onderaf vol stroomden. 'Elsa!' riep hij waarschuwend toen de hordeur achter hem dichtknalde.

Elsa lag in bed. Ze bladerde een fotoboek door. *Israël. De stichting van een staat*. Die ochtend van een vriend ontvangen via de post. Max stroopte zijn jas en colbert uit. Hij was bezig de vettige wol van zijn trui op te rollen toen hij haar naar hem zag kijken alsof hij een striptease-act opvoerde.

'Ja?' Verlegen trok hij zijn broek en sokken uit en omvatte met nog altijd ijskoude handen haar slaperige gestalte.

'Nog drie dagen,' zei ze, 'dan komt hij terug.'

'Nog drie dagen. Ja.' Max wierp het beddengoed van haar af en terwijl hij alle vlakken en hollingen van haar lichaam begon te zoenen, voelde hij zijn honingzoete verlangen en het bloed in zijn oren razen. 'We hebben geen minuut te verliezen.'

'Goed.' Ze lachte en haar gezicht veranderde in halvemaantjes: haar ogen, haar oogleden en haar mond. Liefste, ik heb je lief, ich liebe liebe liefste, zong hij haar met heel zijn lichaam toe, en het was pas veel later dat het tot hem doordrong wat ze had gezegd.

Drie dagen, twee nachten, waarvan er nu één om was. Hij stond op en kleedde zich aan in het grijze ochtendlicht. Zijn kleren waren klam en hij voelde zich rillerig van verdriet. Hij liet zijn hoofd hangen en snelde terug door het grimmige weer, stalde verf en kwasten uit en reeg het ene huisje aan het andere in een zwarte warreling van natte sneeuw. Toen Gertrude beneden kwam om te ontbijten, was hij juist bezig aan het hoge bakstenen huis dat uitkeek over de rivier.

'Ben je al buiten geweest?' vroeg ze toen ze de donkere randen van zijn broek zag, en bij wijze van antwoord trok hij zijn jas waar aan en glipte de regen in.

De hele dag stoof hij heen en weer met telkens een klein stukje van het huis in zijn geheugen geprent. De twee lage ramen aan weerskanten van de voordeur, de rijtjes cactussen op de vensterbanken. Er stond een bootje bij de drempel en in het portiek hing een ketting van stoffige schelpen. Elsa trof hem laat in de middag aan bij de vissershuisjes. 'We waren het toch

eens' – ze ging voor hem staan – 'dat we geen moment te verliezen hadden.'

Max keek haar aan. Twee dagen, dacht hij, nog twee dagen
en dan... Hij voelde zijn koppigheid als een zware last op zich
drukken, maar kon zich er niet van losmaken. Hij haalde zijn
schouders maar op vanwege het weer en maakte metende be-
weginkjes met zijn handen en ogen zodat hij van elk huis de
juiste verhoudingen mee terug kon nemen. Na een tijdje liep
Elsa bij hem vandaan. Haar smalle rug gehuld in het zwart, het
hoofd gebogen om de plassen te mijden. Nee. Hij keek haar na.
Alsjeblieft, niet doen. Blijf hier. Maar hij maakte geen aanstal-
ten achter haar aan te gaan en zijn stem bleef opgesloten in zijn
hoofd.

Max bleef tot 's avonds doorwerken, liet de zonneschijn voor
wat die was en schilderde de storm. Met voldoening mengde
hij de grijze en zwarte tinten en liet hij de regen schuin neer-
slaan.

'Heb je nog advies gekregen van Elsa Lehmann?' vroeg Gertrude die een spelletje patience legde op het ronde tafeltje bij
het vuur.

'Elsa...' Max bleef haken bij de naam.

'Je brieven. Zei ze naar welke uitgever je ze zou kunnen sturen?'

'Nee.' Hij bedacht dat hij Henry's brieven op tafel in Sea
House had laten liggen en het laatste stuk van de rol zonder
hun hulp had geschilderd.

'Nee,' zei Max tegen haar. 'Ze is er nog niet uit welke het
beste zou zijn.'

'Ja, ja.' Gertrude knikte en speelde door.

Max lag in bed naar het water te kijken dat langs de ramen
droop en zijn onderlip tuitte dieptriest bij de gedachte dat hij
niet alleen hoefde te zijn. Hij zou bij Elsa kunnen zijn, zou le-
peltje-lepeltje met haar lichaam tegen zijn warme lichaam
kunnen liggen. Maar in plaats daarvan lag er een extra quilt

over hem heen en maakten de dikke, zware dekens het hem onmogelijk warm te worden. Centimeter voor centimeter trotseerde hij met zijn voeten het ijzig kille stuk van het laken, en toen sliep hij in, droomde, ijlde tussen de plassen door in de hoop de kust van Hiddensee te bereiken, al dreef het tij hem telkens weer terug. Ho, stop. Zij la dreef langs en hij dook er achteraan, en daar was de Renoir, onbeschadigd. Hij sleepte hem mee naar de kamer waar zijn tafel stond en schoof hem veilig weg uit het zicht. Zijn benen zaten nu vast in een kokende brei. Hij probeerde ze te bewegen en de quilt van zich af te gooien, maar hij bleek te zijn teruggegaan naar de kunsthandelaar in Cork Street en het zweet liep langs zijn gezicht toen hij de man hoorde uitleggen dat het een kopersmarkt was. Zijn tweederangs Renoir zou hem niet veel opleveren met al die verweesde schilderijen in de verkoop. De man sprak alsof het een raadsel was dat zo veel schilderijen ineens zonder eigenaar zaten, misschien door nalatigheid, stommiteit? En toen keek Käthes gezicht in olieverf op hem neer in de gang van hun huis. 'Ik ben alleen,' zei hij dwars door het plafond tegen haar, en met de uiterste krachtsinspanning dwong hij zich wakker te worden.

Gertrude drukte het pasteideeg in de holling van de taartvorm. De stevige veerkrachtigheid ervan bezorgde haar rillinkjes van verrukking. 'Alf?' Ze meende de voordeur te horen kraken. 'Ben jij dat?'

De jongen zat op de bank zijn laarzen uit te trekken. Zijn haar zat op zijn hoofd geplakt en uit zijn pony druppelde water. 'La, la la la la la la laaaaaaa.' Hij zong. Een volmaakt klaterende toonladder. Gertrude zag hem sjorren, en de moeite om zijn ene laars uit te krijgen zette de noten kracht bij. 'La la la la la la la laaaa.'

'Hoe was het met mevrouw Cheese?' vroeg ze, maar er kwam geen woord uit het gezicht dat naar haar opkeek.

Gertrude goot gepureerde appels in de taartschaal en begon

het deeg uit te rollen. 'Zou je de tafel voor me willen dekken?'

Alf pakte servetten uit de bureaula en wurmde de vierkante stukken stof door houten ringen. Hij legde de messen neer in volgorde van grootte en de soeplepel rechts.

'Dankje.' Gertrude tilde haar lap deeg op en spreidde die als een quilt over de appel uit. Ze maakte deukjes in de rand, streek er melk over en schoof de taart op een plank in de provisiekast voor straks. 'La la la la la la la laaaaa,' zong Gertrude toen ze kip kookte en bloem door de boter roerde voor een sausje. Al die taart en pastei, piekerde ze, maar het was te laat om iets anders te doen. Ze had vis proberen te krijgen, maar vanwege het stormachtige weer hadden de mannen niet kunnen uitvaren. 'Vorige week vier scharren,' vertelde een visser haar, 'm'n hele vangst,' waarop hij maar weer was gaan zitten wachten in de Gannon Room.

Precies om halfacht kwam Thomas Everson. Hij droeg een zwarte papaplu met een rotanhandvat, en alle knoopjes op zijn overhemd zaten goed. Toen Gertrude de deur voor hem opendeed, zag ze dat het weer was omgeslagen. Het regende niet meer, de wind was gaan liggen en de maan, voor het eerst in weken te zien, was vol. 'Max,' riep ze naar boven, en opeens geïrriteerd dat hij niets hoorde, draafde ze de trap op en klopte op zijn deur. 'Onze gasten komen,' schreeuwde ze en op het ergste voorbereid gluurde ze naar binnen.

Max zat op zijn knieën op de vloer, omgeven door zijn rol papier. Die begon bij de deur – haar eigen huis met framboos-kleurige muren – en liep dan op en neer door het dorp, over zijn bed, de vloer en kruiste zichzelf bij de haven, waar de meeuwen boven de riviermonding zwermden. Daar lag de driehoekige meent, de pottenbakkerij, het rijtje huisjes met rode daken dat Palmers Lane in slingerde. Verder blauwe daken en oranje muren, grote bladerpartijen en spichtige bloempjes. Max had het laatste stuk uitgerold onder het raam en lag zelf zo'n beetje achter de deur geklemd.

'Ik ben klaar.' Hij keek naar haar op, en zij stak haar hand uit en hielp hem naar haar toe te springen.

'Het is prachtig.' Gertrude kon haar ogen er niet van afhouden, de schoorstenen, allemaal verrassend anders, de weervanen, de ingewikkelde baksteenpatronen. De zwaluwen op de telefoondraden, de hond van de familie Dunnit met zijn kop op zijn poten, hun rondscharrelende kippen in wit en grijs. 'Kunnen we dit laten zien? Nu? Thomas is beneden... We zouden...'

'NEE!' Max wilde de deur dichtdoen, maar Gertrude hield de deurkruk vast.

'Laat me nog even kijken.' Daar op de muur van de winkel hing de poster voor de natuurtentoonstelling en nog eentje van de braderie in augustus. Poppenkast. Blikwerpen. Prullaria en spelletjes. Daar was de Gannon Room, het verweerde houtwerk waar nodig iets aan gedaan moest worden. Maar wat Gertrude vooral trof waren de mensen. Een jongetje dat een bal door Mill Lane liet rollen, en twee vrouwen, een met kinderwagen, die wat liepen te kletsen op de meent. Voor The Ship stonden drie mannen, ietwat roekeloos zomers uitgedost, die daar wat hingen, praatten en grapten. 'Max,' zei ze en ze sloeg haar arm om hem heen. Ze had gedacht dat zijn beeld van het dorp stil zou zijn, van vuursteen en baksteen en natuursteen. 'Dit is het mooiste wat ik dit jaar heb gezien.'

'Dankje.' Hij deed de deur dicht en ze liepen samen naar beneden.

Elsa stond glimlachend tegenover Thomas in de gang, haar hand naar hem uitgestrekt. 'Ik zie dat jullie al kennis hebben gemaakt,' onderbrak Gertrude hen.

'Thomas Everson, Elsa Lehmann en dit' – ze draaide zich om als om een koninklijk familielid te introduceren – 'dit is mijn gast deze zomer, Max Meyer.'

'Hallo, hallo. Goedenavond.' Thomas bloosde en Gertrude schonk iedereen een glas sherry in.

'En wat brengt u in Steerborough?' Elsa wendde zich weer

tot Thomas, en hij legde uit dat een peettante die eerder dit jaar was overleden hem Fern Cottage had nagelaten.

'Dat hadden je ouders goed bekeken,' zei ze.

'Zeker. Mijn vader stierf toen ik zeven was, en ik moet zeggen dat mensen sindsdien inderdaad goed voor me zijn geweest.' Het bleef even stil toen iedereen eerbiedig een slokje sherry nam.

'In de oorlog?' vroeg Elsa, maar Thomas zei van niet, zijn vader was een maand voor het uitbreken van de oorlog overleden aan een longontsteking.

'Wachten we nog even?' Gertrude keek in de richting van de deur. 'De pastei kan het hebben...' In werkelijkheid was de pastei al zo ver heen dat het deeg in de vulling zakte.

'Op Klaus?' Elsa keek alsof ze haar man helemaal was vergeten. 'Nee, zeg. Hij zou erop staan dat we begonnen. Ik verwachtte hem al tussen de middag. Hij moet ergens onderweg zijn opgehouden.'

Gertrude bracht een terrine met soep binnen en schepte voor iedereen op.

'Dankje,' mompelde Max, maar aan hem hadden ze vanavond niets. Zijn oren zaten vol geluiden. Gekraak en gejank, gefluit. Verlies ik mijn gevoel voor evenwicht? vroeg hij zich af toen zijn soeplepel voor zijn gezicht danste, en om wat houvast te hebben herhaalde hij bij zichzelf: ik ben klaar met mijn rol, mijn rol, mijn rol.

'Nog meer?' Gertrude leunde zijn kant op.

Ja, graag, alleen wilde hij niet stilzitten. Hij wilde naar buiten hollen, de avondlucht in, zijn oren laten overstemmen door het denderende weer en de fosforescerende zee zien. Hij at braaf door. Lepelde de brokken en stukken pastei, vulling en kip, custardpudding, fruit naar binnen. Uiteindelijk mochten ze van tafel en stonden wat ongemakkelijk rond de haard.

'Het lijkt me niet dat Klaus vanavond nog komt,' zei Gertrude.

'Nee,' zei Elsa instemmend.

'Laat de borden maar staan.' Gertrude rekte zich uit om aan te geven dat de avond om was. 'Betty komt morgenochtend.'

'Nou...' Elsa haalde haar sjaal en jas. 'Ik kan maar beter naar huis, voor als...'

Thomas kwam naast haar staan. 'Ik kan je wel even thuisbrengen, ik moet toch die kant op.'

Max kwam struikelend aan de andere kant van haar staan. 'Nee,' zei hij buitengewoon hard. 'Ik breng je naar huis.' Er viel een stilte en iedereen moest lachen.

'Zal ik dan ook maar meegaan?' stelde Gertrude voor, maar ze werkte desalniettemin beide heren de deur uit. 'Als je om twaalf uur nog niet thuis bent,' riep ze naar Max toen ze wegliepen, 'haal ik de mannen van de reddingsbrigade,' en Elsa draaide zich om en zwaaide naar haar en bedankte haar voor al dat warme eten.

'Warm eten!' Gertrude schudde haar hoofd en ruimde zelf de borden af.

Max gaf Thomas een hand op de hoek van de meent.

'Prettige avond nog,' zei hij om aan te geven dat hun wegen zich hier scheidden en hij liep snel door met Elsa. De maan scheen helder en hoog, maar amper naar de haven afgedaald merkten ze al dat ze tot hun enkels door het water waadden. 'Het spijt me.' Max probeerde haar in zijn armen te nemen, maar zij trok zich los en richtte haar schreden naar het skelet van zandribben die tussen de ene poel zeewater en de andere lagen. Hij strompelde achter haar aan in een poging haar bij te houden, terwijl de wind tegen hem aan sloeg en haar sjaal hem in de ogen woei. Ze bereikten uiteindelijk de houten veranda en werden bijna door de voordeur naar binnen geblazen. 'Het spijt me verschrikkelijk,' begon hij weer, en Elsa legde een vinger op haar mond. Ze keek rond. De kamer was leeg. Ze rende naar de ladder en klom omhoog. 'Nee,' riep ze ten slotte glimlachend naar hem en gek van opluchting klom hij haar achterna.

Het was koud boven. De ramen trilden in hun sponningen. Max stapelde houtblokken in de ijzeren kachel en wachtte tot ze goed brandden, en toen hij omkeek was Elsa met al haar kleren aan in bed geklommen. 'Kom hier,' zei ze en ze strekte haar arm uit. Max schoof naast haar. Hij streek met zijn voeten in wollen sokken tegen haar tenen in kousen en liet een vinger door een knoopsgat van haar blouse glijden. Ze wurmde haar handen in de voering van zijn mouwen en wreef haar gezicht tegen zijn overhemd. 'Ik heb je gemist.'

Hij hield haar zo stevig tegen zich aan dat de geruite wol van haar jas begon te dampen. De kachel stond inmiddels te loeien en Max voelde zijn lichaam wegsmelten onder het beddengoed – Elsa schroeide tegen hem aan, zoals ze daar ingepakt lagen met hun vingers verstrikt in zomen en splitten, frunnikend aan vesten en jarretels terwijl hun bloed kolkte. Op Elsa's voorhoofd parelden zweetdruppels en haar gezicht was ondraaglijk felgekleurd.

'Wat is dat?' vroeg ze, toen ze lagen af te koelen, de dekens van zich afgeduwd en het vuur bijna gedoofd. Max keek haar aan en zag dat ze bang was.

'Hij kan toch niet op dit uur...'

'Ssst.' Elsa pakte zijn arm vast. 'Daar is het weer!' Ze stond op en liep naar het trapgat. 'Mijn God.' Ze keek hem aan en op dat moment voelde hij het: het huis schudde alsof er iets tegenaan sloeg. Max hees zijn broek op aan een halve bretel. Hij hurkte naast haar neer en keek naar beneden, en daar onder hen stond het water een meter hoog en dreven de meubels door de kamer. De tafel, de bank en de stoelen met hoge rugleuningen botsten in het water tegen elkaar. Max zette zijn voet op de ladder, maar Elsa greep hem bij zijn overhemd. 'Nee,' schreeuwde ze, en precies op dat moment kantelde de bovenste helft van de buffetkast achterover. De kopjes en borden en schotels lagen erin als was het een boot en ze keken toe hoe de kast op de ladder afkoerste en tegen het hout beukte.

Max en Elsa sprongen weg bij het gat. 'Goeie God,' zei ze en ze rende naar het raam. Ze zaten midden op zee. Het water strekte zich naar alle kanten uit. 'HELP,' riep ze, en de kamer schudde na weer zo'n dreun. Max legde zijn arm om haar heen en wees. De witte koepel van de Tea Room bewoog. De constructie was van haar poten gelicht en stevende nu landinwaarts. Ze zagen het sierlijk in de richting van de zwarte riviermond dobberen, zo dichtbij nog dat ze de kanten gordijnen en een geranium in een sierpot voor het raam konden onderscheiden. 'HELP,' riepen ze allebei samen, en Max keek op naar het dak om te zien of ze daar straks misschien op konden schuilen. Little Heaven bewoog nu ook en deinde schommelend tegen het buurhuis aan, een laag en niet al stevig huisje, en sleurde het mee richting kust.

Elsa en Max holden naar het verste raam en keken naar de zee achter hen. De ene na de andere golf kwam aanrollen, spoelde over de duinen heen en gutste de kwelder in. Onder hen was het water gestegen. De stoelen lagen nu op hun rugleuning, de tafel was gezonken, maar de buffetkast deinde nog altijd heen en weer. Max keek ernaar en vroeg zich af of hij als vlot kon dienen, toen hij zag dat er een fles langs dreef. Hij liet zich op de uiteinden van de ladder zakken en terwijl hij zich met een hand vasthield aan de planken boven hem, hees hij de fles op.

'Whisky!' Hij reikte Elsa de fles aan. Zij schroefde de dop open en nam een forse, warme teug. 'Gewonnen in de loterij, op de braderie.' Max goot de drank naar binnen, en bij elke dreun en siddering namen ze nog een slok.

'Extra lakens, dekens, slopen en reddingsvesten!' schoot Elsa te binnen. Ze vlogen naar de kast aan het voeteneinde en zagen de beschimmelde reddingsvesten op een plank liggen. Bijna slap van het lachen, onhandig frummelend met gespen en riemen, trokken ze ze aan en toen ze elk hun uitkijkpost weer betrokken, zagen ze dat hun huis als enige was overgebleven.

'Kijk toch eens naar het uitzicht nu.' Tussen hen en het vasteland was alleen nog water, een uitgestrekte donkere vlakte. Max wilde de fles pakken, maar Elsa hield hem tegen. 'Ik wil dat je weet,' – ze drukte een hand tegen haar buik – 'ik denk... ik weet bijna zeker' – de tranen welden in haar ogen – 'dat je me een kind hebt gegeven.'

Max hield haar vast. Als het tij nu toch kon keren en het huis kon meeslepen, wegvoeren naar een verscholen lapje grond. Meeslepen naar Nederland, België, of naar Austalië, waar ze in vrede aan de tweede helft van de eeuw konden beginnen.

34

Er verzamelden zich aardig wat mensen om te zien hoe Nicks auto achter aan de truck werd bevestigd. 'U kunt erin gaan zitten,' zei de man van de wegenwacht tegen hem, 'of bij mij voorin komen.' Nick zwaaide zijn tas op de hoge stoel als om de plek te reserveren, en Lily pakte zijn hand. 'Kun je niet blijven?'

'Tja... je kunt moeilijk vragen of ze je wagen honderdvijftig kilometer verslepen en dan zelf gezellig blijven picknicken.'

'Dus eigenlijk komen ze jou ophalen?' De zekerheid dat hij zou vertrekken kwam als een opluchting en daar, weerspiegeld in zijn zonnebril, was haar glimlach. 'Dan mis je wel de braderie,' zei ze, 'en de millenniumtentoonstelling.'

'Dat overleef ik wel.' Hij zoende haar liefdevol. 'En, Lily, haat ons leven alsjeblieft niet.' Het busje met de gele en zwarte blokjes – als een wespennest van tragiek – kwam brommend tot leven en Nicks laag opgehangen auto sukkelde er haast schaapachtig achteraan.

Heel langzaam volgde Lily ze de helling op. Wat zal ik doen? Ze bedacht ineens dat ze vandaag nog precies twee weken had voor haar huurtermijn verviel. 'Waarom kan ik die niet verlengen?' had ze aan de mevrouw van het makelaarskantoor gevraagd, en de vrouw had haar verbaasd aangekeken. 'Het wordt maar tot 1 september verhuurd,' had ze herhaald, en Lily was gedwongen geweest buiten in de etalage te gaan staan kijken naar de boerderijen en huizen, strandhuisjes en verbouwde schuren die te koop stonden voor bedragen die ze zichzelf van haar levensdagen niet zag betalen.

Twee weken, hield ze zichzelf voor en ze probeerde zich voor te stellen dat ze weer naar huis ging. Hoorde de metalen nagalm van de deur die in het slot klikte. Zag zichzelf zeulen met haar tassen door de gang, doodsbang een sok te verliezen, en toen ze de slaapkamer in liep en verwilderd naar de wand met keurig weggeborgen kleren keek, wist ze dat ze niet terug kon. Misschien stond haar oude kamer nog leeg. Zou ze tegen het zelfgenoegzame grijnslachje van de huisbaas kunnen als ze haar spullen naar boven sleepte? 'Nog altijd zo verknocht aan je schilderijen?' zou hij vragen als zij ze de trap op sjouwde. Het was goedkoper en gemakkelijker om in Suffolk te blijven. Hier werk vinden en iets anders huren. Grae's huis stond nog altijd leeg... Ze keek even door het zwarte glas naar binnen. Maar ze vermande zich en zette het idee uit haar hoofd.

Lily lag op haar buik op de bank van Fern Cottage met haar benen over de armleuning gedrapeerd. Door het open raam kwam tjilpend gekwinkeleer binnen kwetteren en met een half oog keek ze naar de regenboogkleurige rand van figuurtjes die in de hoek van elke ruit gevangenzaten. Wat zou ze gaan doen? Even was ze weer thuis bij haar moeder, zat ze gehurkt naast haar, reeg kralenkettingen, kleurde en knipte, wond wol om kartonnen rondjes voor pompons waar ze nooit iets mee konden aanvangen. Woonde ze daar nog maar, dan kon ze naar huis, en op dat moment viel er uit de deuropening een scha-duw over haar heen. Half daas probeerde ze bij haar positieven te komen en de energie te vinden om zich op te duwen en om te draaien, toen ze werd neergedrukt door een gewicht dat zich boven op haar stortte. Haar kin klapte tegen de ruwe rand van de bank en haar been werd één kant op gewrongen. Ze begon te spartelen met haar mond in het pluizige, stoffige bruin ge-drukt, en toen ze geen vin bleek te kunnen verroeren, schreeuwde ze zo hard dat ze dacht dat haar stem het zou begeven. Ren weg. Zelfs als hij een pistool heeft, een van de vier, vier van de een, vier van de honderd, en toen dacht ze aan haar elleboog en wrikte die los. Ze zwaaide hem omlaag en stootte toen met al haar kracht omhoog.

'Aaaaau...' Grae lag op het tapijt en greep zijn ribben vast die een knal hadden gekregen.

'O, mijn God.' Ze kroop naar hem toe. 'Grae, mijn God, wat doe je?'

Grae klapte dubbel van de pijn.

'Grae.' Naast hem gezeten aaide ze hem over zijn hoofd en snoof de vettig-klamme tabakslucht van zijn haar op.

'Wat ik doe??' Hij keek haar kil aan. 'Ik probeerde je te zoenen.' Hij schoof weg en hees zich krimpend van de pijn overeind. 'Ik weet ze wel te kiezen.' Het streepje van zijn mond drukte teleurstelling uit toen hij de kamer uit liep.

'Grae...' riep ze, maar zachtjes. Ze bleef op de grond zitten. 'O God,' en ze trok Nicks cadeau, de veiligheidstips, uit haar achterzak en verscheurde het.

Lehmanns laatste brief lag tussen de stapel boeken bij de deur. De poststempel was net te lezen. November 1953. *Elsa. Je had gelijk. De weg is afgezet, half ondergelopen en versperd door de aarde van akkers. Ik heb het opgegeven, ben teruggegaan en probeer het morgen weer. Maar ik dacht je deze brief te sturen voor het geval de postbode meer geluk heeft en erdoor komt, al is het toch vooral uit gewoonte, zodat je weet dat wat er ook gebeurt in dit leven, of in een volgend, ik altijd aan je denk. Ik wil dat je weet dat het me erg aan het hart gaat, al die dingen die we niet hebben gedaan, de plekken waar we niet zijn geweest, de mensen die we hebben moeten achterlaten, de kleintjes die welkom waren maar verkozen niet te komen. Maar boven alles ben ik dankbaar voor de tijd die wij samen hebben gehad. Wees nooit bedroefd. Je hield van me, en dat is alles wat ik van je vroeg.*

Lily las de brief nog een keer. Klaus Lehmann, 1900-1953. Wist hij dat hij dood zou gaan? Ze schoof haar hand in de envelop, maar er zat geen enkele verdere aanwijzing in. Ze liep naar de badkamer en spatte wat water in haar gezicht. Haar kin was geschaafd door de worsteling op de bank en haar ogen waren rood. Heel langzaam borstelde ze haar haar. Lehmann die over de drabbige wegen van East Anglia reed, zijn laatste brief achterna, terwijl zijn route werd overspoeld door slib en akkergrond. Was het zo gegaan? Of was hij ziek geworden? En ineens ging haar een licht op, en het schokte haar dat ze er nooit helemaal zeker van was geweest. Grae sloeg zijn vrouw niet. Dat had ze wel geweten, dacht ze, maar ze besefte nu dat ze altijd haar twijfels had gehouden. 'Ik moet mijn verontschuldigingen gaan aanbieden.' Ze borstelde nog altijd haar haar en dat begon overeind te staan van de statische elektriciteit, totdat ze wel een clown leek en er water op moest sprenkelen om het weer glad te strijken.

Lily nam de langste route om bij Grae te komen. Ze had tijd nodig om te kalmeren en te zorgen dat haar gezicht niet langer het ootmoedige grijnslachje vertoonde dat elke keer verscheen als ze terugdacht aan de kracht van haar elleboog. Ze stak de brug over en liep langs de rivier met het idee een lus te maken over de hoge zeewering en dan naar hem af te dalen over het zand. Maar eenmaal in het drasland, was ze niet meer te stoppen. Ze werd aangelokt door een veld vol bloeiende distels met pluis zo wit als dons, en door het zachte hout van de loopplanken waar het metalen gaas als mos op vast zat geplakt. Meer en meer beelden van Grae drongen zich aan haar op. Zijn turende blauwe ogen achter het raampje van de kleddernatte auto, zijn mond die vertrok om niet te gaan lachen. Ze zag hem aan het werk in de tuin van Fern Cottage, druk bezig met zagen en timmeren, zijn muts over zijn oren getrokken en zijn geruite overhemd met regendruppels getooid. En dan zijn lachende gezicht heel dicht bij het hare, alle blauwe en zandkleurige tinten van hem, zijn gladde oorlellen. Ze voelde een vlijmscherp, wellustig vlammetje opwakkeren en haar knieën tintelen, en toen kwam de herinnering terug en omklemde ze haar elleboog en kromp ineen. Ze voelde hoeveel pijn het had gedaan en met haar ogen dicht kreunde ze van spijt.

Ze was bijna bij de molen. Ze kende de weg hier nu even goed als ze vroeger de hele stoep en alle stoepranden op elke hoek op weg naar school had gekend. Ze hurkte neer en streelde de zilveren draden van de grashalmen die langs de rivieroever opschoten en plukte er één af om de zwermen muggen weg te meppen die in de lucht hingen.

In de molen stond het water hoog, nog altijd vol vanwege het tij van gisternacht, en toen ze eerst omlaag keek en daarna door het opengereten dak naar de hemel, kreeg ze opeens het idee dat ze niet alleen was. Houd op, maande ze zichzelf terwijl de vervloekte 'veiligheidstips' in haar hoofd werden uitgespeld, maar haar huid was kil van angst en haar hart ging als een razende tekeer. Voorzichtig en heel stil maakte ze een draai in de deuropening. Voor haar lag niets dan kwelder en zee en een eindeloze rechthoek lucht. Ze stapte naar buiten en draaide zich om en op dat moment kreeg ze ze in het oog – Bob de Bagger en Albert, in een soort dans verwikkeld. Beiden hadden hetzelfde profiel en hun ogen werden overschaduwd door dezelfde borstelige wenkbrauwen. 'Neem nou,' siste Albert Lehmann, en Lily zag dat hij onder het worstelen de andere man geld in de hand stopte. Bob wankelde achteruit met de briefjes in de zwarte plooien rond zijn arm geschoven en toen bleef hij heel stil staan en liet zichzelf omhelzen.

Lily sloop om de molen heen en rende weg. Struikelend over de modderhopen vloog ze over de planken paden en spurtte door de graslaan tot ze in het bos was. Wat rustiger klom ze over het hek. Voor haar lag het pad dat naar het dorpshuis liep, en zoals ze al had gedacht stond hier de grijze Morris half in de greppel geparkeerd. Ze bleef staan om op adem te komen en leunend op de motorkap besloot ze te wachten.

'Sorry.' Er was ruim een uur voorbijgegaan en Albert Lehmann poogde morrelend met zijn sleutel het portier open te krijgen.

'Wat is er met hem aan de hand?' vroeg Lily, die overeind krabbelde van de plek waar ze tegen een autoband geleund had zitten wachten.

Hij schoof achter het stuur. 'Het was een ongeluk,' mompelde hij geïrriteerd. 'Hij heeft het vuur niet aangestoken.'

'Het vuur?' Lily stond vooroverbogen naast het portier en keek hem door het raampje aan.

'Hij wilde het behouden. Het ontwerp van onze vader. Van Lehmann, bedoel ik. Dat is al die jaren zijn diepste wens geweest.' Albert startte de auto. 'En toen hij erachter kwam... nou ja... hij had het er moeilijk mee. Hij heeft altijd in het huis gewoond. Maar het ging per ongeluk.' Hij keek Lily strak aan. 'Hij heeft zelfs de brandweer gebeld toen het uit de hand liep, maar er was brand gesticht op de weilanden, kinderen die fikkie stookten met gaspeldoorn, en toen ze eindelijk kwamen, stond het huis al in lichterlaaie en wachtte hij ze op bij de muur.'

Lily begreep er niet veel van. 'Toen hij waar achter kwam?'

'Niets, niets.'

De auto schoot schokkerig vooruit en maakte zich brullend los uit de greppel. 'Maar ik bedoelde uw vader. Wat is er in 1953 met hem gebeurd?'

'Het was echt zijn bedoeling niet.' Hij schudde zijn hoofd en reed treurig het pad af.

Lily kocht vier ijsjes bij het Mister Whippy-busje en liep daarmee het strand op. Ze stapte door het zand, wat sneller toen het ijs begonnen te smelten en kwam vol trots bij het strandhuisje aan met vier complete ijsjes. Maar het strandhuisje lag er verlaten bij, de luiken zaten dicht en toen ze aan de deurkruk trok, zag ze het hangslot op de deur. Lily nam plaats aan de tafel, die er nog altijd stond, net als de drie stoelen, en begon langzaam een voor een de druipende ijsjes af te likken.

'Onze vader,' herhaalde ze, 'het ontwerp van onze vader.' Dus A.L. Lehmann en Bob de Bagger waren broers van elkaar. Robert en Albert. Bob en Bert. En ze dacht terug aan die foto van een gekwelde vrouw met een ingebakerde tweeling in haar armen.

35

Gertrude deelde in de pastorie dekens en warme drank uit, terwijl Betty Wynwell aan het raam op nieuws van Alf wachtte. 'Hij redt zich wel.' Ze dwong haar een kop thee aan te nemen waar met de melk ook wat whisky doorheen was geroerd. 'Hij is met Mabbs, die let wel op hem.' Maar de angst kreeg haar toch even te pakken toen ze samen door het zwarte glas staarden.

Alf was degene die haar wakker had gemaakt. 'Mevrouw Jilks!' Zijn stem klonk vertrouwd, al kon ze zich niet herinneren hem ooit eerder te hebben gehoord. 'Er staat een zware storm.' Hij schudde haar bij de schouder. 'Uw vrienden zijn er niet.' En pas toen drong tot haar door dat ze niet meer droomde. Ze stond op en trok het gordijn weg. Het water kabbelde over de randen van het gazon.

'Ik ga Max wakker maken.' Maar Alf zei dat dat niet hoefde, die was al op.

De jongen bleef wachten toen ze zich aankleedde en haar kleren over haar nachtjapon aantrok, haar voeten in regenlaarzen liet glijden. Hand in hand haastten ze zich naar de haven. Ze liepen diep gebogen en verblind door de storm, tastend naar losgeslagen stukken hout, tot ze de hoek omkwamen bij The Ship. Gertrude had gedacht hier de heuvel af te ploeteren, de brug over te steken naar de moddervlakte en dan tussen de afbladderende palen van de huisjes door naar de duinen te rennen. Maar de zee kwam al tot hier, zo'n anderhalve kilometer eerder. Voor hun voeten lag een grijze watervlakte.

'Alf?' Ze draaide zich naar hem om en hij wees naar de horizon, naar waar een lichtje brandde. Sea House – eenzaam en alleen, een zwart schaduwblok, de onderste helft ondergelopen.

Ze stonden ernaar te staren toen er een groep mannen opdook. Voorop liep Klaus Lehmann in drijfnatte kleren en met een van angst vertrokken gezicht. De mannen sleepten een boot mee. Ze duwden hem het water in, en voor iemand Alf kon tegengehouden glipte hij bij haar weg en klauterde erin. Dick Mabbs greep de riemen, beet Klaus toe te gaan zitten, en hoewel Gertrude naar Alf riep en schreeuwde dat hij eruit moest klimmen, draaide hij zich om en keek strak naar het licht.

'Klaus,' schreeuwde ze, 'help die jongen uitstappen.' Maar Klaus zat met zijn rug naar haar toe. De andere mannen stonden aan de kant en schudden hun hoofd met een blik alsof ze het wel begrepen, en toen wendde een van hen zich tot Gertrude en zei dat ze haar wel konden gebruiken in de pastorie om de mensen op te vangen die hun huis uit waren gespoeld.

'Ja, natuurlijk.' Maar ze was bang om weg te gaan. Ze bleef staan kijken hoe het bootje vooruitschoot en werd opgetild en rondtolde op de golven, tot ze ten slotte de harde blikken van de mannen op zich voelde, zich omkeerde en de helling op liep, waar de pastorie baadde in het kaarslicht en alle leden van de vrouwenvereniging met handdoeken rondholden.

'Rustig nou maar, hij zal nu wel zo komen.' Ze sloeg een arm om mevrouw Wynwells schouder en voelde hoe de vrouw haperig ademhaalde om maar niet te gaan huilen.

Achter hen ging de deur open en werd een gezin van vijf personen naar binnen geholpen. Ze waren komen vast te zitten in een vakantiehuis niet ver van de Bailey-brug en hadden met hun baby, gewikkeld in een donzen dekbed, op het dak gestaan tot twee mannen uit Eastonknoll naar ze toe waren geroeid. De oudste jongen deed rillend en klappertandend verslag van hoe ze hadden gezien dat de rivier aan weerskanten kwam opzetten en hele boten meesleurde en relingen van aanlegsteigers en zelfs een man die zich had vastgeklampt aan een deur of iets dergelijks. Hij had geroepen en naar hen geschreeuwd toen hij langsflitste. Kippen had hij gezien en een koeienkadaver, en onder het vertellen bleef zijn moeder maar van het ene kind naar het andere kijken alsof ze nauwelijks kon geloven dat ze het hadden overleefd.

Elsa en Max stonden achter het raam van Sea House te wachten tot de palen het zouden begeven. Op het land scheen nergens licht – vermoedelijk had de storm de elektriciteit uitgeschakeld – en ze meenden dat het water nu tot voorbij The Ship kwam en alle inwoners van Steerborough op de meent ingesloten zaten.

'Max,' fluisterde Elsa met moeite boven de kromming van zijn arm uit turend. 'Kijk.' Ze draaide hem om en daar knokte een bootje zich hun kant op. Het was een piepklein bootje, amper te onderscheiden, en de riemen sloegen op het water en de boeg viel keer op keer dreunend neer na de top van een golf te hebben bereikt. Er zaten drie mensen in, diep voorovergebogen tegen het opspattende water, en ze vochten zich een weg naar Sea House.

Elsa trok Max omlaag tot onder het raam. 'De baby kan ook van Klaus zijn.' Ze keek hem recht in de ogen, en na een laatste teug whisky leunde ze uit het raam en schreeuwde tegen de storm in om hulp.

Elsa klom als eerste naar beneden. Max keek toe hoe ze in de boot stapte en in de armen van haar man viel. Hij draaide ze de rug toe en klom ook omlaag, en pas toen de visser de boot keerde zag hij dat de derde figuur in de boot Alf was. 'Alles goed?' vroeg hij en hij nam zijn natte hand in de zijne, en Alf knikte en keek naar Sea House dat kleiner en kleiner werd toen het tij hen terug naar land sleurde.

Lehmann was nat en zat zo te rillen dat Elsa hem zelfs met beide armen om hem heen niet stil kreeg. 'Hij wilde naar u toe zwemmen,' zei Mabbs tegen haar. 'We hebben hem eruit moeten sleuren en moeten beloven een boot te halen.'

'Klaus,' – haar hoofd rustte op zijn arm – 'we hadden afgesproken dat je voorzichtig zou zijn.' Ze wendde haar blik af van Max. 'Je moeder had groot gelijk dat ze me niet vertrouwde.'

'Nee.' Lehmann stotterde van de kou. 'Dat mag je niet zeggen.' Max leunde naar voren en reikte hem de whisky aan, die hij aannam, al leek hij niet te registreren dat Max er ook was. Er zaten nog maar een paar druppels in, die verloren gingen toen zijn tanden tegen het glas klapperden, en automatisch hieven Elsa en Max allebei hun hand op om de fles stil te houden. Hoe lang zouden ze over de overtocht doen? Hij tuurde de duisternis in, maar het viel onmogelijk te zeggen waar het water ophield en het land begon.

Gertrude en Betty Wynwell stonden dekens te vouwen toen de deur werd opengesmeten. 'We hebben ze kunnen redden.' Het was Alf. 'Ze zullen niet verdrinken.' Zijn ogen en mond, zijn tanden en zelfs zijn haren glommen van trots. Zijn moeder liet haar deken vallen. Ze tilde hem op en Alf leek even te vergeten dat hij een van de mannen van de reddingsbrigade was en begroef zijn hoofd in haar hals.

Dick Mabbs, Max en Elsa kwamen binnenstrompelen met Klaus. Hij leek geen macht meer over zijn benen te hebben en zijn gezicht was amandelwit. Ze legden hem neer voor het vuur. Zijn natte kleren werden afgepeld, er werden droge kleren gezocht en als een kind werd hij in dekens gepakt. Gertrude hield een kop thee tegen zijn lippen, maar hij hoestte en verslikte zich, en de vloeistof droop weer naar buiten.

'Er moet een dokter komen,' fluisterde Elsa, maar het nieuws deed de ronde dat Eastonknoll nu aan alle kanten was ingesloten door water. Een vrouw en haar zoontje waren verdronken, en drie oude vrouwtjes waren voor het laatst gesignaleerd toen ze een hoger gelegen gebied trachtten te bereiken.

'Neem zelf ook wat thee,' zei Gertrude tegen Elsa, die onophoudelijk huilde, maar toen ze het kopje naar haar lippen bracht, moest ze kokhalzen. Diepe ontzetting tekende zich af op haar gelaat en Max, die er als een bewaker bij had gestaan, draaide zich zo bruusk om dat zelfs Lehmann die uitgestrekt tussen hen in lag, leek te schrikken.

'Het spijt me, het spijt me.' Elsa legde haar hoofd op Klaus' borst en Gertrude stelde zich voor dat haar tranen doorsijpelden tot in zijn doorweekte longen. 'Hij gloeit helemaal,' riep ze, 'hij gloeit.'

Gezamenlijk droegen Elsa en Gertrude hem weg bij het vuur. Ze legden koude kompressen op zijn gezicht en armen, depten zijn hals en de binnenkant van zijn ellebogen, terwijl hij naar hun handen sloeg. 'Wat kunnen we hem geven?' vroeg Elsa.

Gertrude keek rond. Medicijnen waren er niet. Alleen scones en thee en dekens. Als ze haar boek met versterkende dranken had gehad, zou ze misschien iets kunnen vinden wat de koorts omlaag bracht. 'Max?' Ze kon zich alleen een recept voor hoestsiroop herinneren met azijn en honing, en een middel tegen eczeem: zuringwortel met varkensreuzel. Gertrude wrong zich tussen de mensen door die wat aten, sliepen, of met hoge stemmen van opwinding of shock stonden te kletsen en ze liep naar de deur waar ze hem voor het laatst had gezien. 'Max?' riep ze het donker in, maar hij was weg.

'Het tij is gekeerd!' kwam het bericht en om dat te vieren werd er verse thee rondgedeeld en plakken vruchtencake en warme scones, zo van de plaat.

36

Lily zat nog steeds voor het strandhuisje toen ze muziek haar kant op hoorde waaien vanaf de meent. Ze stond op, rekte zich uit en schopte onderwijl de niet-gegeten ijshoorntjes tussen de riethalmen. Waar hing hij uit? Ze tuurde naar de horizon. Zou hij denken dat er weer storm op komst was? En met een blik op de strakblauwe lucht sjokte ze weg door de duinen.

De meent was veranderd in een kermisterrein. Kinderen met beschilderde gezichten – vlinders, luipaarden, katten en clowns, monsters, bijen en prinsessen – holden van het ene spelletje naar het andere. Sommigen probeerden een werpspel en stonden te mikken met ringen, terwijl anderen kokosnoten van palen stonden te smijten die zelf ook omvielen als ze raak gooiden. De allerkleinsten groeven naar een schat in de geluks-kuil of kochten voor tien pence een lootje voor de tombola. Achter een tafel stonden twee vrouwen en een man bij een schaal met fruit. Lily bleef staan kijken toen een jongetje hun geld gaf en een bel oppakte. Zodra de bel luidde, trokken de volwassenen een blinddoek over hun ogen en begonnen hun armen rond te zwaaien. Ze bleven er flink mee draaien tot er nogmaals werd gebeld en hielden toen op en graaiden met hun handen in de schaal met fruit.

'Helaas.' Glimlachend schoof de man zijn blinddoek om-hoog. 'Twee bananen en een peer.' En als troostprijs kreeg de ongelukkige gokker bij de levende fruitmachine een snoepje.

Er was een taart waarvan je het gewicht kon raden. Een pop waar je de naam van moest raden. En toen klonk de muziek weer die haar hier naartoe had gelokt. Pal voor Lily's huis stond een bandje te spelen. Het meisje van de veerboot zong in een microfoon terwijl ze nog altijd haar roeikleren aanhad: zware laarzen, spijkerbroek en een T-shirt met korte mouwen die de gladde gebronsde golving van haar armen vrijliet. Er was een jongen met spierwit haar die keyboard speelde en een wat donkerder jongen met een saxofoon.

> 'Now you say you're sorry,
> Now I'm with someone new,
> But you can cry me a river...
> Cry me a river...
> Because I cried a river over you...'

Het meisje keek op bij het woord 'river' en glimlachte, en de hele meent glimlachte mee.

Lily neuriede mee terwijl ze wat bij een kraam met kleren stond te snuffelen. Ze trok gestippelde schorten te voorschijn, jurken met roosjes in maat vijftig en hoger, gestreepte overhemden in zoete kleurtjes met manchetten die schroeivlekken hadden van het strijken en een groen fluwelen jasje met jaren zeventig revers.

'Een pond voor alles wat je daar hebt,' riep Ethel, grotendeels verscholen achter de resterende berg kleren, en Lily besloot toen maar alles te houden en zocht naar haar kleingeld.

Iets verderop stonden twee tafels tegen elkaar aan geschoven. Ze waren overladen met lampenkappen, servetringen, theedoeken en schalen. Op het gras eromheen stonden her en der strandstoelen en een oude fiets met roestige wielen. Lily pakte een tinnen steelpannetje op waarin een bakje zat met deuken die aan bloemblaadjes deden denken. Wat het was wist ze niet, maar het was onweerstaanbaar mooi. 35 pence stond er op het kaartje en Lily reikte haar geld aan.

'Och,' protesteerde de verkoper. 'Het eierpocheerpannetje. Dat is nog over van vorige keer. Het is nu 25 pence.'

Het raam van Fern Cottage stond op een kier en Lily duwde haar aankopen erdoorheen. Wat moet ik ermee? vroeg ze zich af, maar ze wist van geen ophouden. Ze ging op zoek naar meer.

Helemaal achter op de meent vond de trekking van de loterij plaats en de nummers en prijzen galmden uit een luidspreker: een picknickmand van Stoffer's, een fles whisky, een etentje voor twee in The Ship! En toen werd er gefloten en vlogen de kinderen uit alle hoeken en gaten van de meent naar de poppenkast die was opgesteld. Ze schikten zich in rijen, in kleermakerszit en met opgeheven gezichten, toen de man van de poppenkast achter de kast vandaan kwam. Het was een lange, magere man met een gestreept jasje en een wonderbaarlijk toepasselijke grote haakneus. Met stralende gezichten veerden de kinderen op en toen hij ze helemaal in zijn ban had, verdween hij weer in de kast. Lily liep erheen om het beter te kunnen zien. Pets, deed Jan Klaassen. Aaaah, deed Katrijn. Grrr, deed de hond. Hoera, riepen de kinderen toen de agent verscheen. Pets, deed Jan Klaassen. Aaah, deed de baby. Lily keek rond of ze Em en Arrie in het publiek kon ontwaren, maar als ze er waren, herkende ze ze niet vanwege alle schmink, hoe goed ze ook uitkeek naar piekerige haren.

37

De wind was gaan liggen. Het was bijna zwoel, en Max keek verbijsterd om zich heen naar de dikke boomtakken, de omgetuimelde schoorstenen, een strandhuisje dat op zijn kant op de meent lag. Hij passeerde twee mannen die een oude man in een leunstoel droegen, en een ander die zijn blinde vrouw voorthielp. Hij dacht te zullen zien dat het water zich had teruggetrokken, maar achter het houten huisje van de Wynwells, slechts één natte stap er vandaan op een heuveltje, strekte zich nog altijd de zee uit. Max hief zijn ogen op naar de plek waar de zon opkwam, schel oranje in een leigrijze hemel, en iets lager en nog volledig intact rees daar Sea House op uit het water.

Heel langzaam liep hij Mill Lane af en de hoek om het pad op naar Gertrudes huis. De voordeur was open, binnen was het nog donker en hij liep de trap op en stapte over zijn rol heen. Hij ging er midden tussen zitten en zocht zijn spullen bij elkaar – zijn kleren en laarzen, zijn verf, zijn hoed. Hij keek rond naar de koffer met zijn brieven en herinnerde zich toen dat hij nu zonder kon.

De mensen die hem gehaast passeerden toen hij de straat door liep, knikten hem toe. Hij kwam langs de pastorie waar rook uit de schoorsteen walmde en de kaarsen bijna waren opgebrand, voorbij de kerk en steeds verder, tot hij de afslag naar het station had gemist en het dorp achter hem lag.

38

Voor het dorpshuis hing een spandoek waarop de millennium-tentoonstelling stond aangekondigd. Lily betaalde de twintig pence toegang en ging naar binnen. Er was een wand van schermen neergezet met grote foto's erop en gelijk op de aller-eerste al stond zij met haar sleutel voor Fern Cottage.

Maar de foto was niet van haar. Het was een foto van het huis. *Een fotografisch portret van Steerborough* stond erboven, en slin-gerend door de hele zaal hingen hier alle bouwwerken van het dorp. Absurd gelukkig liep Lily van het ene huis naar het ande-re, die je hier allemaal onbeschaamd mocht staan bekijken. Daar had je Marsh End, wat somber en ingesloten, met de Morris van A.L. Lehmann in het hoge gras geparkeerd. Lily volgde de bocht van Mill Lane, staarde door de gietijzeren hek-ken naar gestreepte gazons, een tuin met beelden, een trapje vol honden. Ze bestudeerde het beginstadium van het huis dat in de bouwput verrees. De foto was van bovenaf genomen, en achter de vier muren zag Lily de zwartgeblakerde wirwar van een heg. De takken zaten er nog aan, alsof er net op tijd een plens water overheen was gehoosd, maar de bladeren waren verdwenen en de ondergroei was platgeschroeid. Ze bedacht dat dit weleens de plek kon zijn geweest waar Hidden House had gestaan. Maar als dat zo was, hoe kon het dan 'hidden' of-tewel verborgen zijn geweest? Ze staarde naar een houten bungalow aan Church Lane. De lucht erboven was turquoise en de eigenaar, een oude man, stak net zijn hoofd uit de tuin vol stokrozen van zo'n drie meter hoog. Daarnaast lag een andere tuin die de concurrentie met de buren was aangegaan, barstensvol Oost-Indische kers en IJslandse papavers en bespikkeld met vergeet-mij-nietjes in de kleur van de lucht. Als ze een manier kon vinden om hier nog een jaar te blijven wonen... Ze kon tekenles geven. Weer gaan schilderen. Misschien kon ze de spullen verknippen die ze net had gekocht en er slopen van maken, servetten, kinderkleren, en deze onherkenbaar veranderd weer verkopen op de braderie volgend jaar. Of dat allemaal plus nog een baantje in het hotel in Eastonknoll.

Ze wilde net weggaan toen ze een bordje zag en een pijl naar een andere zaal. *Speciale tentoonstelling*. Ze keek naar binnen en zag een groep mensen over een tafel met een glasplaat gebogen staan. Een man zwengelde aan een hendel en na elke draai kroop iedereen nog dichterbij en glimlachte, schudde het hoofd of zuchtte eventjes zacht. Lily liep erheen en daar, als een uiterst trage film, ontrolde zich een schilderij van het dorp. Toen er weer aan de hendel werd gedraaid, zag ze dat de huizen, wegen en heggen nauwelijks veranderd waren. Er stonden dieren en wegwijzers op, bomen en bloemen, sommige heel precies met pen en inkt getekend, andere een explosie van abstracte kleuren.

'Door wie is dit geschilderd?' vroeg ze.

'Iemand die hier kort is geweest. Een kunstenaar. Max Joseph Meyer.' De man bleef draaien. 'Een van de weinigen die het geluk heeft gehad door Cuthbert Henry te worden onderwezen. Meyer heeft hier de zomer van 1953 doorgebracht.' De man bleef haar staan aankijken. 'Voor zover bekend is hij nooit teruggekomen.' Hij draaide aan de hendel en daar stond Fern Cottage met ernaast Grae's lege huis. 'Er is onlangs in Londen nog een tentoonstelling geweest van Meyers werk. Na zijn dood staat hij opnieuw in de belangstelling.'

Ze trokken verder door de straat, langs het huis met het rieten dak, ook toen al mosgroen, en draaiden bij Mill Lane de hoek om. Lily hield haar adem in. Hidden House, nu zou ze het dan eindelijk zien, tot in de kleinste details en vol van kleur, maar er kwam niets. Ze keek op en wilde iets vragen, maar de man stond geconcentreerd te draaien. Daar had je het huis van de veerman, de aanlegsteiger, de veerman zelf.

'De zoon van Cuthbert Henry vond een stapel tekeningen en een aantal behoorlijk goede schilderijen. Hij heeft in een galerie in Londen een tentoonstelling georganiseerd. Thomas Everson, misschien kent u hem? Woont in het dorp. Heeft ook die busreis erheen georganiseerd. Ja, samen met de broers Lehmann, ik zou niet weten waarom, maar die hadden een stuk land in Australië geërfd dat in Meyers testament stond vermeld, al waren ze er niet bepaald blij mee! Maar daardoor, met al die heisa, dacht ik wel ineens weer aan de rol. Ik schaam me het te moeten zeggen, maar deze rol heeft jarenlang, wat zeg ik, sinds de oude Gannon Room is afgebroken, in een kist onder het toneel gelegen. Hier, als je goed kijkt zie je nog waar de delen aan elkaar zijn geplakt.' Lily tuurde door het glas. Het papier was met onzichtbare steekjes op katoen gezet. 'Zevenendertig en een halve meter lang,' zei de man trots, en hij liet het schilderij weer verder draaien.

Daar was The Ship, met iets daaronder het houten huisje en verspreid over wat nu het parkeerterrein is, stond een groepje witte houten huizen op palen. Lily zag ze traag voorbijzwengelen en vroeg zich af wat ermee was gebeurd, je zou willen dat er nog zo'n Tea Room was met gezellig gebloemde gordijntjes, en op dat moment zag ze Sea House, dat op leek te bollen als een zeil. Het was veel groter dan de andere huizen, verder naar voren geschoven, zilverkleurig betimmerd met planken en met een houten trapje dat door het zand was geschuurd. Er hing een bordje bij de deur. *Te huur. Gemeubileerd.* Lily sloeg een hand voor haar mond. 'Dankuwel,' zei ze tegen de man aan de hendel en ze rende het dorpshuis uit.

Onmiddellijk werd ze omstuwd door drommen mensen die aan weerszijden van de ingang planten en boeken stonden te bekijken. Als een dolle begon ze te duwen, maar mensen draaiden zich om en keken haar zo verbijsterd aan dat ze wel gedwongen was het iets rustiger aan te doen. Ze hadden gelijk, zei ze bij zichzelf, al die haast is nergens voor nodig, maar toen werd haar weg versperd door een spelletje touwtrekken. Er lag een dik touw over de meent en bij het midden daarvan stond Alf op een fluitje te blazen en kinderen in groepen te verdelen. Ze kon niet verder en bleef staan kijken hoe ze geteld, opgesplitst en naar links of rechts werden gestuurd.

'Trekken!' Er werd op het fluitje geblazen en Alf, die heen en weer beende, brulde om beurten een van beide groepen toe. Als een reusachtige slang slingerden ze van de ene naar de andere kant totdat het gemarkeerde punt op het touw samen met een aantal kleine lijven over de krijtstreep werd getrokken. 'Ja!!' Van de kant van de winnaars klonk gebrul en Alf gooide een handvol snoepgoed de lucht in. 'Meer,' gilden de kinderen om hem heen springend. 'Meer. Meer. Meer.'

Lily stapte over het achtergelaten touw heen. Ze raapte een gevallen citroenijsje op en rende toen in de richting van de haven.

Te huur, stond er nog altijd op het bordje. En daaronder een telefoonnummer in Londen. 8306 2506. Ze had geen pen bij zich. '8306 2506,' prevelde ze voor zich uit en voor het eerst van haar leven bedacht ze dat een mobieltje toch wel handig was.

39

Lieve Max, schreef Gertrude twee dagen voor nieuwjaarsdag *1954*. *Ik vind het heel naar, maar ik heb slecht nieuws: Klaus Lehmann is deze week overleden, dinsdag om vier uur. Hij was uit het ziekenhuis in Ipswich ontslagen en thuis in Hidden House, dat hem zo dierbaar was en waar we dachten dat hij ongetwijfeld weer zou opkrabbelen. Maar toen verslechterde zijn toestand en begaf zijn hart het. Zijn hart. En wij maar denken dat het zijn longen waren. Ik schrijf je omdat er een herdenkingsdienst zal worden gehouden en ook omdat Elsa, in haar precaire toestand – wist je dat ze na al die jaren in verwachting is? – de steun van al haar vrienden kan gebruiken. Ik heb gevraagd of zij je wilde schrijven, maar ze is zo zwaar aangeslagen. Ze zegt dat ze de baby niet wil hebben, dat ze hem alleen voor Klaus wilde. Ik weet zeker dat als hij er eenmaal is ze wel van gedachten zal veranderen, maar mocht dat niet zo zijn, mocht haar wanhoop sterker zijn dan de natuur, dan heb ik aangeboden voor de baby te zorgen. Ik hoop dan te bewijzen dat ook het meest onfortuinlijke kind zeer wel kan floreren.*

Ik wacht op bericht van je en hoop je volgende week te mogen begroeten, en nogmaals bedankt dat je de rol hier hebt gelaten.

Max was al gepakt. Hij had een ticket naar Australië op zak, wist wanneer de boot zou vertrekken en had zelfs een brief van de Hay Association die hem hartelijk welkom heette.

Zing Hay voor hoera,
En je denkt tralala
En je wilt niet meer dood...

Nee, hield hij zichzelf voor, ze houdt niet van me. Hij bleef bij zijn besluit.

40

8306 2506. Lily draaide het nummer voor de vijftiende keer die dag en terwijl de verbinding tot stand werd gebracht en de telefoon overging, keek ze uit over de meent. De avond was inmiddels gevallen en de kraampjes waren verdwenen, de spelletjes opgeruimd, de tafels ingeklapt. Of Em had de rommel opgeruimd, of iemand anders die al even grondig te werk ging. Er viel niets meer te bekennen, nog geen snoeppapiertje of plastic beker, niets dat erop wees dat hier een feest had plaatsgevonden. Alleen was het gras niet langer groen maar bruin, vertrapt door heel veel voeten na een lange zomer vol zon. Ze voelde een buitensporige genegenheid voor het gras, alsof het een vriend was, en hoopte dat het een week lang zou regenen.

'Met Thomas Everson.'

Even had Lily geen idee meer wie ze gebeld had. 'O ja. Ik belde over Sea House.'

Thomas Everson klonk verbaasd. 'We krijgen niet vaak iemand die het in deze tijd van het jaar wil huren.'

'Ja...' zei hij aarzelend toen ze vroeg of ze het voor langere tijd kon huren. 'Moet ik even denken. Als u het een paar maanden wilt huren, moeten we er wel uit kunnen komen. Dat is me liever dan dat het leegstaat. Kent u het huis?'

'Ja, ik ben nu in het dorp.'

'Dan weet u ook dat het water soms stijgt. Uiteraard zijn er nu allerhande zeeweringen, weerswaarschuwingen en dergelijke, en een kustpatrouille, maar het schrikt sommigen toch af. Hoewel er natuurlijk een boot ligt. Hoeveel kunt u betalen?'

Hoeveel kon ze betalen? Ze dacht razendsnel na.

'Denkt u dat driehonderd pond per maand zou lukken? Dat is wat ik meestal vraag buiten het hoogseizoen. En dan legt u wat extra neer voor de telefoon.'

'Ja, uiteraard.' Zoveel zou ze nog wel kunnen verdienen in de bediening, en dan hield ze makkelijk vier dagen over om te schilderen.

'Nou, u kunt de sleutel halen bij mevrouw Cobbe in Church Lane. Zij zal het nog even schoonmaken voordat u er intrekt. Nog één ding...'

'Ja?'

'Er is iemand... Hoe zeg ik dat? Een eh, een vriend des huizes slaapt graag in de boot. U hoeft niet te schrikken, hij zal u niets doen, en als het niet te veel moeite is en ik hoop dat u het niet vervelend vindt... maar als u hem af en toe een kop thee of een broodje kunt geven?'

'In orde.'

'Iedereen in het dorp houdt een oogje in het zeil, snapt u wel?'

'Ja.' Lily's keel zat vol tranen. 'Natuurlijk. Ik realiseerde me niet...'

Thomas Everson zuchtte. 'Mooi, dan is dat afgesproken, en het belangrijkste is dat het huis niet leegstaat.'

'Heel erg bedankt.' Lily had het gevoel de sleutels al in handen te hebben. 'Nogmaals bedankt.'

De volgende ochtend nam Lily al vroeg een kijkje bij haar huis. Ze liep het trapje op en drukte haar gezicht tegen de ruit. Binnen was het keurig opgeruimd. Er stond een theemuts gezellig over een pot gedrapeerd, en er hingen een spatel, een pollepel en zelfs een afwasborstel aan aparte haakjes met een kaartje erboven. Overal zaten kaartjes op, er zat er zelfs één naast de koelkast geprikt. Lily tuurde door haar oogharen. *Koelkast*, stond er. Maar aan de muren en in fel contrast met het wit van de planken hingen schilderijen van bloemen, knallende kleur-uitbarstingen afstekend tegen de knoesten en groeven. Ze drukte haar gezicht tegen het raam en probeerde alles in zich op te nemen toen er iets langs haar been streek. Ze schrok zo dat ze bijna dwars door de reling van de veranda viel, en toen zag ze dat het Grae's kat was.

'Guinness.' Ze hurkte neer en kriebelde achter zijn oren. 'Waar zijn de anderen nou toch?' Guinness mauwde en spon en zijn witte kruintje trilde onder het genot van haar strelingen. 'Kom,' zei ze, en samen liepen ze in de richting van de strand-huisjes.

Ze namen het holle pad dat achter het strand langs liep, de kat een eindje voorop met een kaarsrechte staart waar als een derde oog een wit puntje op zat. Ze staken de rivier over, liepen terug door het hoge riet en kwamen onder aan de duinen uit. Lily voelde haar maag samentrekken en schokken, maar het huisje zat op slot, de tafel was leeg en de as van het vuur een grijze veeg over het zand. 'Waar is hij?' Ze voelde zich gekwetst. 'Waar is hij de hele nacht geweest?' Ze zocht in haar zak naar een pen en toen ze merkte dat ze er nog steeds geen bij zich had, begon ze met haar teen een boodschap in het zand te schrijven. *Wel ver...*, begon ze, en toen veegde ze het zand weer glad en trok een gigantisch vraagteken.

Guinness liep achter haar aan naar huis. Hij trippelde de keu-ken in en keek smekend naar haar op toen ze thee zette. Wat had ze in huis? Ze had eens ergens gelezen dat melk niet goed was voor katten en trok dus maar een blikje tonijn open en schepte daar iets van op een schoteltje. Het arme beest is uitge-hongerd, dacht ze, en nu extra gegriefd door Grae laadde ze er de overgebleven pasta van gisteravond bovenop. Al spinnend en likkend aan de tomaten en kaas, at Guinness alles op en drentelde vervolgens de woonkamer in, zag haar stapel tweedehands kleren liggen, nestelde zich erin en viel in slaap.

Lily ging met haar kop thee aan tafel zitten. Het huis, de tuin, de meent, alles leek ongewoon stil. Ze liet haar hoofd hangen. Hoe moest het voor Nick zijn geweest? Ze voelde een diepe ontzetting en probeerde zich voor te stellen hoe hij daarbuiten een hele nacht op haar had gewacht. Er lagen wat vellen papier op tafel en ze begon aan een briefhoofd.

Sea House
Steerborough
Suffolk.

Ze tekende het huis ernaast, de trap, de palen en het balkon boven met daarop een heel klein figuurtje dat op de uitkijk stond.

Lieve Nick,
Het spijt me van dit weekeind... dat ik zo doordraafde. Ze keek uit het raam. Speet het haar echt? Ze wist het niet, maar het leek ineens allemaal niet meer zijn schuld. *Ik hoop dat de rit naar huis niet al te erg was, of ben je goede maatjes geworden met de man van de wegenwacht? Ik heb nog eens nagedacht over wat jij zei...* Ze begon op het uiteinde van haar pen te kauwen. *Over in mijn leven stappen. Ronddobberen. Hoe dan ook, ik weet niet waarom, en jij zult het ook wel niet begrijpen, maar ik heb besloten een poging te wagen om in het leven te stappen. Hier. Ik heb een ander huis gehuurd, in elk geval tot de kerst. Een geweldige plek – ze tekende een pijl naar boven – met uitzicht over zee en nergens een spatje bruin. Ik kan me voorstellen dat je wilt dat ik mijn spullen kom ophalen... Het spijt me. Ik zweer je dat ik dit niet had voorzien, maar we moeten een en ander op een rijtje zetten.* Lily bleef een hele tijd naar de brief zitten kijken. Precies in het midden van haar borstkas deed het zeer. *Ik neem aan dat we het ook nog over geld moeten hebben. Ik*

zal *geen dubbele huur kunnen opbrengen.* Ze voelde een onverklaarbare tederheid voor hem. Ze kon bijna de warmte van zijn schouders voelen toen hij haar die laatste keer tegen zich aan had gedrukt. Waarom had ze zich verzet? Waarom had ze haar gedachten zo wrokkend laten doorratelen over wat hij wel of niet had gezegd? Misschien was ze beter af in haar eentje. *Dankje voor al je geduld, Nick, we spreken elkaar heel binnenkort.* Ze voegde twee zeemeeuwen toe aan haar tekening. Hun vleugels als zoenen, tekentjes in de lucht. *Je hoeft niet te schijven. Ik bel. Liefs, Lily.*

Op dinsdagochtend fietste ze naar Eastonknoll en wandelde door het stadje. Er werd een krantenjongen of -meisje gevraagd in de leeftijd van 13 tot 73. Een kledingzaak zocht nog een fulltime verkoopster, maar de annonce voor het raam van het hotel was verdwenen. De hotellucht van toast en chintz en tapijt trof haar bij binnenkomst. Er stond een soort katheder, zo laag dat je erop kon leunen, en daarachter zaten twee meisjes. 'Ik vroeg me af,' zei ze, 'of jullie nog iemand nodig hadden. Er hing een oproep voor een serveerster... Voor het raam.'

Een van de meisjes glimlachte. 'Op het moment hebben we niemand nodig. Maar na volgende week, als een boel van de meisjes weer aan de studie gaan, is er vast veel werk.'

'Zal ik dan terugkomen of kan ik me nu al opgeven?'

'Dat kan.' Ze pakte een pen. 'Heb je ervaring?'

'Ja.' Lily leunde over de balie. 'Ik heb vier jaar in een restaurant in Covent Garden gewerkt.'

'In Londen?' Het meisje was geïmponeerd en al wist Lily dat het belachelijk was, toch was ze best trots.

'Je kunt uitserveren?'

'Ja.'

'Overdag of 's avonds?'

'Pardon?'

'Welke dienst draai je het liefst?'

'Maakt me niet uit. Hoewel. Liever 's avonds.' Ze bedacht dat het vast heerlijk zou zijn om rond middernacht naar huis te fietsen, de brug over de rivier over te vliegen en te zwaaien als Bob de Bagger in het donker voorbijflitste.

'Je kunt maandag wel langskomen, dan vertelt de manager je verder alles wat je moet weten.' Het meisje glimlachte naar haar en wendde zich toen tot een oeroud en buitenissig chic echtpaar dat de trap af sukkelde.

Lily fietste terug naar Steerborough, stopte bij de winkel voor kattenvoer, en fietste toen, ze kon het niet laten, door over het paadje en de brug tot ze de strandhuisjes in het oog kreeg. Ze verwachtte niets te zullen zien, geheid dat de boel er verlaten bij lag, maar nog voor ze ze zag, hoorde ze Em en Arrie al kwebbelen.

'Hallo.' Ze probeerde haar stem zo vlak mogelijk te houden. Ze keken naar haar op en toen weer omlaag naar een bergje touwen en stokken.

'We maken een vlieger,' zei Arrie, en Em begon met plakband een stuk plastic over het houten raamwerk te spannen. Lily hurkte naast ze neer met de kriebels in haar maag, ineens doodsbenauwd dat ze Grae zou zien, maar toen ze opkeek stond hij voor het strandhuisje tegen de deur geleund.

Trillerig liep ze op hem af. 'Ik wilde nog zeggen,' zei ze, 'over laatst. Het spijt me echt heel erg, maar ik schrok me rot van je.'

'Het spijt je?' Zijn ogen waren kil. 'Dat pik ik niet, hoor, zo te worden aangevallen.'

'Nee, natuurlijk niet.' Lily slikte. 'Waarom zou je?'

Hij keek haar dreigend aan. 'Ik snap niet wat je bedoelt.'

'Papa.' De kinderen drongen om hem heen. 'Laat je haar zien wat we hebben gevonden? Laat nou zien.' Ze graaiden in zijn jaszak, maar Grae was sneller. Hij trok zijn hand eruit en toen hij hem openvouwde lag er een plat steentje in. Er was met inkt een gezicht op getekend en daaronder stonden de vier letters van haar naam.

'Hoe is het mogelijk.' Lily pakte de steen en heel even streken haar vingers over zijn handpalm. 'Van alle stenen op het strand.' Het gezicht leek alleen niet op het hare. Rond, een pluizige pony en fijn getekende wimpers.

'Die hebben we in Minsfurd gevonden.' Em liet een hand in de hare glijden. 'Er was een waslijnenwedstrijd en daar had iemand een stalletje. We hebben net zo lang gezeurd tot papa hem kocht.'

'Het was heel erg leuk,' zei Arrie. 'En de waslijn die won was een paard en de teugels daarvan waren de draden waar je de kleren aan kon hangen. Papa gaat volgend jaar ook meedoen. Toch, papa?'

Grae gaf geen antwoord.

'Mam zei dat ze wel zou helpen. Als we weer op de boerderij gaan wonen. Ze maakte vroeger van alles...' Ze keek vol hoop. 'Voor ze ons kreeg, bedoel ik.'

'O, toe nou, papa,' viel Arrie bij. 'Mam zei toch dat ze het niet zo bedoelde.' Ze had een staart aan de vlieger gebonden en holde daarmee weg over het strand. 'Uggleswade, Uggleswade. We mogen weer naar Uggleswade.'

'Uggleswade, Uggleswade...' Em rende haar achterna. 'Gooi hem in de lucht, Arrie. Toe maar. Gooien.'

Ze bleven staan kijken hoe de kinderen gillend en springend over het strand achter de vlieger aan joegen die omhoogzwiepte en -zwarrelde en toen het zand indook.

'Zo...' zei Lily, 'dus je geeft het nog een kans.' Toen herinnerde ze zich de steen en gaf hem terug.

Grae pakte de steen van haar aan. Hij knikte, zijn muts half over zijn oren getrokken, met afgewende ogen, en toen op het laatste moment pakte hij haar hand.

'Lily,' fluisterde hij. 'Het spijt me.' Er klonk een kreet van de meisjes en de vlieger steeg op. 'Ik moet het met Sue nog een keer proberen, snap je.'

'Ja,' zei ze. 'Oké.'

Hij zoende haar heel zachtjes en toen kwamen de meisjes terug denderen met boven hen de vlieger met flapperende staart.

Grae liet haar hand los.

'Dag.' Lily bukte zich voor een knuffel. 'Dag,' zei ze wat zachter tegen Grae. Toen ze langs het huisje liep, keek ze naar binnen en zag dat hun spullen al gepakt waren.

Haar fiets stond er nog, hoog op het duin, en in het mandje lag het omgevallen blik Whiskas. Was ze toch nog vergeten te zeggen dat Guinness bij haar was. Ze stond naar het blikje te kijken en wist dat ze zou moeten huilen als ze terugging. Maar eenmaal in Fern Cottage bleek de kat zo diep te liggen slapen op een berg gebloemde stof dat hij ondanks haar pogingen niet van zijn plek te krijgen was.

41

Lieve Max,

Heel erg bedankt dat je alvast je adres hebt doorgegeven. Je zult ongetwijfeld willen weten dat Elsa bevallen is van een tweeling! Wat aan de vroege kant, maar gezond en wel, op 22 mei jongstleden. Elsa is verrassend goed hersteld en om ervoor te zorgen dat ze alle hulp krijgt die ze nodig heeft (zo zonder verdere familie), is ze bij mij in Marsh End komen wonen. Met de baby's gaat het uitstekend. Ze heeft ze Albert L. en Robert L. genoemd, en het zijn schatjes. Ik had je eerder willen schrijven, maar met alle drukte lukte het niet eerder om tijd te vinden. Laat af en toe wat van je horen en houd ons op de hoogte van je nieuwe bestaan.

Vriendelijke groet, Gertrude Jilks

P.S. Alf is als een broer voor ze.

42

Lily was vroeg opgestaan en legde juist de laatste hand aan haar eerste schilderij van de lucht, toen de postbode aanklopte.

'Goedemorgen.' Hij overhandigde haar een pakje, en ze bedankte hem zo innig dat hij zich blozend omdraaide.

Mijn hemel, dacht ze, zo eenzaam ben ik dus al, en ze bleef even geschokt in de gang staan.

Het pakje kwam van Nick. *Lieve Lily...* Door de verf op haar vingers verschenen er duimafdrukken op de brief toen ze het pak leegschudde boven de keukentafel. Er zaten twee kleinere pakjes in, allebei stevig ingepakt in vloeipapier, en Lily hield ze in haar hand en voelde de ongelijkmatige vormen ervan terwijl ze verder las. *Lily, kom alsjeblieft niet je spullen ophalen. Ik heb zitten denken over wat je zei, en je hebt gelijk, waarom zou je geen plannen mogen maken? Als we nou eens beginnen met de kerst. We zouden van de winst van deze klus een reisje kunnen maken, of ik kan naar Suffolk komen. Overal is goed, ik meen het, zolang er maar geen bruine bank staat. Maar eerst wil ik je stem horen. Pak je cadeau uit (is al opgeladen), stap in de auto en rij naar de A12. Als je een signaal opvangt, druk dan op 1, houd dat drie seconden ingedrukt, luister, en bel me dan alsjeblieft terug.*

Lily voelde haar hart bonzen toen ze heel langzaam een mobiele telefoon uitpakte. Klein en zilverkleurig. Heel voorzichtig liep ze ermee naar haar auto, legde hem op de stoel naast haar en bleef er vrijwel constant naar kijken om te zien of er een ontvangstsignaal verscheen. Ze zette de auto stil naast het veld met varkens. Ze hadden weer jongen gekregen, of waren dit andere varkens? Maar ze lagen zompend in de modder voor hun huisjes terwijl de piepkleine worstroze beestjes krijsend om hen heen drongen. Met trillende vingers toetste ze de 1 in. Ze hield de knop ingedrukt en bracht het toestel naar haar oor.

'U heeft één bericht,' werd haar meegedeeld en toen had ze Nick aan de lijn. 'Lily, met mij. Ik wil je al heel lang iets zeggen.' Zijn stem daalde en ze werd eerst koud en toen warm. 'Ik hou van je, Lily. Hoor je dat? Ik hou van je.' Nick begon te lachen. 'Dat viel best mee, je had gelijk. Ik hou van je, ik hou van je. Vanaf dat we elkaar leerden kennen die avond, heb ik je dat al willen zeggen.'

'Er zijn geen nieuwe berichten.' Dat was de stem van de vrouw weer, maar ze hield de telefoon tegen haar oor gedrukt.

Lily bleef heel lang naar de varkens zitten kijken. Ze glimlachten, ze wist het zeker, zelfs toen er twaalf biggetjes allemaal tegelijk in hun zij begonnen te duwen en porren.

'Nick?' Haar hart bonkte. 'Ik heb je bericht ontvangen. Dankje. Dankjewel. Ahh...' Nee, ze kon het niet zeggen, niet tegen een antwoordapparaat. 'Laten we elkaar zien. Ik verwacht je in Sea House, zaterdagavond. Kom alsjeblieft. Het is mijn eerste nacht daar. Nou... Ik zal iets lekkers koken, en als het water hoog staat, zet dan je auto bij The Ship, dan kom ik met de boot aanroeien om je op te halen.' Ze liet haar stem iets zakken. Ze merkte nu al dat dit iets verslavends was. 'En Nick, dankjewel. Ik kan het nu niet zeggen... Maar...' Ze haalde diep adem. 'Ik zie je dan.'

Dankwoord

Graag wil ik Otto Samson en A.W. Freud bedanken dat ze mij hun memoires 'Moorfred' en 'Before the Anticlimax' hebben toegezonden, waar ik veel aan heb gehad. Ook wil ik Sandra Heidecker en Katharina Bielenberg bedanken voor de vertaling van een groot aantal brieven van mijn grootvader, Ernst Freud. Daarnaast ben ik veel dank verschuldigd aan Wally Webb die mij over de tekening op rol vertelde, en aan Richard Scott die me de rol heeft laten zien en me heeft gewezen op de briefwisseling tussen John Doman Turner en zijn leraar Spencer Gore. Ik ben Frederick Gore bijzonder dankbaar dat ik deze brieven heb mogen lezen, waardoor de 'grote kunstenaar' Cuthbert Henry heeft kunnen ontstaan, en ook Karl Kolwitz, die zonder dat ik hem had laten weten dat ik kwam, mij welkom heette op het eiland Hiddensee en voor de lunch een paling voor me ving. Veel dank aan Shawn Slovo die me een rustige kamer verschafte waar ik kon werken, en als altijd aan David Morrissey voor zijn aanmoediging en steun.